АТАМАН СЕМЕНОВ

·

О себе

Воспоминания, мысли и выводы

1904–1921

Свидетели эпохи

АТАМАН СЕМЕНОВ

■

О себе

Воспоминания, мысли и выводы

1904–1921

Москва
ЦЕНТРПОЛИГРАФ
2007

ББК 63.3(2)5
С30

*Разработка серийного оформления
художника И.А. Озерова*

Семенов Г.М.

С30   О себе. Воспоминания, мысли и выводы. 1904—
1921. — М.: ЗАО Центрполиграф, 2007. — 304 с.

ISBN 978-5-9524-2694-8

Воспоминания атамана Забайкальского казачьего войска Григория Семенова
представляют двойной интерес — и как свидетельство участника и вершителя исторических событий в Гражданской войне, и как изложение взглядов неординарного
человека, самобытного и одаренного патриота, мыслителя, до конца своей жизни
преданного интересам России.

ББК 63.3(2)5

ISBN 978-5-9524-2694-8

ОТ АВТОРА

Будучи вынужденным волею обстоятельств временно прервать активную борьбу с Красным интернационалом, которой я посвятил себя с первых же дней захвата власти над моей родной страной его агентами, я ни одной минуты не думал, что эта борьба закончена и что большевистский опыт будет продолжаться впредь без всякого противодействия ему со стороны здоровых элементов нации.

Вести, приходящие к нам из России, говорят за то, что ныне, более чем когда-либо, русский народ тяготится властью Советов и только полная невозможность в кошмарной обстановке советской действительности каких-либо организованных выступлений способствует сохранению существующего в России строя.

До сего времени красное правительство, засевшее в Кремле, пользовалось поддержкой некоторых государств, которые находили для себя выгодным существование в России правительства, интересующегося более чужими делами, чем устроением собственной страны, жестоко разоренной тяжелой войной и последовавшей за ней революцией, со всеми ее эксцессами и неурядицей.

Теперь наступает, наконец, время, когда сомнительная выгодность такого общения с гнездом мировой красной заразы начинает сознаваться иностранцами, и мы присутствуем ныне при знаменательном факте постепенной изоляции Советского Союза.

В мире совершаются определенные сдвиги, и это вселяет надежду в наши сердца на близость грядущего освобождения нашей страны от поработившего ее ига. Одушевленные этой надеждой, мы должны усиленно готовиться к грядущим событиям, чтобы не оказаться застигнутыми ими врасплох.

В этих целях я решил восстановить в своей памяти прошедшие события, анализ которых имеет громадное значение в том отношении, чтобы, имея перед собой опыт прошлого, избегнуть повторения роковых ошибок его в будущем.

Я надеюсь также, что, опубликовывая свои записки, которые я старался составить возможно объективнее, не увлекаясь ни личными симпатиями или антипатиями, ни стремлением представить себя в каком-либо особенно благожелательном свете, я помогу внести ясность и необходимые исправления в изданные до сего времени исторические материалы о течении революции в Сибири, потому что все, что печаталось до сего времени о российской революции и Гражданской войне, в части, касающейся Сибири и Дальнего Востока, было далеко не полно, частью искажено, частью ложно истолковано.

Вместе с тем я хочу обратить внимание читателя на то, что этот мой труд отнюдь не претендует на роль строгого исторического исследования прошедших на наших глазах событий. Эта книга не есть история, это просто мои личные воспоминания, мысли, вызванные ими, и некоторые выводы, которыми я хочу поделиться с моими читателями, подавляющее большинство которых являются такими же русскими националистами и эмигрантами, каким являюсь и я сам.

Автор

Дайрен
1936—1938 гг.

О себе

Воспоминания, мысли и выводы

1904–1921

Часть первая
РЕВОЛЮЦИЯ

Глава 1
ЧТО БЫЛО

Русско-японская война. Впечатления от неудач на фронте. Революционная пропаганда. Мое решение посвятить себя армии. Военные училища и постановка дела в них. Оренбургское казачье училище. Начальствующие лица и преподаватели. Основные принципы воспитания. Расписание дня. Дух и традиция училища

Начало XX столетия было временем полного расцвета российского благополучия. Страна развивалась и богатела, несмотря на невзгоды в связи с внешними политическими неудачами 1904—1905 годов и только что пережитыми революционными потрясениями.

Период Русско-японской войны застал меня в родной забайкальской станице. В то время я жил в семье своего отца, в поселке Куранжа, расположенном по среднему течению реки Онона.

Мне было 14 лет. Читая в газетах сообщения Штаба Главнокомандующего о действиях на фронте против Японии, я болезненно переживал боевые события, складывающиеся на фронте не в нашу пользу. Я никогда не забуду впечатления, которое произвели на меня сообщения об отступлении от Ляояна и от Мукдена. Эти события весьма остро переживались всем населением России, и только социалисты разных толков и оттенков радовались несчастиям своей родины, считая, что неудачная война создаст обстановку, благоприятствующую революционным выступлениям против веками сложившегося государственного порядка.

Мобилизация 1904 года была встречена повсеместно с бурным восторгом уверенности в победе. Первые неудачи на фронте; роковые ошибки нашего командования, повлекшие за собой утрату инициативы и глубокий отход; сдача Порт-Артура и цусимская катастрофа ослабили силу сопротивляемости армии и погасили в народе волю к победе. Этим воспользовались революционеры, возбудившие брожение в народных массах и спешившие использовать нараставшее недовольство в своих целях. Тактика революционеров заключалась в возбуждении недовольства крестьян и рабочих. Объектом их действий служили также и прифронтовые районы, где появились юркие агитаторы, настраивавшие солдат против офицеров, которых обвиняли во всех военных неудачах.

Однако в то время Россия была велика и территориально, и экономически. Неудачи Русско-японской войны не подорвали мощи страны; экономический порядок не был нарушен; армия осталась верна присяге, и потому поднять массы на баррикады не удалось.

Руководители революционного движения учли, что без расстройства экономической жизни страны и без привлечения к себе симпатий армии они не могут рассчитывать на успех своего движения, и потому штаб революции ушел в подполье и, изменив тактику своей работы, повел ее в направлении подготовки масс к новому выступлению при благоприятных условиях. Эти благоприятные условия создались в начале 1917 года, когда небывало тяжелая война подорвала экономическую жизнь страны и когда вся армия находилась в окопах. При этих условиях революционеры сравнительно легко овладели положением и взяли под полный свой контроль вышедшие на улицу голодные толпы, направив их на путь революции. Этот опыт принят к строгому учету всеми революционерами, и мы видим теперь, что, где бы ни намечалось поднятие революционного флага, везде предварительно нарушаются функции экономической жизни страны, создается хаос и недовольство, при наличии которых социалисты легко овладевают положением, суля массам улучшение экономических условий жизни и создание такого порядка, при котором все кризисы будут легко и навсегда изжиты. Революционная пропаганда при таких условиях тем действительнее, что большинство людей всегда склонно стремиться к лучшему и свою действительность оценивает ниже того, что она стоит.

**

Пришел 1906 год, когда мои родители решили дать мне возможность поступить в гимназию для получения дальнейшего образования. К тому времени я уже два года как закончил двухклассное училище в станице и был вполне подготовлен к экзаменам на поступление в 5-й класс гимназии. С этой целью в июне месяце я был отправлен в Читу. Повторив с усердием всю программу, я осенью с полным успехом выдержал экзамен для поступления в Читинскую гимназию, но, за отсутствием вакансий, был вынужден остаться вне стен учебного заведения и должен был проходить курс за шесть классов классической гимназии дома с репетитором, имея в виду впоследствии сдать экстерном экзамен за шесть классов гимназии и поступить в Оренбургское военное училище, при котором находился общеобразовательный класс, помимо двух специальных. В 1908 году вступительный экзамен в училище был благополучно сдан, и я был зачислен юнкером младшего класса училища.

Постановка военного воспитания и образования в военных училищах старой императорской России была настолько хороша, что, по справедливости, она может служить образчиком и на будущее время, когда Россия освободится от оков Коминтерна и станет прежней благоденствующей страной, под сенью которой находили приют и благополучие все народы ее населяющие.

Военные училища были организованы таким образом, что только военные лица, получившие законченное образование, имели право быть в них принятыми. Но вследствие большого некомплекта в армии офицеров, некоторые училища, помимо специальных классов, имели при себе общеобразовательный класс, и в такие училища принимались молодые люди с аттестатом за шесть классов гимназии. Проведя один год в общеобразовательном классе, они заканчивали свое среднее образование в объеме программы кадетских корпусов, после чего переходили на первый специальный курс.

Что касается постановки воспитания в училищах, то за два или три года обработки, которой подвергался юнкер, он становился совершенно подготовленным к офицерскому званию. Война и последующая революция показали высокое качество и преданность своему долгу и родине юнкеров военных училищ, несмотря на то что во время войны все курсы были сокращены и общеобразовательный ценз для поступления в училище значительно понижен.

* * *

Начальником Оренбургского казачьего училища в мое время был терский казак, Генерального штаба генерал-майор Слесарев. По своему образованию, знанию и любви к порученному ему делу это был выдающийся офицер, который пользовался большим уважением и любовью своих питомцев. Инспектором классов был ученый артиллерист, окончивший Михайловскую артиллерийскую академию, полковник Михайлов, а его помощником — войсковой старшина Дутов, впоследствии Войсковой атаман Оренбургского казачьего войска и известный деятель Белого движения. Грозой юнкеров был преподаватель математики, артиллерийский подполковник и академик Дмитрий Владимирович Нарбут — строгий педагог, исключительных знаний и дарований.

Командовал сотней юнкеров терец, войсковой старшина Бочаров. Он также окончил Академию Генерального штаба, и потому, помимо руководства чисто строевой подготовкой юнкеров, он вел также курс военной администрации.

Тактику нам читал Генерального штаба подполковник Веселаго, талантливый лектор и веселый в компании человек. Помимо внедрения в наши головы чисто научных истин он, при случае, руководил нашим светским образованием.

Воспоминания об училище уносят в даль былого величия и благополучия нашей родины и вселяют уверенность в неизбежности ее возрождения. Мощь армии и те основы, на которых она воспитывалась, являются краеугольным камнем всей государственной постройки, и устойчивость ее осталась непоколебимой, несмотря на продолжительную войну и тяжелые потери, пока реформаторы, типа Керенского, не привили армии бацилл политической борьбы и партийности, которые быстро раскололи монолит армии на враждующие между собой партийные группировки.

Опыт был произведен, и результаты оказались весьма показательны: в короткий срок армия фактически перестала существовать. Теперь должно быть ясно, что участие армии в политической жизни страны может быть допущено в пределах исполнения своего долга перед родиной, во имя ее блага и охранения незыблемости ее политического строя. Преступно вовлекать армию в борьбу политических партий, потому что совершенно бессмысленно верить в возможность существования такой идеальной партийной программы, которую можно было бы считать безусловным рецептом спасения родины. На политическом поле гибкость боевого порядка и свобода маневрирования необходимы не в меньшей степени, чем на поле брани; только при этих условиях возможно отстаивать реально выгодные для блага родины позиции и идти вперед по пути развития ее мощи и народного благосостояния.

День юнкера распределялся так, что для безделья времени не оставалось. Программа была весьма обширной, и, кроме того, юнкера обязаны были ежедневно уделять время для ознакомления с литературой, как классической, так и специально военной.

Зимой день начинался в 6 часов, по сигналу. Через 15 минут после побудки юнкера выстраивались на утренний осмотр и молитву, после которых полагалась обязательная прогулка в пешем строю, продолжавшаяся при всякой погоде не менее часа.

После прогулки давался утренний чай и начинались занятия по расписанию — классные и строевые. С двухчасовым перерывом на обед, занятия продолжались до 4 часов дня, причем около пяти часов ежедневно отводилось занятиям в классе и три часа — строю.

Юнкера особенно увлекались спортом во всех его видах: джигитовка, вольтижировка, фехтование, гимнастика, легкая атлетика, бег и проч. пользовались неизменными симпатиями юнкеров и процветали в училище.

Вечер посвящался подготовке к периодическим репетициям, на которых преподаватели проверяли знания питомцев, каждый по своему предмету, и в 11 часов вечера все огни в помещениях юнкеров тушились.

В Оренбургском училище, как и вообще у казаков, между юнкерами разных классов существовали чисто дружеские отношения, и то своеобразное явление, которое наблюдалось в иных, преимущественно кавалерийских училищах и которое было известно под названием «цук», никогда у нас не наблюдалось. Традиционно казачий характер взаимоотношений юнкеров между собою исключал возникновение цука в училище, в котором воспитывались представители всех казачьих войск, кроме Донского. Донцы имели свое войсковое училище в Новочеркасске на Дону.

До 1908 года юнкера носили каждый свою войсковую форму и она представляла собою весьма пеструю смесь цветов и покроя одежды. С 1908 года в училище была введена однообразная форма, состоящая из мундира с красными погонами и серебряным галуном вокруг них и шаровар с синими лампасами. Головной убор — черная большешерстная папаха или фуражка с синим околышем и темносиним верхом.

В последнюю войну многие воспитанники Оренбургского училища удостоились высоких боевых наград — ордена Св. Георгия и золотого оружия, а наш бывший юнкер, ныне полковник, Гамалий совершил совершенно легендарный поход с сотней казаков через Аравийскую пустыню, связавшись в Месопотамии с англичанами, за что и получил высший английский орден за храбрость и боевые заслуги.

Глава 2
МОНГОЛИЯ

Производство в офицеры. 1-й Верхнеудинский полк Забайкальского казачьего войска. Командировка в Монголию. Первые связи. Монгольская революция. Мое участие в событиях. Разная оценка его военными и консульскими властями. Высылка из Монголии. Рекордный пробег Урга—Троицкосавск. Чжожен-геген. Духовная прозорливость. Политическая осведомленность. Значение религии.

В 1911 году, 20 лет от роду, я окончил курс училища по 1-му разряду и был произведен в хорунжие, с назначением в 1-й Верхнеудинский полк Забайкальского казачьего войска. После установленного 28-дневного отпуска, проведенного мною в дому своего отца, я прибыл в полк, который в то время квартировал в городе Троицкосавске, на границе Халхи (Северная Монголия).

Полком командовал блестящий офицер, полковник, граф Артур Артурович Келлер, впоследствии принявший Астраханскую казачью бригаду, с которой он вышел на войну.

В полку я пробыл всего лишь около трех недель и был послан в Монголию для производства маршрутных съемок. По окончании этой работы я был оставлен при 6-й сотне полка, бывшей в то время на охране нашего консульства в Урге.

В столицу Монголии я прибыл в начале октября месяца 1911 года. С европейской точки зрения, Урга, конечно, мало походила на столицу, но этот город является действительным центром сосредоточения видных представителей монгольской теократии, возглавляемой Богдо-Хутухтой.

Время пребывания в Урге дало мне, с детства знающему монгольский язык, возможность близко сойтись с наиболее видными представителями монгольского общества, руководившими политической жизнью страны.

Намсарай-гун, кандидат на пост военного министра Монголии, изучал у меня современное военное дело. В то же время, при содействии г. Норбо, я перевел на монгольский язык наш устав строевой казачьей службы.

Урга кипела в водовороте политических страстей и новых устремлений. Только что совершившаяся в Китае революция, подорвав, как всякая революция, основные устои империи, способствовала ее расчленению, вызвав в народах, населяющих Китай, стремление к отделению от государства и полной самостоятельности. Уничтожение единства империи и возникновение розни и сепаратистских стремлений среди народов, составлявших ее, явилось одним из главных достижений революционеров, воспитанных в полном подчинении партийной дисциплине, во имя которой они не остановились перед ущемлением интересов своей родины.

11 декабря 1911 года произошло историческое событие — отложение Халхи от Китая и провозглашение независимой Монголии.

По распоряжению нашего консула я со взводом казаков взял на себя охрану Амбаня — китайского резидента в Урге, дворец которого подвергался опасности быть разграбленным возбужденной монгольской толпой. Доставив перепуганного Амбаня в наше консульство, я не ограничил этим свое вмешательство в развертывающиеся события и, видя, что наличие вооруженного китайского гарнизона в стенах импани в Курени раздражает толпу и вызывает ее на эксцессы, со своим взводом казаков, уже по собственной инициативе, разоружил китайских солдат, которые, сняв форму и превратившись в мирных жителей, рассосались в толпе без каких-либо дальнейших неприятностей. После этого, получив сведения о назревавшем нападении на Дайцинский банк в Маймачене, я со взводом отправился туда и, заняв его, предотвратил таким образом неминуемый грабеж и расправу со служащими банка.

Мое военное начальство, которому я донес о своих действиях, одобрило мою инициативу, и через несколько дней я получил телеграфную благодарность штаба округа за содействие восстановлению порядка и спокойствия в Урге. Но наш консул нашел, что мое вмешательство в дела монгол может послужить поводом для обвинения нас в нарушении нейтралитета, и, по настоянию Министерства иностранных дел, я получил предписание в 48 часов покинуть Ургу.

Администрация Дайцинского банка в Маймачене подчеркнула свою благодарность мне за помощь и защиту в дни переворота путем присылки подарка, состоявшего из 5000 лан (или долларов, теперь уже не помню), одного цибика душистого чая, весом около 4 пудов, и 10 откормленных быков. Все эти подарки были мною с благодарностью возвращены, со ссылкой на то, что, будучи офицером, я не имею права принимать от кого-либо подарки, да еще денежные. Однако директор банка настоял на том, чтобы с разрешения начальства подарки все же были мною приняты. Пришлось, в конце концов, принять все присланное и зачислить в артельное имущество сотни. Для меня лично банк присоединил до дюжины кусков шелка превосходного качества, которым я наделил своих друзей и знакомых, так как для меня, носившего форму, материал не подходил ни по расцветке, ни по качеству.

Авторитета одной нашей сотни, стоявшей в Урге, и одного взвода, принявшего под моей командой непосредственное участие в событиях, оказалось достаточно для того, чтобы сохранить порядок в Урге и направить революционное движение по определенному руслу.

Несмотря на неудачу войны с Японией, наш престиж в Восточной Азии стоял в то время очень высоко, и мои монгольские друзья, ставшие во главе правительства, возбудили перед нашими властями ходатайство о назначении меня в Ургу для участия в работе по организации национальной монгольской армии на современных началах. Однако мое самовольное вмешательство в течение революции в Урге послужило для консула основанием настаивать на моем отозвании из Урги, и потому мое назначение утверждено не было.

20 лет от роду мне пришлось впервые стать на путь политической деятельности, вмешавшись в создание истории страны великого Чингисхана. Результатом явилось: вынужденный отъезд из Урги и специальное расследование моих действий штабом Иркутского военного округа, которое было прекращено только по особому ходатайству командира полка, полковника, графа Келлера.

Отъезд мой из Урги задержался, так как проводы, организованные моими монгольскими друзьями, затянулись на несколько дней. Я уже просрочил время, когда, согласно полученного предписания, должен был явиться в полк. Телеграмма о болезни, которую я послал в полк по совету доктора Цибиктарова, не возымела должного действия, ибо наш консул в Урге был отлично осведомлен о состоянии моего здоровья. К тому же предстоял еще трехдневный путь по уртонам (станциям) от Урги до Троицкосавска. В этих обстоятельствах власти национальной Монголии пришли мне на помощь особым распоряжением по уртонам предоставлять мне немедленно по прибытии лучших заводных лошадей, не задерживая меня нисколько. Таким образом, я смог покрыть расстояние от Урги до Троицкосавска, равное 350 верстам, на 12 переменных лошадях в 26 часов времени. Это — безусловно рекорд для всадника, принимая во внимание гололедицу и жестокий мороз.

По прибытии в полк, рано утром, я явился к командиру полка, который был восхищен моим пробегом настолько, что вопрос о моем опоздании заглох сам собой.

Мои монгольские приключения и расследование по ним были преданы забвению, но я все же был откомандирован от полка в фехтовально-гимнастическую школу и должен был выехать в Читу.

Вспоминая свои молодые годы и время, проведенное в Монголии, я не могу не остановиться на личности Чжоженгегена, который был наиболее выдающимся из всех известных мне руководителей ламаистской религии.

Чжожен-геген хорошо знал Россию. Он обладал исключительным даром провидения, и сила его духовных способностей в этой области производила поистине поражающее впечатление.

Я часто беседовал с ним и могу засвидетельствовать, что он с поразительной точностью предвидел события, о которых, казалось бы, не мог иметь никакого представления. Он предсказал мне большую войну, в которой должна принять участие Россия, падение царской власти, последующую Гражданскую войну и мою роль в ней.

Уже находясь в эмиграции, я получил сообщение от одного из моих друзей в Монголии о том, что Чжожен-геген совершенно точно предсказал тогдашнему главе Монгольской красной армии Сухе-Батору его грядущую гибель от руки коммунистов. Вскоре после этого Сухе-Батор пытался поднять восстание против коммунистов в Урге и был ими расстрелян. Чжожен-геген также предсказал конец коммунизма, за что был убит красными в Урге.

Наблюдая за людьми, обладающими, подобно Чжожен-гегену, силой духовной прозорливости, я, на основании своих наблюдений, пришел к выводу, что силой этой наделен от рождения каждый человек, но не каждый обладает способностью ее развить и использовать.

Прозорливость, или способность человека предвидеть события и роль в них отдельных индивидуумов, несомненно, связана с религиозностью и способностью человека углубляться в себя и своим духовным взором приподнимать завесу, скрывающую от нас будущее. Таким образом, несомненно, что степень развития дара прозорливости связана неразрывно со степенью духовного совершенствования человека и отрешенности его от материальных интересов и условий.

Дар прозорливости не следует смешивать с интуицией общественного или политического деятеля, который, изучив досконально текущие события и их первоисточник, будучи к тому же ознакомлен с общей обстановкой, может в сфере своей специальности дать безошибочный прогноз на ближайшее будущее. Эта осведомленность специалиста, дающая ему возможность предугадывать грядущие события, не имеет ничего общего со способностью видеть духовными очами, каковой, с достаточной силой, обладают только весьма немногие люди, посвятившие себя духовному самоусовершенствованию.

Связь с религией в этом случае совершенно неразрывна, и потому многие мыслители, с высоко развитыми философским даром и духовной культурой, интересовались вопросами религии, детально изучали их и неизбежно приходили к выводу о чрезвычайном значении религии для человечества. М. Мюллер усматривает в религии способность ума, которая, независимо от чувств и разума, дает возможность человеку постичь бесконечное. Кант усматривает в ней чувство наших обязанностей постольку, поскольку они основаны на божественных велениях. Самое трудное в этом вопросе — необходимость допуска гипотетических оснований, потому что, если отбросить веру в святость и непререкаемость евангельского учения, не останется ничего, что можно было бы принять за неоспоримую, ясно утверждающую истину. Таким образом, можно принять, что религиозное чувство человека исходит от его душевных переживаний и разума и это есть вера в существование Высшего Начала, которое мы обозначаем словом «Бог». Значение религии в жизни человека не допускает направления ее во вред другим, т. е. ограничивает ее известными рамками, которые мы подразумеваем под термином «совесть».

Чувство совести выливается в духовный кодекс разграничения добра и зла, регулируемый понятием о нравственности. Понятие это различно у разных народов и зависит от степени их развития, но в определении понятия добра и зла все религии сходятся между собою, формулируя это заповедью: «Не желай ближнему твоему того, чего не пожелаешь себе».

Любопытно отметить, что мне много раз приходилось наблюдать совершенно бессознательное чувство уважения к чужой религии в самой низшей по развитию среде многих народов. Этот факт ярко свидетельствует о врожденности в человеке чувства познания Божества. Я убежден, что абсолютное неверие свойственно невеждам, узость мировоззрения которых закрывает перед ними кругозор и мешает им видеть и понять Высшее Начало во вселенной. Недалеко уже то время, когда мир стряхнет с себя гипноз материалистических воззрений марксизма и вернется на путь полного признания Божества. Тогда придется сугубо опасаться разного рода сектантских теорий, могущих своей тенденциозностью и узостью миросозерцания направить людей, ищущих Бога, на ложный путь.

Говоря о Чжожен-гегене, я должен сказать, что ламаизм, который исповедовал он, в основе своей является одной из гуманнейших религий, но, к сожалению, следует признать, что ламаизм в наше время сильно загрязнен пережитками суеверий и нуждается в реформах более, чем какая-либо иная религиозная доктрина.

Глава 3

ПЕРЕД ВОЙНОЙ

Перевод полка в Монголию. Мое прикомандирование ко 2-й Забайкальской батарее. Поездка в Томск. Перевод в 1-й Нерчинский полк. Действия против хунхузов. Мобилизация. Отправка полка на Запад. Остановка в Москве. Курьезное недоразумение в Кремле. Дальнейший путь на Запад.

Вскоре после моего возвращения из Монголии весь 1-й Верхнеудинский полк получил распоряжение сосредоточиться в Урге с тем, чтобы позднее быть переведенным в Улясутай. С большим огорчением я должен был расстаться с полком, уходящим туда, где остались мои неосуществленные мечты о большой и интересной работе во вновь образовавшемся государстве, в создании которого и я принимал участие.

С уходом полка я остался в прикомандировании ко 2-й Забайкальской батарее, которая временно оставалась в Троицкосавске. Батарея тоже готовилась к походу, и у меня была малая надежда вернуться с ней в Монголию. Мой отъезд в фехтовально-гимнастическую школу командиром батареи, страдавшей от недостатка офицеров, был отсрочен, и перед штабом округа было возбуждено ходатайство о моем переводе в батарею.

Пока ходатайство об этом ходило по инстанциям, я был командирован в Томск за покупкой для батареи артиллерийских лошадей. Лошадей удалось подобрать очень хороших, как по качеству, так и в смысле кровей и подбора по масти, поорудийно. Командующий войсками Иркутского военного округа, осматривая батарею, сделал заключение, что «едва ли даже гвардейская артиллерия имеет такой конский состав». Удачное выполнение поручения и явившееся вследствие этого благоволение начальства дало мне основание надеяться на то, что мне удастся, в конце концов, снова попасть в Ургу, тем более что по существовавшим правилам я вполне удовлетворял условиям для перевода в артиллерию, без дополнительного испытания, как окончивший училище с отличными успехами по артиллерии.

Однако надеждам моим не суждено было осуществиться. Вмешательство мое в монгольские дела еще не было забыто, и мое ходатайство о переводе в батарею было по этой причине отклонено. По уходе батареи мне не оставалось ничего иного, как переехать в Читу и явиться в фехтовально-гимнастическую школу, после успешного окончания которой я был переведен на службу в 1-й Нерчинский полк Забайкальского казачьего войска, входивший в состав Уссурийской конной бригады.

1-й Нерчинский полк был разбросан по селам и деревням в юго-восточной части Приморской области. Штаб полка, учебная команда и две сотни стояли на станции и в прилегающей станице Гродеково. Я получил назначение в 1-ю сотню и немедленно выехал к месту расквартирования сотни, в деревню Кневичи.

Полком командовал уже произведенный в чин генерал-майора М.А. Перфильев, пользовавшийся в полку большой популярностью. Он был мой однокашник, и я хорошо знал с детских лет как его самого, так и всю его семью. 1-й сотней командовал есаул Тихонов; младшим офицером в сотне, кроме меня, был сотник Кудрявцев.

В полк я прибыл 2 февраля 1914 года и через несколько дней попал со взводом казаков в командировку для поимки хунхузов, терроризировавших Сучан-Кневичи и прилегающий район по границе с Маньчжурией. Действия против хунхузов дали мне большой опыт в способах ведения партизанской войны.

Успешно завершив свою экспедицию против хунхузов, я вернулся к сотне, но вскоре получил назначение на должность начальника полковой учебной команды и вследствие этого переехал на станцию Гродеково.

19 июля 1914 года наш полк получил срочное приказание о выступлении из лагерей под Никольск-Уссурийским на зимние квартиры. Срочность распоряжения и указание сосредоточить все сотни полка в поселке Гродеково, не разводя их по зимним квартирам, подчеркивали неизбежность серьезных событий, в наступление которых до той поры мало верилось. 21 июля полк подходил к Гродекову, когда был встречен помощником командира полка войсковым старшиной Анисимовым. Последний вручил командиру запечатанную депешу, полученную из штаба бригады, с указанием на секретность и срочность доставки. Содержание депеши не было известно никому, но все присутствовавшие почувствовали важность наступавшего момента, когда командир полка начал вскрывать ее. Выстроив полк в резервную колонну, командир полка полковник Жулебик выехал перед серединой полка и громко прочел телеграмму, которая сообщала об объявлении нам войны Германией.

Семьи офицеров, жители станицы Гродеково и железнодорожные служащие, которые собрались встретить полк, присутствовали при этом и присоединили свои голоса к громкому «ура» за Государя Императора, которым полк встретил объявление столь важного известия. Хотя война была уже объявлена, мобилизация частей 1-го Сибирского корпуса еще задерживалась, и существовало опасение, что невыясненность отношений к событиям со стороны Японии могла задержать нас на Дальнем Востоке неопределенно долгое время. Поэтому я немедленно телеграфировал бывшему командиру полка графу Келлеру, ходатайствуя о прикомандировании меня к 1-му Астраханскому каз. полку. Через неделю был получен благоприятный ответ графа Келлера, с предложением немедленно явиться в полк, на предмет перевода в него. Я спешил скорее оформить свой отъезд на фронт; уже намечен был день отправления и сделан наряд на погрузку коней, как части войск Приамурского военного округа получили приказ о мобилизации и отправлении на фронт. В связи с этим отпала, конечно, моя поездка в 1-й Астраханский полк, и я тотчас дал телеграмму графу Келлеру с благодарностью за содействие и сообщением, что иду на фронт со своим полком.

В середине августа первый эшелон нашего полка, включавший нашу 1-ю сотню, вышел со станции Гродеково на запад.

Неизмеримость величия нашей родины, как в смысле ее беспредельности, так и в отношении неисчерпаемых природных богатств, казалась нам залогом несомненной нашей победы. Эта уверенность укреплялась видом ликующего народа по городам и станциям на всем протяжении нашего десятитысячеверстного пути на запад. Поля и леса Сибири уже одевались в золотистую парчу осени. Богатство урожая подтверждалось видом сжатых и покрытых золотистыми снопами хлеба полей. Повсюду на станциях кипела работа: горы разных товаров ожидали очереди отправки к местам назначения; тяжело нагруженные поезда перебрасывали на запад к фронту бесконечные эшелоны войск и продукты труда сибиряка — масло, кожи, мясо, хлеб, скот, лес и пр., и пр. Оценивая кипучую работу в глубоком тылу, видя неисчерпаемые богатства нашей страны, мы укрепили свою уверенность в грядущем благополучии и величии нашей родины в результате победы нашей славной армии, дружно поддержанной всем населением страны. Не было причин думать не только об ожидавшей наше отечество катастрофе, но даже о каких-либо малых затруднениях. Все мечты были сосредоточены на боевых подвигах и боевой славе. Мы рвались всей душой на фронт, в бой, и потому нескончаемыми казались нам дни нашего рельсового пути. К тому же мы не знали нашего маршрута дальше Тулы. На очереди стояла возможность отправки нашей бригады на Кавказский фронт. В Москве это задержало нас на три дня.

В середине сентября месяца, на рассвете, первый эшелон нашего полка подошел к Первопрестольной. Сразу же стало известно, что там мы будем ожидать, пока все эшелоны нашей бригады не подтянутся в Москву, и за это время будет разрешен вопрос о пути дальнейшего нашего следования. Пока же мы — гости матушки Москвы. Приказано было показать казакам столицу. Трамваи возили казаков бесплатно.

Больше всего казаки заинтересовались Кремлем, и там мне пришлось быть свидетелем довольно курьезного случая: трем бурятам, слабо, сравнительно, владевшим русским языком, я объяснял на их родном языке историческое значение Москвы и Кремля. В это время вблизи нас оказались две дамы и мужчина. Они усиленно прислушивались к нашему разговору и, конечно, ничего не могли из него понять. Вдруг мужчина обращается ко мне, спрашивает, долго ли мы находились в пути и не устали ли после длинной дороги. Я не понял истинного значения его вопроса и сказал, что мы ехали в вагонах 33 дня, пока доехали до Москвы. Услышав мой ответ, приблизились обе дамы и начали с чувством глубокого участия говорить много приятного по нашему адресу. Только после нескольких минут разговора я понял, что москвичи приняли нас за японцев, переодетых в русскую форму. Когда я пытался разубедить их в этом и сказал, что мы — забайкальские казаки, то одна из дам возразила, что возможно, что офицеры действительно русские, но солдаты, без сомнения, иностранцы, т. к. она слышала наш нерусский разговор. Они уверяли меня в своей благонамеренности и указали, что я напрасно скрываю обстоятельство, всем известное, о том, что идут японцы. Я не сомневаюсь, что многие жители Европейской России принимали нас за японцев, и, возможно, агенты противника не раз искренне вводили в заблуждение свои штабы несоответствующими истине донесениями.

На третий день нашего пребывания в Москве мы получили назначение нашего конечного пункта под Новогеоргиевск и покинули гостеприимную столицу, уходя под Варшаву.

Глава 4
ВЕЛИКАЯ ВОЙНА

Выгрузка и боевое крещение. Первые трофеи. Операции под Новым Мястом. Дело под Сахоцином. Спасение полкового знамени и обозов. Операции под Праснышем. Разведка Млавы. Действия моего разъезда. Занятие Млавы. Восстановление связи с тылом. Наблюдения в Млаве. Прибытие бригады.

Наш полк был эшелонирован в западной части Новогеоргиевской крепости и имел задание продвинуться на северо-запад от укрепленной зоны и в указанном пункте сосредоточиться. К пункту сосредоточения полка сотни должны были двигаться самостоятельно.

Выгрузившись ночью из вагонов, я на рассвете повел 1-ю сотню и был в назначенном месте к 11 часам утра. По прибытии штаба полка выяснилось, что на полк возложена задача разведки противника, наступавшего на части нашей пехоты с северо-запада. Выслали разъезды в соответствующих направлениях, и после часу пути переменным аллюром мой разъезд вошел в соприкосновение с частями пехоты противника. Мы наткнулись на пешие разведывательные дозоры германской пехоты. Один из таких дозоров был мною атакован и частью порублен, а двух пехотинцев нам удалось захватить в плен. Это были первые трофеи не только лично мои и нашего полка, но и всей бригады. Опрос пленных обнаружил важные данные о противнике. Я получил благодарность начальника нашей бригады генерал-майора Киселева.

В это время заканчивались варшавские операции и мы были двинуты на север, в направлении на Ново Място.

Более полутора месяцев наша бригада вела бои и производила разведку в районе местечка Ново Място и севернее его к Цеханову. 8 или 9 ноября 1914 года мы подтянулись к местечку Сахоцин. На следующий день я вновь ушел в разведку с разъездом в 15 коней. Задача моя заключалась в том, чтобы войти в соприкосновение с противником в направлении местечка Остатние Гроши и выяснить его силы и намерения. Через сутки моя задача была выполнена, донесения своевременно посланы, и я решил потихоньку возвращаться к полку в Сахоцин. Между тем еще накануне, выяснив обстановку и силы противника на основании сведений, добытых разведкой, бригада под прикрытием ночной темноты оставила Сахоцин и двинулась к Цеханову, имея задачу оказать содействие нашей пехоте в овладении ею городом. В Сахоцин передвинулись обозы бригады, включая и обоз 3-го разряда. Наступило 10 ноября. Не зная ничего о выходе бригады из Сахоцина, я с разъездом в 10 коней, из оставшихся у меня казаков, переночевав в деревне в 15 верстах от Сахоцина, возвращался туда. Приближаясь к местечку, мы услышали выстрелы, и чем ближе мы подходили к нему, тем отчетливее была слышна редкая ружейная стрельба. Не доходя до местечка, мы увидели разбегавшихся людей, некоторые из которых были полуодеты и без фуражек. Наконец, я увидел скачущего всадника, который оказался моим конным вестовым. Он сидел на моем чистокровном жеребце; жеребец и вынес его к коням, увидев мой разъезд. Я выругал казака, указав на недопустимость скачки, да еще по твердо утрамбованному шоссе. Казак мне доложил, что бригада ушла наступать на Цеханов еще вчера, а утром на оставшиеся в Сахоцине обозы напали немцы и захватили все, включая знамя и караул у него. Мой вестовой, Чупров, был толковый, отличный в боевом отношении казак, и не верить ему было невозможно. По его словам, противника было не менее полка, а может быть, и больше. Захватив обозы, немцы направили их по дороге на деревню Чарны. Изредка были слышны еще выстрелы, которые Чупров объяснял тем, что немцы стреляют по спрятавшимся и разбегающимся нашим обозным. В самом Сахоцине, по докладу Чупрова, на площади у костела стояла застава из спешенных кавалеристов, а за углом должен находиться спешенный эскадрон, держа лошадей в поводу.

Времени терять было нельзя. Долг повелевал действовать немедленно. Я с разъездом в 10 коней наметом пошел к местечку и, выскочив на площадь у костела, атаковал спешенную заставу противника. Смяв несколько человек и не давая времени оправиться другим, я бросился на спешенный эскадрон и привел его в полный беспорядок, обратившийся в панику. Часть кавалеристов распустила лошадей и разбежалась, часть успела вскочить верхом и в панике бросилась вслед за колонной уходящих обозов, вселяя панику и в конвоирующие ее эскадроны. В голове колонны шли два эскадрона, которые быстро поддались панике и ускакали, бросив свои трофеи, не имея возможности ориентироваться в обстановке и выяснить размеры угрожавшей им опасности. Я преследовал противника не менее четырех верст под конец уже один, ибо забайкалки не смогли угнаться за моим кровным конем. Преследуя противника, я нагнал одного всадника, который сдался мне.

Результат моего внезапного появления и атаки во много раз превосходящего меня силой противника был блестящий: действия моего разъезда заставили кавалерийскую бригаду противника, которая имела задачей действием в тыл нашей конницы, наступавшей на Цеханов, парализовать ее помощь пехоте, оставить задачу незаконченной и поспешно удалиться, понеся потери убитыми и пленными.

Обозы всей нашей бригады и наше полковое знамя были отбиты и спасены. Всего было захвачено немцами и отбито мною свыше 150 обозных повозок; головные эшелоны артиллерийского парка 1-го конно-горного артиллерийского дивизиона и около 400 человек пленных, кроме того, наша бригада получила возможность закончить свою операцию по овладению городом Цехановом, который был занят нами.

По результатам это дело кажется маловероятным, и осуществление этого подвига разъездом в 10 коней объясняется внезапностью налета и быстрым распространением паники среди противника, эффект, который завершил начатое, не требуя легендарного героизма от исполнителей. Мои потери в этом столкновении выразились в одной раненой лошади.

За описанное дело я получил орден Св. великомученика и победоносца Георгия 4-й степени, а казаки были награждены Георгиевскими крестами.

Немедленно по овладении Цехановом наша бригада была двинута в направлении на Млаву, на границе Восточной Пруссии, через Свенту-Гиноецк. Млава — небольшое местечко на самой границе, в одном переходе от крепости Солдау. Наша бригада получила задание двигаться на Иоганненсбург. Это второе наше вторжение в Восточную Пруссию не было удачным для нас, но и не было по своим последствиям тяжелым. В это время фронт не представлял еще собою сплошной линии окопов и проволочных заграждений. Свобода для маневра была полная. Более энергичная сторона использовала лучшие возможности для нанесения удара противнику и выигрывала.

В это самое время немцы уже начали осуществлять свой план операций под Праснышем, следствием коего было взаимное окружение русских немцами и немцев русскими, путем наслоения обходов и окружений. Через несколько дней после получения задачи движения на Иоганненсбург наша бригада уже отходила из пределов Восточной Пруссии; задерживаясь в приграничной полосе, вела разведку, а временами производила короткие диверсии в сторону Солдау и Руды. Операции под Прасньшем вначале развивались успешно для немцев. Для противодействия, надо полагать, этому успеху нашим командованием было решено предпринять наступление на Солдау, успех которого должен был вынудить противника осадить свой фланг в Восточной Пруссии и тем свести на нет успех центра под Прасньшем. Задача эта была возложена на 1-й Туркестанский корпус генерала Шейдемана. Непосредственно на Млаву вела операции, кажется, 4-я Туркестанская стрелковая дивизия.

Усилия туркестанцев на Млавском направлении после четырехдневных непрерывных боев привели лишь к тяжелым потерям с обеих сторон, но результата не было достигнуто: немцы свои позиции удержали.

1 декабря 1914 года, рано утром, штаб бригады вызвал по три офицерских разъезда от полка. В число их попал и я с разъездом в 10 коней. Начальник штаба бригады, капитан Бранд, разъяснил нам, начальникам девяти разъездов, предстоящую задачу. После же предложил тянуть жребий, кому идти по шоссе в направлении на Млаву, так как это направление было наиболее неблагоприятным для ведения разведки, а следовательно, и наиболее трудным. Капитан Бранд, взяв девять спичек, обломил у одной из них головку и сказал, что не хочет кого-либо назначать на это направление, а считает более справедливым идти тому, на кого укажет жребий, добавив, что кто вытянет спичку с обломанной головкой, тот и пойдет с разъездом по шоссе на Млаву. После этого предложил мне тянуть спичку первому, и я вытянул спичку без головки.

На рассвете приказано было выступить и в течение дня 2 декабря достичь определенных рубежей, указанных по карте. Согласно оперативной сводке штаба корпуса, нам было известно о готовящемся наступлении немцев на северном участке нашего фронта Млава—Прасньш. Бригаде нашей в связи с этим ставилась задача действовать совместно с 4-й Туркестанской стрелковой дивизией, имея объектом Млаву и наступая южнее шоссе, дабы вырвать инициативу у противника, не дав ему возможности развить успех на широком фронте.

Около 5 часов утра разъезды бригады выступили для выполнения своих задач. До линии сторожевого охранения нашей пехоты я дошел быстрым аллюром, дабы под завесой утренней мглы возможно ближе подойти к сторожевому охранению противника. Прибыв в одну из сторожевых застав нашей пехоты, я попросил начальника заставы ориентировать меня в обстановке на линии сторожевого охранения и указать наиболее удобный проход в тыл расположения противника. В это время подошел на заставу начальник участка сторожевого охранения и сказал мне, что положение без перемен, как было в последние дни, о чем я смело могу донести в штаб бригады, так как только что вернулись его разведчики. Я использовал данные мне сведения для того, чтобы послать донесение со слов начальника сторожевого участка, сам же решил попытаться выяснить силы противника, его расположение и намерения и осветить полосу данной мне для разведки местности вплоть до прусской границы. Пехотные разведчики посоветовали мне двигаться оврагом до его поворота на север, который подведет меня к одному из полевых караулов противника на шоссе. Двигаясь оврагом, я через полчаса подошел к указанному мне повороту и, спешившись, оставил коноводов в овраге; сам же приступил к осмотру местности.

Утренняя мгла уже редела. Предвестники появления утреннего солнца, порозовевшие облака, уже прорезывали редевшую мглу утреннего тумана и давали возможность даже невооруженным глазом различать предметы на сотню, полторы шагов. Засняв кроки видимых мне небольших проволочных заграждений у деревни Модлы, я послал второе донесение в штаб бригады, выразив неуверенность в успехе моей попытки проникнуть за сторожевое охранение противника. И только успел отослать казака с донесением, как младший урядник Заметнин прибежал ко мне с докладом, что не более как в ста шагах от нас виден небольшой костер и около него несколько неприятельских солдат. Заметнину и еще одному казаку я приказал ползти по обочине шоссе насколько возможно и остаться лежать, не давая себя заметить, ожидая моего сигнала. Четырем казакам я приказал отойти в противоположную сторону, шагов на сто, по берегу оврага и по сигналу выпустить по костру по одной обойме патрон. Дождавшись, когда посланные люди достигли исходного положения, я открыл огонь по костру, сейчас же поддержанный моими казаками. Выполнение столь нехитрого маневра удалось как нельзя лучше: часовой и подчасок у проволочной рогатки на шоссе немедленно бежали, а со стороны, надо было полагать, полевого караула началась частая и беспорядочная ружейная стрельба. Разъезд мой в девять коней, включая и меня, моментально был на конях; Заметнин по моему приказанию быстро убрал проволочную рогатку с шоссе, и я, прорвав линию сторожевого охранения противника, наметом двинулся за отступающей заставой и атаковал ее. Застава, понеся потери в пять человек, зарубленных казаками, во главе с офицером сдалась в плен. Оказалось, что, потерпев под Праснышем большое поражение, немцы начали отход за линию Солдау, оставив в Модлы арьергардную роту, в Млаве — главные силы арьергарда.

Пленные под конвоем четырех казаков были мною отправлены в тыл, предварительно обезоруженные. Для отвоза в тыл оружия я поручил одному казаку разыскать подводу, а сам с четырьмя казаками стал продвигаться на Модлы, откуда на моих глазах спешно отходила германская рота. Послав срочное донесение, я продолжал с тремя казаками двигаться, по возможности, скрытно от глаз противника за ним, дабы не открыть своих действительных сил в четыре всадника. Мало-помалу я продвигался к Млаве, посылая время от времени донесения в штаб бригады, и, наконец, к вечеру с одним оставшимся у меня казаком подошел к Млаве на расстояние не больше двух верст и остановился за кирпичным сараем. Наняв двух мальчишек, я имел все данные о том, что делается у немцев, и, по мере отхода их арьергардного батальона из города, я с окраин

Млавы подвигался постепенно к центру, к площади у костела. Очутившись на ней, я послал оставшегося у меня казака с донесением: «Млаву занял. Прошу подкрепления для преследования отступающего противника. В моем распоряжении остался один конный вестовой».

Я совершенно недоумевал, видя, что фактически обстановка прямо противоположна полученной мною ориентации штаба корпуса. Кроме того, я не понимал, почему штаб бригады ничем не реагирует на мои донесения и почему казаки, которых я посылал в тыл, не возвращались ко мне обратно. Правда, я уже удалился от своей бригады не менее как на 20 верст, но все же я полагал, что хотя бы первые мои донесения должны быть получены штабом бригады.

В то же самое время в штабе царило, оказывается, также полное недоумение. Никаких сведений об изменении обстановки, кроме моих донесений, там получено не было. Получив, наконец, определенное мое донесение о том, что я нахожусь в самой Млаве, которая противником оставлена, решили проверить правильность его и послали в Млаву разъезд Приморского драгунского полка, силою в один взвод, под командой корнета Коншина. Около полуночи я со своим вестовым сидел на веранде одного из ресторанов на главной улице Млавы и, держа лошадей в поводу, после голодного дня ужинал, когда послышался конский топот с нашей стороны и показался взвод драгун. Корнет Коншин сообщил мне, что ему было приказано срочно проверить место моего нахождения и немедленно донести в штаб бригады. И со слов местных жителей он уже из дер. Модлы послал первое донесение, в котором сообщил, что, по словам жителей, действительно, несколько казаков находятся в Млаве. Не прошло и двух часов с момента прибытия разъезда корнета Коншина, как к Млаве начала подтягиваться наша бригада.

Еще задолго до прибытия разъезда приморцев в Млаву, пока было достаточно светло для наблюдения, я заметил со своего наблюдательного пункта, что к аптеке, находящейся на площади у костела, подошли два автомобиля: один обычный, легковой, а другой — фургон с красными крестами на боковых стенках. Из машин вышли несколько человек и скрылись в аптеке. Шоферы остались на улице. Взяв винтовку вестового, я тщательно прицелился в переднюю легковую машину и выстрелом пробил в ней бензиновый бак, лишив тем самым возможности уйти не только поврежденную, но и исправную машину, так как путь ей был загорожен. После выстрела поднялась паника, и пассажиры обеих машин бросились бежать. Имея только одну винтовку, мы успели подстрелить лишь одного шофера, ранив его в ногу; все остальные разбежались и скрылись. Почти в то же самое время на моих глазах, под конвоем нескольких человек, в сопровождении двух телег, немцы проводили девятнадцать наших драгун Приморского полка, при четырех офицерах, захваченных в плен, повидимому, где-то недалеко. Имея при себе одного казака, я не решился на попытку отбить пленных и из опасения попасть в своих даже не стал стрелять. Было очень досадно, что штаб бригады опоздал поддержать меня, так как, имея при себе хотя бы только свой разъезд, я легко мог бы отбить наших пленных и захватить их конвой.

К полуночи 2 декабря 1914 года наша бригада во главе с начальником ее, генерал-майором Киселевым, заняла Млаву. Я встретил начальника бригады на площади у костела и тут же сделал ему подробный доклад о действиях своего разъезда за день. Пленные, взятые мною, уже прошли через штаб бригады, и генерал был осведомлен о боевой работе разъезда со слов конвоя. Начальник бригады поздравил меня с успехом и тут же приказал начальнику штаба телеграфно представить меня к награждению Георгиевским оружием. К ордену Св. Георгия я был уже представлен 11 ноября того же года за дело под Сахоцином.

Бригада немедля пошла в наступление в направлении на Солдау и имела под этой крепостью ряд успешных для нас боев, за которые начальник бригады генерал-майор Киселев был награжден орденом Св. Георгия.

Глава 5

ЛЕТНЯЯ КАМПАНИЯ 1915 ГОДА

Боевые качества начальника. Решительность и настойчивость. Влияние техники и новых средств боя. Руда и Журамин. Соперничество в разведке. Индивидуальные свойства бойцов. Генерал-майор А.М. Крымов. Его боевые качества и слабые стороны. Сущность кавалерийского начальника. Тяжелые арьергардные бои дивизии. Душа конницы и ее современное значение. Прорыв фронта противника у озера Дресвяты. Бой за переправу. Несостоятельность генерала Орановского. Тяжелые потери и отступление.

Элемент внезапности на войне имеет весьма большое значение не только для стороны, подвергшейся нападению и вынужденной обороняться, но и для самих нападающих. От быстроты ориентировки начальника в большинстве случаев зависит конечный успех предприятия. Превосходство сил в таких случаях значения не имеет, и даже больше: при малораспорядительном или растерявшемся начальнике большая по численности масса войск становится менее пригодной для дела, чем меньшая количественно часть при находчивом начальнике. Не будет ошибкой считать, что при нераспорядительном начальнике значение количественного превосходства войск над противником будет обратно пропорционально их достижениям. С другой стороны, при энергичном, быстро схватывающем обстановку и распорядительном начальнике значение численности находящихся в его распоряжении войск будет иметь решающее значение на исход боевых столкновений в операциях даже частного характера. Элемент внезапности, по всем данным, приобретает особо важное, если не решающее значение в будущих войнах, характер которых под влиянием небывалого развития техники в наши дни должен совершенно измениться. Возможность переброски воздушных десантов в решительный момент на решительный участок фронта и даже в глубокий тыл противника чрезвычайно расширит число случаев, когда элемент внезапности приобретет решающее значение для исхода тех или иных операций. В будущих войнах главной целью противника явится стремление внести дезорганизацию в тылу, чтобы разрушить экономические функции в аппарате противной стороны, вызвать панику в тылах и нарушить нормальную работу руководящих центров как военного командования, так и гражданского управления неприятеля. При решении этих заданий внезапность и стремительность налетов в глубокие тылы противной стороны явятся, без сомнения, главнейшим условием для достижения поставленных себе целей.

Элемент внезапности находится в прямой зависимости от решительности военачальника. К сожалению, до сего времени у нас наблюдалось, что решительность являлась свойством обратно пропорциональным рангу и положению начальника; чем больше должность, тем слабее решительность. Степень пригодности военачальника, помимо прочих условий, должна оцениваться в зависимости от его способности действовать решительно и не бояться ответственности. Конечно, решительность должна сочетаться с прочими положительными качествами, наличие коих обязательно для полководца, иначе он принесет только вред, нарушая общий план ведущихся операций и приводя части к бессмысленным потерям. Все это, впрочем, давно разработано в теории и детально освещено в аспекте исторических примеров многими авторитетами военного дела. Нового тут сказать нечего, нам остается только всегда помнить эти истины и не забывать применять их на практике.

Праснышские операции закончились нашим успехом, и немцы, понеся потери в десятки тысяч пленными и большим количеством разнокалиберной артиллерии, отошли. Наша бригада была переведена на линию реки Свенты, где заняла окопы на довольно продолжительное время. Вслед за отходящим противником мы из-под Млавы были двинуты в юго-западном направлении, к дер. Руда. Руда расположена на прусской территории, у самой границы. В продолжение полутора месяцев я находился в дер. Зеленой, на пути между Рудой и Журамином. Больших боев в этот период не было, вели разведку и состязались с германскими кавалеристами в небольших кавалерийских стычках и ловкости разведчиков. Немцы придерживались системы разведки не менее полуэскадроном, а мы предпочитали пользоваться мелкими разъездами, имевшими иногда в своем составе не более пяти-шести коней. Наш казак оказался лучшим индивидуальным бойцом, чем немецкий регулярный кавалерист. За полтора месяца практики моей в действии разъездом, при регулярной смене казаков, я захватил в плен свыше 50 германских всадников и не потерял ни одного со своей стороны. В конце концов, это настолько терроризовало германских кавалеристов, что они продвигались для разведки в наше расположение, имея позади себя небольшие пешие части, часто на телегах. Мы сразу учли это обстоятельство и изменили свою тактику, беря под непрерывное наблюдение неприятельских разведчиков, но не обнаруживая себя до тех пор, пока они, считая свою задачу оконченной, не поворачивали обратно. Тогда обычно пехота уходила вперед, полагая, вероятно, что разъезду уже не может угрожать какая-либо опасность нападения, а мы атаковали немцев как раз в тот момент, когда они считали себя уже дома. Наконец, немцы были выведены, по-видимому, из терпения и решили двумя батальонами ландштурма (ополчение) занять местечко Журамин в нашем тылу, чтобы лишить нас возможности оставаться в Зеленой и делать вылазки на их территорию. Когда эти батальоны заняли Журамин, мы не только не ушли из Зеленой, но совершенно отрезали их от своей базы и уничтожили возможность подвоза им продовольствия, перехватывая обозы и отбирая все, что они везли. Это было сравнительно нетрудно, потому что обозы в видах безопасности шли по ночам и при незначительном конвое. Через несколько дней немцы начали пускать обозы под конвоем эскадрона, с применением всех мер охранения. Тогда я со своим разъездом, выждав ухода эскадрона с обозом из дер. Руды, напал на нее и обратил в бегство взвод ландштурмистов, остававшихся в деревне. Занимая в течение нескольких часов дер. Руды, я дождался возвращения конвойного эскадрона и внезапно напал на него при входе в деревню. Такая неожиданность настолько сильно повлияла на противника, что эскадрон буквально разбежался. Часть всадников бросилась в Журамин и подняла там тревогу. Гарнизон местечка, получив сведения о занятии русскими Руды в тылу Журамина, немедленно начал беспорядочный отход. Имея в своем распоряжении около 20 всадников, я сначала начал обстрел спешно отступающей колонны и, когда этим привел ее в смятение, атаковал ее в конном строю, захватив около 100 пленных и обоз в 20 телег. За это дело я был произведен в следующий чин вне очереди, за отличие.

В конце 1914 года начальник нашей бригады генерал-майор Киселев получил назначение на должность начальника 8-й кавалерийской дивизии, а нашу бригаду весной 1915 года принял в командование известный генерал-майор А.М. Крымов. Вскоре после того в состав бригады был придан 2-й Амурский казачий полк, и бригада была переименована в дивизию. Прибытия генерала Крымова я ожидал с восторгом, так как его репутация как решительного и смелого начальника среди наших казаков была безупречна. Его знали как выдающегося командира 1-го Аргунского полка нашего войска перед самой Великой войной. Лично я еще в мирное время привык смотреть на генерала Крымова как на человека исключительных дарований и решительности, поэтому я был убежден, что с прибытием к нам Крымова действия нашей дивизии должны еще более оживиться. Я не ошибся в своих ожиданиях. В лице генерала Крымова наша дивизия получила доблестного и выдающегося начальника весьма крупного масштаба. Однако у каждого человека имеются свои слабости, и чем крупнее человек по своим дарованиям и талантам, тем резче выступают эти маленькие слабости на общем фоне богато одаренной натуры таких людей. Генерал Крымов имел слабость считать себя по преимуществу кавалерийским начальником, в то время как фактически он был крупный и талантливый военачальник в общем смысле, как кавалерист же он был несколько слабоват. Это — мое личное мнение, которое я подкрепляю следующими соображениями: генерал Крымов слабо учитывал силы лошади и выматывал дивизию длинными и частыми переходами, буквально обезлошадивая ее. Правда, период командования генералом Крымовым дивизией совпал с начавшимся общим большим отступлением нашей армии, оставшейся без вооружения и огнеприпасов. Наша дивизия, выполняя задачи маневренной конницы, прикрывала отступление нашей пехоты на стыке двух фронтов — Западного и Северного — и вела тяжелые арьергардные бои, бросаясь на наиболее угрожаемые участки, временами атакуя и отбрасывая назад зарывавшегося противника, чтобы дать пехоте возможность спокойного отхода. Без всякого обоза, без дневок и отдыха, дивизия в течение всей летней кампании 1915 года моталась вдоль по фронту наших отступающих армий, вследствие чего конский состав наш страдал чрезвычайно. Тем более, что следующим недостатком нашего начальника дивизии как кавалерийского генерала следует считать то, что он совершенно не хотел считаться с силами забайкальских лошадей, на которых сидели наши казаки, и заставлял их изо дня в день работать через силу, равняясь по далеко превосходящим их крупным лошадям нашей регулярной кавалерии. Однако, пожалуй, наиболее крупным недостатком генерала Крымова как кавалерийского начальника следует считать не всегда правильное использование им конницы, в применении ее в конном или пешем строю. Правильный учет всех указанных обстоятельств составляет то, что мы называем «душой конницы», и нарушение гармонии между ними ведет к бесцельному выматыванию сил коня и всадника, подрывает его веру в свое значение как самостоятельного рода оружия. Отсюда, по моему мнению, пошла теория отживания конницы, потери ею своего значения в современной войне. Я глубоко не согласен с этим мнением и охарактеризовал бы его не как отживание конницы, а скорее как потерю чувства конника в большинстве наших современников, слишком зараженных чрезмерным увлечением техническими достижениями нашей сверхцивилизованной эры. В наш век настоящих конников родится меньше, чем раньше. Конь и всадник должны сродниться, взаимно дополнять друг друга и отлично разбираться в психологии один другого. Тогда из них выйдет толк. Конь не может изучить нашей психологии, он ловит ее инстинктом. А если человек не понимает и не любит лошади, если он не сроднился с нею, он никогда не завоюет ее доверие и навсегда останется чужд и непонятен ей. Наличие указанных свойств у военачальника невольно схватывается массой всадников и передается коню. Поэтому бесконечно правы те, которые считают, что история конницы есть история ее начальников и что хорошим кавалерийским начальником нельзя выучиться быть, им надо родиться. Может быть, многим мои суждения покажутся странными и непонятными, но те, кто знают коня, кто служил и работал с конем в бою, поймут меня.

Конница — один из наиболее чувствительных родов оружия. Безусловно, в наше время, в некоторых случаях, техника далеко превысила качества конницы и изменила тактику боя, изменив соединенную живую силу коня и всадника машиной. Но роль конницы далеко еще не кончилась. И если в опутанной проволокой и рельсовыми и шоссейными путями Европе возможности конницы сильно сужены, то еще много на земле есть мест, где единственной двигательной силой долгое время еще останется конь, а единственной дорогой — вьючная тропа. В таких местах машинизированная армия, без надлежащих путей сообщения, не будет в состоянии организовать снабжение и будет вынуждена таскать за собой грандиозные обозы, в виде всякого рода мастерских и запасов горючего.

Нет. Роль конницы еще не закончена, и необозримые пространства степей Евразии еще не раз развернут на равнинах своих казачью лаву и дадут богатую тему поэтам воспеть всадников-героев и их быстроногих скакунов.

В германскую войну, несмотря на то что в 1915 году уже весь наш громадный фронт от Туккума до Дуная оказался заплетенным проволокой, наша конница оправдала затраты, которые правительство и страна понесли на нее в свое время.

В начале сентября 1915 года у нашего Верховного командования, по-видимому, был план использования кавалерийских масс для рейда в глубокий тыл противника. Насколько мне известно, план рейда на случай войны с Германией был разработан еще покойным М.Д. Скобелевым.

Кажется, к 3 сентября 1915 года тридцать наших кавалерийских дивизий и две пехотные дивизии были сосредоточены в районе озера Дресвяты и реки Дресвятицы. Во главе этой грандиозной конной армии был поставлен генерал Орановский. Пехота должна была прорвать фронт немцев и тем дать возможность коннице массой свыше десяти дивизий войти в глубокий тыл противника. Замысел был поистине грандиозным, и осуществление его могло оказать существенное влияние на исход всей войны, но, к несчастью нашему, генерал Орановский оказался совершенно несоответствующим возложенной на него задаче, и из блестящего плана не вышло ничего. По непонятным соображениям пехота совершенно не была употреблена в дело, прорыв же фронта был поручен нашей дивизии, которая должна была форсировать Дресвятицу и в пешем строю атаковать окопы противника. По приказанию генерала Крымова первоначально были спешены два казачьих полка: наш, 1-й Нерчинский, и Уссурийский.

Командиром нашего полка был полковник Кузнецов, человек высокопорядочный и большой личной храбрости. Он принадлежал к постоянному составу Офицерской кавалерийской школы, был отличный ездок, спортсмен и знаток лошади. К роли же строевого начальника, очевидно, не готовился и в вопросах оперативного руководства и командования полком был мало опытен, что часто ставило его в тяжелое положение.

На рассвете 4 сентября наш полк должен был внезапно форсировать р. Дресвятицу и сбить противника, окопавшегося на противоположном берегу реки. Река Дресвятица была не широка, но многоводна, с узким и глубоким руслом и чрезвычайно топкими берегами, что делало ее почти непроходимой. Во всяком случае, не представлялось возможным найти брод через реку. Ил и глина на берегу буквально засасывали ноги.

Только начала алеть утренняя заря, полк двинулся вперед, имея в авангарде одну сотню, под командой сотника (ныне генерал-майора) Жуковского. Мы еще не подтянулись к берегу реки, как услышали раскаты русского «ура» и частую ружейную стрельбу. Сотник Жуковский, под прикрытием темноты разобрав какой-то сарай невдалеке от реки и устроив из досок импровизированную переправу, молниеносно перебросил сотню через реку и атаковал немецкую пехоту в окопах, совершенно для нее неожиданно. Стремительность и внезапность атаки горсти забайкальцев во главе с доблестным сотником Жуковским вызвали поспешный отход противника на вторую линию укреплений, где он был немедленно атакован переправившимися тем временем через реку остальными сотнями нашего полка, поддержанными спешенными приморцами. Одновременно уссурийцы атаковали фольварк Столповчина и овладели им, выбив противника. С занятием фольварка Столповчина было завершено овладение всей второй линией германских окопов на намеченном участке. Не будучи поддержаны ни пехотой, ни остальной конницей, полки наши остановились на достигнутых рубежах, где оставались в течение трех дней. Развития успеха с нашей стороны не последовало вследствие непонятной пассивности штаба генерала Орановского. Мы могли только молча возмущаться и готовиться к предстоящей защите занятых нами позиций, в ожидании попыток противника выбить нас из них. 5 сентября выявилось наступление немецкой пехоты в силах далеко превосходящих наши спешенные части. В последовавших тяжелых боях мы потеряли двух командиров полков — нашего, полковника Кузнецова, и уссурийского — полковника Кумманта, и 19 офицеров из числа наличных в строю 28 офицеров. Отступая под давлением превосходящих сил противника, мы 7 сентября настигли главные силы нашей конной армии на полпути к городу Цеханову, в районе села Воли-Каниговской. Здесь только теснившие нас части противника были задержаны нашей пехотой.

Я не берусь давать оценку деятельности генерала Орановского и его штаба в период изложенной выше операции, так как не знаю, в чем именно заключалась его задача. Однако факт массирования конницы в районе системы Дресвятских озер, надо полагать, имел целью развитие операций большой важности, сознательно Орановским не выполненных. Он ограничился лишь демонстрацией в широких рамках прорыва фронта, а когда таковой оказался действительно прорванным, он не решился влиться в прорыв всей массой вверенной ему конницы. Даже если бы генерал Орановский и не имел такой задачи, неужели настоящий кавалерийский начальник не использовал бы столь удачно сложившуюся обстановку для прорыва фронта противника и последующего грандиозного по количеству участников рейда в глубокий тыл противника? Для чего иначе было массировать столько кавалерии и нести потери для прорыва фронта неприятеля.

Глава 6

НАКАНУНЕ РЕВОЛЮЦИИ

Рейды в глубокий тыл противника. Переброска на Юго-Западный фронт. Карпаты, Галиция и Буковина. Забитость и бедность населения. Выступление Румынии. Моральное и боевое значение этого факта. Массовая военная подготовка населения. Война и политика. Политика и армия. Механизация армии. Воспитание армии. Потери и пополнение армии. Дезертирство. Развал в верхах и в тылу. Разруха транспорта и снабжения.

Весь последующий период наша дивизия выполняла самостоятельные задачи по заданиям штаба армии, представляя собою армейскую конницу 5-й нашей армии на Северном фронте. Частным начальникам, включая начальников разъездов, предоставлялась самая широкая инициатива, и потому действия дивизии были всегда очень интересны для исполнителей, воспитывая в офицерах и казаках решительность и умение быстро ориентироваться в обстановке, быстро принимать решение и энергично и настойчиво проводить его в жизнь. За это время, под командой генерала Крымова, мы имели пять рейдов в тыл противника, и все эти операции были незаурядны по своему исполнению. Особенно знаменателен по целям и памятен по действиям был наш набег в тыл противника с прорывом его фронта на реке Венте. Под командой генерала Крымова шли две дивизии: наша, Уссурийская конная, и 4-я Донская казачья. Задача заключалась в том, чтобы прорвать фронт противника, зайти в тыл местечка Тришки и содействовать атаке этого местечка нашей пехотой с фронта. По выполнении этой задачи мы получили распоряжение углубиться дальше в тыл противника и выйти на Таурогенское шоссе. Однако тут мы наткнулись на столь значительные силы противника, что эту вторую задачу выполнить были не в состоянии. Пробивая себе дорогу, наш отряд имел столкновение с батальоном пехоты, засевшей в каре из повозок. Троекратная конная атака, предпринятая по приказанию генерала Крымова приморскими драгунами и уссурийцами, успеха не имела, и только после того, как две или три очереди артиллерийских залпов разметали прикрытие противника, мы снова атаковали его и порубили больше 400 человек. Этот батальон должен был занять единственный мост через Венту в нашем тылу и, таким образом, закрыть нам выход из неприятельского тыла на свою сторону.

Позднее дивизия наша была переброшена на Юго-Западный фронт, к Черновицам, для развития прорыва Австрийского фронта, в результате наступления генерала Брусилова летом 1916 года. Здесь мы имели длительные операции в Буковине, в самом центре Карпатских гор в Венгерскую равнину. Во главе одного из боковых авангардов я находился на Мармарош-Сигетском направлении. Операции в Карпатах были вдвойне трудны для конницы как по отсутствию каких-либо путей сообщения, так и по полной бескормице для лошадей. Девственные леса; заоблачная высь гор; неимоверная узость долин, обращающихся в ущелья, настолько затрудняли наше продвижение, что, прорубая лес для прохода пулеметных вьюков и горной артиллерии, мы иногда за сутки проходили не больше 7—8 верст. К этому следует добавить почти полное отсутствие населения и крайнюю бедность его, которая заставляла привозить из тыла все продовольствие для людей и лошадей по первобытным тропинкам, доступным лишь для вьюков. Все это повело к тому, что полки, в конце концов, были спешены и коноводы с конями отправлены в тыл к обозам 2-го разряда. Что касается этих последних, то с вступлением в командование дивизией генерала Крымова мы никогда не видели их ближе чем на 50—60 верст от местонахождения дивизии.

В Галиции и Буковине меня крайне поражала бедность и занятость крестьян — гуцулов и русин. Их внешний вид и образ жизни всегда порождал глубокое, до болезненности, сожаление, особенно принимая во внимание их близкую родственность нам — они говорили на чистом великорусском языке. Избы их ютятся обычно в одиночку по скатам и уступам гор, и редко можно найти село, насчитывающее более двух-трех десятков домов.

Наиболее обеспеченным и влиятельным положением в Галиции, как мне казалось, пользовались евреи, на притеснения которых сильно жаловались русины.

По завершении Карпатских операций дивизия наша была сменена пехотными частями и выведена из Карпат в район города Радауц в Буковине. Здесь приняли пополнение и глубокой осенью походным порядком были направлены в Румынию, которая к этому времени вступила в войну в качестве нашего союзника.

Выступление Румынии против центральных держав на стороне четверного согласия не принесло нам каких-либо преимуществ и для нашей армии имело скорее отрицательное значение, нежели положительное. Пока Румыния была нейтральна, мы имели наш левый фланг хорошо обеспеченным; если бы Румыния ввязалась в войну на стороне наших противников, мы могли бы или оккупировать ее, или, удлинив наш фронт до Черного моря, принять надлежащие меры к обороне его. Получив Румынию в качестве союзника, мы получили необученную, малоспособную армию; получили необходимость снабжения ее всем необходимым; наконец, получили союзника, которого должны были защищать собственной грудью, так как сам себя он не был в состоянии защищать. Нет сомнения в том, что успех на войне обеспечивается не столько численностью войск, сколько их качеством, моральным воспитанием, искусством управления ими и, наконец, качеством их вооружения и снабжения. Румынская армия не имела ни одного из этих свойств. Присоединение к нам Румынии увеличило нашу живую силу, но это преимущество оказалось весьма проблематичным, так как нам сейчас же потребовалось удлинить свой фронт. Удлинение фронта происходило исключительно за счет русских войск, так как румынская армия оказалась совершенно неподготовленной к войне. Тяжелая задача опеки над румынами была возложена на армию генерала Щербачева, который выполнял ее поскольку это было возможно, принимая во внимание, что благодаря полной непригодности румын в боевом отношении противники наши черпали свое боевое вдохновение в постоянных поражениях румын. Таким образом, слабость нашего нового союзника легла тяжелым бременем на Российскую армию, и без того задерганную нашими западными союзниками, требовавшими от нас активности во что бы то ни стало, с целью оттяжки на себя сил австро-германцев, давящих на французов. Нечего и говорить, что такая система в корне нарушала выполнение операций, план которых намечался в соответствии с данными обстановки и возможностями нашего русского фронта.

В наш век значение массовой подготовки во всех отраслях человеческой деятельности возросло до чрезвычайности. Это особенно заметно в области военного искусства и является прямым следствием обязательности военной службы для всех граждан государства. Введение всеобщей воинской повинности постепенно заменило понятие профессиональной армии более широким понятием вооруженного народа. Нужно предвидеть, что с развитием техники в войнах будет принимать участие не только вооруженная часть народа, т. е. армия, но и весь народ в целом, включая женщин, стариков и подростков, и война будет вестись не только на фронте, но и в глубоких тылах противников. Поэтому трудность войны, ее парализующее влияние на экономическую жизнь страны будут увеличиваться, так как все труднее станет снабжать армию и население, занятое работой на оборону, и все труднее будет обезопасить от вражеских налетов самые жизненные центры страны. Что касается моральной оценки массовых армий, то качество их, т. е. индивидуальная ценность бойца и подготовка войсковых соединений, конечно, будут понижаться пропорционально численному росту армий и сокращению сроков действительной службы. В этой области всем странам придется столкнуться с дилеммой: или повышать качество войск, в соответствии с требованиями техники и все усложняющегося искусства воевать, или увеличивать их количество в ущерб моральной и технической ценности как отдельного бойца, так и всей армии в целом. Преобладание качества над количеством было бы вполне достижимо при возврате к сравнительно небольшим, но хорошо обученным и вооруженным армиям. Однако это осуществимо лишь при условии перехода всех стран к такому порядку, т. е. предполагает наличие какого-то международного соглашения, обязательного для всех. Кроме того, всякая область человеческих знаний, будь то математика или естественные науки, в разных стадиях своего развития, должна допускать некоторые предположения или гипотезы, без которых прогресс невозможен. Тем более это относится к военной науке, тесно связанной с природой, в лице ее объекта — человека. Военная наука, делая построения и выводы на основании опыта и истории, требует от полководца известной силы воображения для того, чтобы претворить теорию в жизнь и разработать операцию, базируясь на строго конкретных данных. Без этого последнего обстоятельства его выводы будут граничить с фантазией, всегда опасной в тех последствиях, которые она может вызвать. Война есть следствие политики, точно так же, как всегда политика является причиной войны. Эти два элемента государственной жизни наций всегда сопутствуют один другому. Выражаясь фигурально, это суть две точки, замыкающие общий круг жизни человечества и его истории. От развития одного из этих элементов зависит участь другого. Как бы ни старался военный руководитель держаться в стороне от политики, он не минует необходимости учета ее значения на влияние хода кампании. Суть высшей науки о войне, стратегии, и предусматривает необходимость учета политической обстановки как внутри страны, так и вне ее, дабы точно обосновать принципы государственной обороны, предусматривая своих вероятных врагов и союзников. Сказанное выше нисколько не оправдывает ходячее мнение, что в наше сложное время каждый солдат должен быть политиком. Конечно, это абсурд, доведенный до крайности, который особенно ясно должен чувствоваться теми, кто пережил последствия общеизвестного приказа № 1, выпущенного Временным правительством чуть ли не на второй день государственного переворота. Этот приказ, ввергнув армию в водоворот политики, привел ее в весьма короткий срок в состояние полного развала и дезорганизованности. Однако также несомненно, что солдат должен быть политически грамотным, чтобы быть в состоянии противостоять разлагающей марксистско-пацифистской пропаганде, и должен быть точным и разумным исполнителем воли своего руководителя, передаваемой через посредство поставленных на то командиров.

С усовершенствованием средств борьбы изменяются и результаты ее. Военачальник не должен пренебрегать никакими средствами боя, предоставленными ему современной техникой, применяя все ему доступное в достижении поставленных себе целей. В то же время не следует слепо увлекаться механизацией в ущерб надлежащей высоты индивидуальной подготовки бойцов, памятуя, что в конечном итоге победит та армия, в которой разумно сочетается техника и воспитание личного состава. Весьма вредное влияние на воспитание армии оказывают фантастические описания будущих войн, наполненные описаниями таких ужасов технических средств поражения, что получается явная нелепость. Однако эта нелепость способна внести смущение и робость в среду солдат и толкнуть их на путь полной потери энергии и воли к борьбе против средств поражения, существующих в большинстве случаев лишь в голове досужих писателей. Во всяком случае, с вредным влиянием такого рода литературы следует серьезно считаться, ибо преувеличенность представления об ужасах войны может с первых же дней ее дезорганизовать тыл и убить этим дух войск.

На войну 1914 года мы вышли с армией достаточно подготовленной и надлежаще воспитанной. Это было наше единственное преимущество, принимая во внимание нашу отсталость в техническом отношении, и это преимущество было утрачено нами чуть ли не в первые полгода войны вследствие вывода из строя кадров армии, особенно офицерского состава ее. Первоочередные части армии вели бои в Польше, в Пруссии, в Галиции без соблюдения какой-либо экономии в личном составе. Очевидно, в верхах нашего командования не отдавали себе отчета ни в возможной продолжительности войны, ни в необходимости сохранения резерва офицерского и унтер-офицерского кадра для частей, формирующихся по мобилизации, а также для пополнения убыли младшего командного состава, потери которого в процентном отношении всегда значительно превышают потери рядовой массы бойцов. Эта непредусмотрительность привела нас к исходу 1916 года к полному истреблению корпуса офицеров армии, что вынудило прибегнуть к созданию того суррогата офицеров, который ни по своей подготовке, ни по воспитанию не подходил к предназначенной ему роли. Офицеры военного времени, т. е. офицеры поневоле, естественно, не могли иметь должного авторитета в глазах солдата, не имея сколько-нибудь удовлетворительных военных знаний. Многие из них вышли из среды революционно настроенной русской общественности и свою роль понимали довольно своеобразно, внедряя в головы подчиненной им массы освободительные идеи революционной догматики. Такие обстоятельства не могли не повлиять на боеспособность армии, следствием чего явились неудачи, несмотря на то что в отношении технического оборудования и снабжения в этот период войны мы сравнялись, если не перегнали наших противников. Отрицательное значение в вопросе боеспособности армии имела также ее грандиозность. Призыв под ружье свыше 12 миллионов людей ослабил экономическую мощь страны, усложнил до невероятия вопросы снабжения и привел в хаотическое состояние средства транспорта. В итоге в этот предреволюционный период мы имели многочисленную, но плохо обученную, плохо одетую и плохо снабженную армию и безмерно разросшиеся тылы; наше техническое снабжение не уступало таковому у наших противников, но мы не могли его использовать в достаточной мере, не имея достаточно подготовленного персонала. К концу 1916 года дезертирство из армии приняло такие размеры, что наша дивизия была снята с фронта и направлена в тыл для ловли дезертиров и охраны бессарабских железных дорог. Мы ловили на станции Узловая до тысячи человек в сутки. Солдатский поток с фронта был настолько значителен, что это явление нельзя было рассматривать иначе как грозным признаком грядущего развала армии. Развалу в низах сопутствовал развал и в верхах армии. Ходили глухие слухи о готовящемся дворцовом перевороте, который связывали с именем великого князя Николая Николаевича, пускались грязные сплетни о царской семье. Дискредитировался престиж Императора, и совершенно открыто говорилось об измене и предательстве в непосредственном окружении трона. Никаких сколько-нибудь ощутительных мер против этой преступной пропаганды не принималось, и фронт питался слухами один невероятнее другого.

К этому следует добавить увеличивающуюся с каждым днем усталость населения от войны и расстройство продовольственного вопроса как следствие расстройства транспорта на фронте и в глубине страны. В большей степени дело снабжения войск интендантским довольствием перешло в руки органов земских и общественных организаций, агенты которых вели революционную пропаганду в войсках и, конкурируя между собой в скупке у населения запасов хлеба и фуража, повышали цены на продукты питания, делая их недоступными для войсковых частей, которые обязаны были покупать продовольствие по твердым ценам, установленным интендантством. Приходилось прибегать к насильственным покупкам по ценам ниже рыночных, что, естественно, вызывало недовольство населения и затруднения в снабжении.

Весь этот запас революционного горючего материала использовался социалистами всех толков и наименований в своих целях, и, таким образом, с вопросов желудка и кошелька загорался костер российской революции.

Глава 7
РЕВОЛЮЦИЯ

Неожиданность переворота. Ошибки правительства. Крестьянство. Мой перевод в 3-й Верхнеудинский полк. Обстановка в полку. Первые шаги революционной власти. Признаки разложения. Революционные перемены в полку. Комитет 2-го Кавказского корпуса. Наказ Урмийского гарнизона. Мое выступление в комитете. Оппортунизм высшего начальства. Мое заявление Союзу офицеров. Дисциплина в офицерской среде. Тяжелое положение командного состава.

Революцию все ждали, и все же она пришла неожиданно. Особенно в момент ее прихода мало кто предвидел в ней начало конца Российского государства; мало кто верил в возможность развития крайних течений до степени полного забвения интересов государства. Поэтому вначале приход революции приветствовался всеми, начиная от рабочих и кончая главнокомандующих фронтами.

Не учли того, что малокультурность нашего народа, общая усталость от тяжелой продолжительной войны, разруха и недостатки снабжения увлекут страну в пропасть, вынеся к власти элементы русскому народу чуждые и к благополучию его равнодушные.

Надо сказать, что внутренняя политика императорских правительств последних лет, действительно, подготовляла почву для недовольства в самых широких слоях населения. Особенно многомиллионное крестьянство имело все основания желать радикальных перемен, будучи ограничено в гражданских правах и остро нуждаясь в увеличении своих земельных наделов.

Имея необозримые, совершенно незаселенные пространства Сибири и Туркестана, наше правительство на протяжении трех последних царствований не смогло разрешить здоровыми мероприятиями вопрос об увеличении крестьянского надела путем правильной организации заселения свободных земельных областей. Только в последние годы перед войной переселение малоземельных крестьян в Сибирь и Туркестан было поставлено на очередь и получило значение вопроса государственной важности. Однако эти запоздалые мероприятия уже не могли изменить положения, и многомиллионное российское крестьянство жило мечтой о «черном переделе», который должен был отдать ему в собственность все помещичьи, удельные, государственные и пр. земли. Поэтому в крестьянской среде, малокультурной, почти безграмотной и безземельной, не могли не воспользоваться успехом обещания социалистов: земля — крестьянам.

Завоевав симпатии крестьянства, социалисты также легко привлекли к себе интеллигенцию, воспитанную на антипатриотичных идеях космополитизма эпохи 40—60-х годов. Утопические мечты о всеобщем уравнении, о вечном мире мира и социалистическом его переустройстве всецело овладели умами интеллигентного слоя населения, развращенного вредными литературными трудами и политическими выступлениями руководящих лидеров интеллигенции из писателей, профессоров, адвокатов и пр.

Правительство, вместо того чтобы коренными реформами решительно пресечь недовольства, дать землю крестьянам и уравнять их в правах со всем остальным населением империи, металось из стороны в сторону, бросаясь в крайности и восстанавливая против себя решительно все слои населения. В мирное время это не было так заметно, и полицейско-охранный аппарат сдерживал страсти; затяжная, небывало тяжелая война изменила обстановку, а неудачи на фронте и неспособность правительства справиться с разрухой привлекли в лагерь недовольных такие элементы, которые, казалось бы, должны были служить оплотом самодержавия и трона.

Не только привилегированное дворянство, но даже и члены императорской фамилии примкнули к заговору, имевшему целью так называемый дворцовый переворот в пользу наследника при регентстве вел. князя Николая Николаевича, и отречение от престола Государя Императора в феврале месяце 1917 года могло совершиться лишь под давлением высших чинов армии.

В конце 1916 года наша дивизия была выведена из Румынии и расквартирована в Бессарабии в районе города Кишинева. Главная задача, возложенная на дивизию, заключалась в охране железнодорожных узлов и сооружений, а также в поимке дезертиров с фронта, которых в этот период было особенно много. В это время началось оживление на Турецком фронте, и ввиду того, что наши забайкальские полки находились в Персии, я возбудил ходатайство о своем переводе в 3-й Верхнеудинский полк, куда прибыл в январе месяце 1917 года.

Полк был расположен в местечке Гюльпашан, почти на берегу Урмийского озера. В библейский период это озеро носило название Генисаретского, столь знакомое каждому школьнику по Священной истории.

Полком в это время командовал полковник Прокопий Петрович Оглоблин, бывший мой сослуживец по 1-му Нерчинскому полку, доблестный боевой офицер и георгиевский кавалер. Ныне П.П. Оглоблин является Войсковым атаманом Иркутского каз. войска и генерал-майором и проживает в Шанхае.

3-й Забайкальской отдельной казачьей бригадой, в состав которой входил полк, командовал мой троюродный брат, в то время генерал-майор, Дмитрий Фролович Семенов. Его штаб находился в гор. Урмия.

Предполагаемое в то время наступление на Кавказском фронте, из-за которого я перевелся на этот фронт, не развивалось, но я не сожалел о своем приезде в Персию, ибо все же лучше было нести службу на передовых позициях, чем, имея дело с предателями родины, заниматься уловлением дезертиров в тылу армии.

По прибытии в полк я был назначен командиром 3-й сотни, но вскоре, вследствие отъезда командира полка в отпуск, за отсутствием более старших офицеров, я вступил во временное командование полком. Это было 10 февраля, и мое командование полком продолжалось до 20 марта, т. е. около полутора месяцев. Итак, по стечению обстоятельств пришедшая революция застала меня на ответственной должности командующего полком.

Телеграфное сообщение об отречении Императора, откровенно скажу, на меня, как и на большинство окружающих, не произвело особенно глубокого впечатления. Причиной этому, помимо моей молодости, мне было в то время всего 26 лет, послужила также, без всякого сомнения, и та работа, которую проделали в армии многочисленные агитаторы не только из революционного лагеря, но и со стороны вполне, казалось бы, лояльных правительству кругов. Нам, строевым офицерам, усиленно старались привить взгляд на необходимость отречения Императора, добровольно или насильственно, путем дворцового переворота. Ввиду того что со стороны высшего командования не принималось ровно никаких мер для пресечения этих слухов, мы как бы приучались считать отречение Государя Императора и передачу им верховной власти вел. князю Николаю Николаевичу чуть ли не одним из обязательных условий в лучшую сторону, т. к. имя вел. князя Михаила Александровича в армии и в народе пользовалось популярностью и доверием.

Спокойствие мое впервые было нарушено, когда был опубликован отказ великого князя Михаила вступить на престол без ясного выявления на то народной воли. Этот последний манифест Императора Михаила невольно наводил на размышления и сомнение в том, что отречение Императора Николая II послужит на благо родины и укрепление ее положения, как старались нас уверить в том. Появление приказа № 1 и замена вел. князя Николая Николаевича на посту Верховного главнокомандующего окончательно подорвали мою веру в то, что переворот обойдется без особых потрясений.

Пока еще революция мало коснулась командуемого мною полка. В силу давно выработанной в себе привычки поддерживать тесное общение с подчиненными, я имел возможность и после революции проводить большую часть времени среди казаков, разъясняя им происходившие события, не опасаясь, чтобы эта моя близость с казаками могла быть кем-нибудь истолкована как заискивание перед революционными солдатами. В результате моих собеседований полк заявил мне о нежелании подчиниться приказу № 1, упразднившему в армии дисциплину и введшему в нее комитеты.

Между тем революционное правительство издавало одно за другим постановления, исполнение которых вело к полному развалу армию, и настаивало на срочном проведении их в жизнь. Наше Верховное командование совершенно растерялось, и вместо того, чтобы в корне пресечь попытки разложения армии сверху и настоять на полной охране воинской дисциплины суровыми мерами военных законов, оно начало заигрывать и подделываться под революционную психологию масс, чем способствовало проявлению резких выходок распоясавшихся солдат против ближайших их начальников, доходивших до зверских избиений строевых офицеров и даже убийства их, которые оставались совершенно безнаказанными. Растерянность и отсутствие гражданского мужества со стороны лиц нашего высшего командного состава с самого начала революции повело к тому, что разложение нашей армии пошло ускоренным темпом — сверху через органы революционного правительства, погрязшего в партийных дрязгах и не видевшего из-за них разверзающейся пропасти, и снизу через распущенные, деморализованные массы солдат, над разложением которых работали многие сотни платных агитаторов — агентов германского Генерального штаба, стремившегося использовать российскую революцию в своих национальных интересах.

Наконец, командир полка полковник Оглоблин, задержанный в пути революционными событиями, вернулся из отпуска и вступил в командование полком. До его приезда я держал полк без революционных нововведений, т. е. дисциплинарную власть командного состава сохранил в полном объеме устава, комитетов не вводил, отдания чести не отменял и в таком виде представил полк его командиру.

На основании прямых приказов свыше полковник Оглоблин вынужден был приобщить полк к революционным завоеваниям «самой свободной армии в мире». С его разрешения я продолжал вести собеседования с казаками, разъясняя им весь ужас происходящего безобразия, и потому революционизация полка проходила у нас спокойно и вполне лояльно. Без излишней гордости могу сказать, что казаки верили мне безгранично и шли за мной без всяких колебаний. Когда наступил момент создания корпусного комитета 2-го Кавказского корпуса, гарнизон Гюльпашана обратился ко мне через особую делегацию с просьбой о согласии на избрание меня представителем гарнизона в комитет, с тем, что в своем наказе мне они укажут на весь вред для армии приказа № 1 и введенных на основании его комитетов, а также на недопустимость дальнейшего существования Советов солдатских и рабочих депутатов, развивших уже в это время интенсивную деятельность по дальнейшему углублению революции.

Выборы в корпусной комитет состоялись, и я был избран представителем от частей гарнизона Гюльпашана. Снабженный обусловленным «наказом», я отправился в Урмию, где находился штаб корпуса, при котором собирался комитет. Председателем комитета был избран некий доктор Каш, о котором говорили, что он старый социалист и активный революционер времен первой революции 1905—1906 годов. На меня он произвел хорошее впечатление человека, отдающего себе ясный отчет во всем происходящем, хорошо знакомого с психологией солдатской массы и правильно оценивающего преступную работу большевистских агитаторов, шнырявших по всем участкам нашего громадного фронта, во много раз превосходившего по величине своей все фронты наших союзников и противников, взятых вместе.

Первое заседание корпусного комитета было ознаменовано выступлением одного из делегатов с проектом увеличения жалованья солдатам. Проект предусматривал «сбережение» народной казны, а потому предлагал расход на увеличение солдатского жалованья отнести за счет сокращения жалованья офицеров. Проект предварительно рассматривался в частях группы войск корпуса и поддерживался наказом от частей этой группы, куда входили и наши Забайкальские полки: 2-й Аргунский и 2-й Читинский. При обсуждении проекта в корпусном комитете некоторые делегаты не только настаивали на уравнении жалованья офицерского состава и солдатской массы, но предложили потребовать от офицеров возврата «излишне полученных» за старое время денег. Это меня, в конце концов, взорвало, и я выступил с речью, в которой указал, во-первых, на то, что жалованье офицера в русской армии во много раз меньше жалованья, которое получают офицеры в любой иностранной армии; во-вторых, на то, что говорить об урезке офицерского жалованья не приходится, т. к. того, что получает наш офицер, едва хватает на жизнь при самой жестокой экономии; наконец, указал собранию, что корпусной комитет не вправе обсуждать и создавать законы общегосударственного значения и что наше дело лишь высказать пожелание о том, что солдатское жалованье должно быть увеличено, а правительство само изыщет средства для выполнения этого пожелания.

На этот раз мое красноречие помогло, и глупый проект был отвергнут. Вообще, надо сказать, что Персидский фронт, как второстепенный, привлекал к себе внимание большевиков в меньшей степени, чем другие фронты, поэтому там было значительно спокойнее; не было особенно бурных выступлений, и фронт держался крепче, чем где-либо в другом месте. Дезертирство не получило столь широкого распространения, вследствие дикости природы и отсутствия удобных путей сообщения в тыл. Поэтому на Персидском фронте офицерам было сравнительно легче держать в порядке свои части и вести борьбу с разлагающим влиянием правительственных мероприятий, с одной стороны, и большевистской агитацией — с другой.

Между тем правительство как бы сознательно закрывало глаза на ту пропасть, к которой оно своими неразумными и антигосударственными мерами вело армию, а за ней и всю страну.

Комитеты, введенные во всех частях армии, с самого начала своего существования стали очагом разложения, той ячейкой, через которую социалистические и анархокоммунистические элементы проникали в солдатскую среду и развращали ее.

Приказ № 1, покончивший с дисциплиной и дисциплинарной властью начальников, и последующая «декларация прав солдата», освободившая его от всяких обязанностей по отношению к родине, окончательно разложили армию и лишили ее последней боеспособности.

К сожалению, старшие войсковые начальники, в видах собственной карьеры и установления хороших отношений с новым начальством, весьма часто держали себя не на высоте и даже подыгрывались под новые направления в правительстве и стране. Генерал от кавалерии Брусилов является классическим образцом такой приспособляемости и оппортунизма, которые лишили его всякого уважения со стороны порядочных людей и свели на нет все прежние заслуги перед родиной. Я припоминаю то отвратительное впечатление, которое произвел на всех нас устроенный в Урмии, по распоряжению командира 2-го Кавказского корпуса, праздник революции, в котором сам корпусный командир принял непосредственное и очень деятельное участие.

После митинга и обычных демагогических выступлений на нем все части с красными флагами и прочими революционными эмблемами маршировали по городу. Зрелище было отвратительное, и подобные выступления старших начальников в корне парализовали попытки младших офицеров сохранить хоть какой-нибудь порядок в частях. Между тем несомненно, что, если бы весь командный состав армии от высших начальников до младших офицеров после революции ближе подошел к солдатской массе и демонстрировал свое единство в отстаивании армии от производившихся над ней экспериментов, мы удержали бы наши части от того развала, какого они достигли в то время. Мною лично было заявлено в Союз офицеров о необходимости, во имя сохранения армии, предъявить правительству требования подчинить армию в порядке дисциплины ее командованию или принять меры к насильственному удалению Временного правительства. Однако это было встречено иронией и охарактеризовано как нарушение дисциплины и бунт против законной революционной власти. Беда в том, что, в то время как правительство и революционная общественность всеми своими выступлениями и мероприятиями отрицали необходимость дисциплины в армии и дискредитировали офицерский ее состав, мы, офицеры, считали недопустимым во время войны устраивать какие бы то ни было политические демонстрации и всеми силами поддерживали дисциплину в своей среде.

В существовавших условиях безудержной социалистической пропаганды это был ошибочный шаг, за который впоследствии жестоко поплатились не только офицеры, но и вся страна.

Глава 8

ДОБРОВОЛЬЧЕСКИЕ ФОРМИРОВАНИЯ

Развал армии. Ударные части. Первые формирования добровольцев из айсаров. Проект формирования добровольческих частей из монгол и бурят. Возвращение в 1-й Нерчинский полк. Революционный смотр полка и печальные последствия его. Подготовка к наступлению. Очевидная ее безнадежность. Национализация армии. Обращение к военному министру. Миссия Е.Д. Жуковского. Избрание меня делегатом от полка на Войсковой Круг в Читу. Мой вызов в Петроград. Поездка. Первое впечатление от столицы. Полковник Муравьев. Совдеп. Мой проект переворота в столице. Взгляд Муравьева на положение. Предложение Муравьева. Отъезд из Петрограда.

Первые же дни революции показали невозможность для офицерского состава справиться с развалом в армии, который еще усугублялся выделением из полков лучших элементов для формирования так называемых ударных частей при штабах дивизий, корпусов и армий. В полках оставались солдаты вовсе не желавшие воевать и постепенно расходившиеся по домам и офицерский состав, который чувство долга заставляло оставаться на своем посту до конца. Видя полный развал, охвативший армию, я вместе с бароном Р.Ф. Унгерн-Штернбергом решил испробовать добровольческие формирования из инородцев с тем, чтобы попытаться оказать давление на русских солдат если не моральным примером несения службы в боевой линии, то действуя на психику наличием боеспособных, не поддавшихся разложению частей, которые всегда могли быть употреблены как мера воздействия на части, отказывающиеся нести боевую службу в окопах.

Получив разрешение штаба корпуса, мы принялись за осуществление своего проекта. Барон Унгерн взял на себя организацию добровольческой дружины из местных жителей — айсаров, в то время как я написал в Забайкалье знакомым мне по мирному времени бурятам, пользующимся известным влиянием среди своего народа, предлагая им предложить бурятам создать свой национальный отряд для действующей армии и этим подчеркнуть сознание бурятским народом своего долга перед революционным отечеством. Слова «революция», «революционный» и пр. в то сумбурное время оказывали магическое действие на публику, и игнорирование их всякое начинание обрекало на провал, т. к. почиталось за революционную отсталость и приверженность к старому режиму. Правда, не исключалась возможность под флагом «революционности» вести работу явно контрреволюционную. Среди широкой публики мало кто в этом разбирался; важно было уметь во всех случаях и во всех падежах склонять слово «революция», и успех всякого выступления с самыми фантастическими проектами был обеспечен.

В апреле месяце 1917 года к формированию айсарских дружин было приступлено. Дружины эти, под начальством беззаветно храброго войскового старшины, барона Р.Ф. Унгерн-Штернберга, показали себя блестяще; но для русского солдата, ошалевшего от революционного угара, пример инородцев, сражавшихся против общего врага, в то время как русские солдаты митинговали, оказался недостаточным, и потому особого влияния появление на фронте айсаров на положение фронта не оказало. Фронт продолжал митинговать и разваливаться.

В это же примерно время я получил ответ из Забайкалья о готовности бурят добровольно вступить в армию и создать свою национальную часть под моим командованием, вследствие чего представлялась необходимость в ближайшем будущем моей поездки на Дальний Восток. Почти одновременно я получил приглашение из 1-го Нерчинского полка, в котором ощущался острый недостаток офицеров, вернуться в полк. Я испросил согласие на перевод мой обратно в Уссурийскую дивизию и в скором времени выехал в Кишинев, в районе которого была сосредоточена в то время дивизия.

В мае месяце я прибыл в полк и вступил в командование 5-й сотней. Некоторое время спустя получилось распоряжение о подготовке к предстоящему вскоре смотру полка военным министром. Началась подготовка, совершенно для нас, строевых офицеров, необычная. Все, чем должен был бы блеснуть в своей подготовке боевой полк перед военным министром, осталось без всякого внимания, зато с утра до вечера набивали казакам головы всякой революционной ерундой, ничего общего не имевшей ни с задачами предстоящих боевых операций, ни со строевой подготовкой или знаниями воинских уставов, необходимых казаку на каждом шагу его службы. Настал, наконец, и день смотра.

Полк был собран в пешем строю на станции Раздельная, в нескольких часах езды от Кишинева. Ожидаемого эффекта на казаков смотр не произвел. Нашему солдату, несмотря на революционную обработку, перевернувшую в нем все понятия о долге, о правах, о знании, все же пришлось, видимо, не по душе, что называется, видеть на смотру военное начальство в штатском. Результаты таких смотров были явно отрицательны: солдаты и казаки видели, что высшее начальство не интересуется их боевой подготовкой и строевой выправкой, и делали заключение, что таков, следовательно, новый революционный закон. Из этого следовал вывод, что, если офицеры требуют знаний и занятий, они нарушают «революционную свободу» солдата. Отсюда начиналась вакханалия пропаганды против офицеров, как носителей контрреволюции. В то время положение в армии офицеров было беспримерно тяжелым, т. к. они были совершенно бесправны. Революционное правительство, несомненно, сознательно бросило офицерский корпус на произвол звериных инстинктов охамевшей, развращенной толпы, подстрекаемой агитаторами на всякие эксцессы против интеллигенции вообще и офицеров — в особенности.

По окончании смотра я увидел, что руководители русской революции совершенно не отдают себе отчета в своих действиях, потому что наивно верят в возможность двинуть в наступление армию, которую сами же усиленно разлагают. Разговоры о наступлении и подготовка к нему велись полным темпом, но нельзя было сомневаться в том, что из этого ровно ничего хорошего выйти не может. Солдаты воевать не желали, и не существовало силы, которая, при существующих условиях, могла бы заставить их идти в бой.

Поэтому я твердо решил попытаться во что бы то ни стало осуществить свой план формирования добровольческих частей из туземцев Восточной Сибири. Обдумывая пути, которыми следовало идти для того, чтобы заинтересовать министерство своим проектом, я решил действовать через головы своего прямого начальства, потому что положение было таково, что терять времени не приходилось; действовать надо было быстро и решительно, а революционно-бюрократическая волокита поглотила бы несколько месяцев на проведение проекта через ближайшие штабы. К тому же Верховное наше командование в это время вынуждено было, в угоду сепаратистских стремлений малых народностей, входящих в состав Российской империи, стать на путь широкой национализации армии. Был отдан приказ о выделении из частей солдат-инородцев для создания из них национальных инородческих частей. После такого приказа мы рисковали не найти ни одного русского человека во всей нашей армии, ибо все стали находить в своей крови принадлежность к какой-либо народности, населявшей великую Россию, и на этом основании требовать отправки его в соответствующий пункт в тылу для зачисления в свою национальную часть. Дело дошло до того, что сами авторы приказа были напуганы возможностью остаться без русской армии и потому увидели необходимость приказ о национализации армии отменить. Таковы были революционные эксперименты правительства, которые стоили России ее существования. Убедившись, что вся наша правящая головка правит государством чисто революционными методами, а кумир революции и глава правительства вчерашний адвокат А.Ф. Керенский занят только своей популярностью и упивается властью до того, что даже спит не иначе как на императорских кроватях, я решил в своем деле отказаться от установленной субординации, а обратиться непосредственно в центр через голову своего прямого начальства, будучи в полной уверенности, что революционный центр не найдет ничего предосудительного в том, что незначительный казачий офицер обращается со своим проектом непосредственно к главе правительства.

Поэтому я написал доклад на имя военного министра А.Ф. Керенского, который отправил в Петроград со своим другом, войсковым старшиной Е.Д. Жуковским, ныне генерал-майором. В своем докладе я коснулся приказа о национализации частей и последующей его отмены и указал на то, что отмена приказа была, несомненно, ошибкой. По моему мнению, национализация частей не могла бы быть мерой опасной, если бы к ней подойти иначе и правильнее осуществлять. Ошибкой в данном случае явилось не желание создать чисто национальные части, а проведение этого плана в глубоком тылу фронта, а не на линии его. В результате приказ о национализации пробудил не столько национальное чувство в молдаванах, татарах и др. инородцах, сколько желание уйти в тыл и возможность избавиться хотя бы временно от жизни в окопах. В моем докладе я рекомендовал не отменять приказ о национализации, а лишь дополнить его разъяснением, что национализация частей должна производиться в прифронтовой полосе и даже на линии фронта, если часть, назначенная к национализации, находится на позиции. Эта маленькая поправка к приказу, несомненно, внесла бы известное успокоение в умы, жаждущие тыла на законном основании и потому изыскивающие всякую зацепку, чтобы объявить себя инородцем и уйти в национализацию. Помимо этого, я приложил к своему докладу план использования кочевников Восточной Сибири для образования из них частей «естественной» (прирожденной) иррегулярной конницы, кладя в основу формирования их принципы исторической конницы времен Чингисхана, внеся в них необходимые коррективы, в соответствии с духом усовершенствованной современной техники.

Результаты моего обращения непосредственно в центр, как я предполагал, были благоприятны и, главное, не заставили себя ожидать долго.

Е.Д. Жуковский настойчивостью и решительными мерами пробил препоны бюрократической волокиты в военном министерстве и соответствующе поддержал мой проект, который был передан на заключение комиссии мобилизационного отдела Главного штаба. Там мысль использовать инородцев Сибири для новых формирований, которые могли бы послужить образцами для реорганизации русской армии, была встречена сочувственно, и я был вызван телеграммой в Петроград.

Это совпало как раз с выбором меня делегатом от полка на Войсковой Круг в Читу, куда я считал поехать необходимым для того, чтобы создать хоть какое-нибудь противодействие попыткам социалистов подчинить войско полному своему влиянию. Они уже успели добиться от Круга проведения резолюции, требующей отказа от казачьих привилегий и полного правового слияния с иногородним (не казачьим) населением. Конечно, это была дань требованию правительства по уничтожению всяких сословных перегородок в стране, но мы на фронте видели, что наших стариков в Забайкалье следует поддержать, иначе они позволят социалистам совершенно оседлать себя.

Получив от полка полномочия, или, как тогда говорили, «мандат», на съезд и предписание командира полка о выезде в Петроград в распоряжение министерства, я 8 июля выехал в Петроград. Мое прибытие в столицу совпало с моментом, когда первое неудачное восстание большевиков было только что подавлено и столица переживала некоторое успокоение. Все же вид города, с его загрязненными подсолнечной скорлупой, давно не метенными улицами, произвел на меня гнетущее впечатление. Особенно бросалось в глаза обилие на улицах и в трамваях праздношатающихся, неряшливо одетых солдат.

Еще в пути я познакомился с морским офицером, лейтенантом Ульрихом, и по его предложению остановился у него в квартире, на 16-й линии Васильевского острова. Петербурга я совершенно не знаю и потому не могу дать точное его описание, но, вероятно, где-нибудь за 16-й линией находились морские казармы, потому что ежедневно трамваи, шедшие из этого района в центр города, были переполнены матросами гвардейского флотского экипажа. Я ежедневно присматривался к этой гордости нашей революции, и их распущенность ярко характеризовала, как развиваются и цветут побеги «великой бескровной» революции.

Единственным исключением из всего столичного гарнизона был женский полк, однако на революционных солдат это или не производило в лучшем случае никакого впечатления, или вызывало град гнусных насмешек и ругательств по адресу патриоток женщин и девушек, пошедших добровольно на тяжелые лишения солдатской жизни.

По прибытии в Петроград я узнал, что Е.Д. Жуковский выехал только что в полк, и потому мне пришлось разыскивать министерство и канцелярию, в которую я должен был явиться, самостоятельно. Помощник военного министра, генерал-майор, князь Туманов направил меня на Мойку, № 20. С трудом ориентируясь в незнакомом городе, я, в конце концов, дошел до многоэтажного здания на набережной реки Мойки, на котором красовался № 20. Войдя в здание, я увидел в вестибюле его большое количество суетившихся и группами разговаривающих солдат и матросов. Я обратился к ближайшему с вопросом, что за учреждение находится в этом доме, и узнал, что здесь расположен всероссийский революционный комитет по формированию добровольческой армии и что во главе формирования стоит полковник Муравьев. Мне указали лестницу во 2-й этаж, где я мог найти Муравьева. Там я должен был обратиться к дежурному, ведающему докладом о посетителях, который предложил мне заполнить специальный бланк, указав причину посещения. Все это было мною исполнено, и дежурный ушел с докладом обо мне. Вскоре я был приглашен в кабинет Муравьева. После необходимого представления Муравьев пригласил меня сесть и задал мне вопрос, уверен ли я в успехе формирования частей из туземцев Сибири. При этом он достал мой проект и заключение о нем комиссии мобилизационного отдела Главного штаба. Я детально изложил мои предположения, значительно расширив представленный проект, и указал особенно настойчиво на необходимость срочного его осуществления. На мой доклад Муравьев предложил мне ежедневно являться к нему для обсуждения деталей моего предложения, и я исправно начал приезжать на Мойку ежедневно в 9 часов утра и проводил долгие часы в кабинете полковника Муравьева, беседуя с ним на разные темы.

Находясь в ожидании того или иного решения о своем деле, я от нечего делать начал завязывать случайные знакомства в городе. Столица была полна слухами о готовящемся в скором времени новом восстании большевиков. Власти находились в каком-то растерянном состоянии; особенно бросалась в глаза нерешительность и растерянность военных властей. Несколько раз я посещал заседания Совета рабочих и солдатских депутатов, которые происходили в здании Таврического дворца, где раньше помещалась Государственная дума. Временное правительство фактически находилось под полным контролем этого Совета, который вмешивался во все распоряжения правительства. Строго говоря, это был верховный революционный орган, заполненный дезертирами с фронта и агентами германской разведки с Лениным во главе. Совет возник чисто явочным порядком в одной из комнат Таврического дворца под эгидой Государственной думы, взявшей на себя руководство революцией в первые дни ее успеха. Постепенно социалисты, составлявшие подавляющее большинство в Совете, почувствовав под ногами твердую почву, не ограничились положением какого-то придатка к Думе, а совершенно аннулировали ее, заняв место какого-то своеобразного парламента и опекуна беспомощного Временного правительства. Фракция большевиков, проповедуя мир хижинам и войну дворцам, тем не менее облюбовала для себя великолепный дворец Кшесинской на Каменноостровском проспекте и устроила в нем цитадель большевизма. Оттуда полились потоки большевистской пропаганды по всей России, и там была сосредоточена вся работа по разложению армии и предательству родины внешним ее врагам.

Обследуя положение в революционной столице, я пришел к выводу, что достаточно было бы одного, двух военных училищ для ареста Совета раб. и солд. депутатов в полном составе и временной охраны столицы. Я решил поделиться своими мыслями с полковником Муравьевым, рассчитывая, что с его содействием можно было бы рискнуть на переворот с целью захватить разлагающее страну зло в ее гнезде и, уничтожив его, обезглавить всю систему разложения и предательства, организованную прибывшими из-за границы социалистами. Ввиду этого, я в одну из своих бесед с Муравьевым предложил ему следующую схему действия: ротой юнкеров занять здание Таврического дворца, арестовать весь Совдеп и немедленно судить всех его членов военно-полевым судом, как агентов вражеской страны, пользуясь материалом, изобличающим почти всех поголовно деятелей по углублению революции, в изобилии собранным следственной комиссией Министерства юстиции и Ставкой главнокомандующего после неудачной для большевиков июньской попытки захватить власть в свои руки. Приговор суда необходимо привести в исполнение тут же на месте, чтобы не дать опомниться революционному гарнизону столицы и поставить его перед совершившимся фактом уничтожения Совдепа. Одновременно я предлагал объявить столицу на военном положении и, если потребуется, арестовать Временное правительство, после чего от имени народа просить Верховного главнокомандующего генерала от кавалерии Брусилова принять на себя диктатуру над страной. Мой план заинтересовал Муравьева, и он решил поехать в Ставку, чтобы испросить согласия Брусилова на совершение предложенного coup d'etat. Я горячо возражал против намерения Муравьева посвятить в наш план Брусилова, считая, что он должен быть поставлен лицом к лицу с совершившимся фактом и по долгу Верховного главнокомандующего или принять его, или расписаться в собственной несостоятельности. К сожалению, Муравьев не согласился со мной; его возражения сводились к тому, что если мы одновременно с Советом не арестуем и все Временное правительство, то Керенский уничтожения социалистической головки нам не простит и мы будем расстреляны.

— Подождем лучше, — сказал Муравьев, — пока большевики не повесят все Временное правительство, а мы с вами потом будем вешать большевиков.

Через несколько дней после этой беседы Муравьев сказал мне, что им получены из министерства исчерпывающие указания относительно моего плана формирования и моих будущих взаимоотношений с всероссийским комитетом по формированию добровольческой революционной армии, и поэтому я должен был 16 июля, рано утром, до начала занятий явиться к нему в кабинет для детального обсуждения дальнейших наших шагов.

Эта последняя моя встреча один на один с Муравьевым началась с того, что он предложил мне должность своего помощника по возглавлению комитета. Несмотря на всю заманчивость предложения (я должен был пользоваться положением и правами помощника военного министра), я настаивал на своем отъезде в Сибирь, убеждая его, что там я принесу больше пользы, чем оставаясь при нем в качестве его помощника. Тогда Муравьев согласился откомандировать меня при условии, чтобы я принял на себя обязанности комиссара по образованию добровольческой армии для Иркутского и Приамурского военных округов. С этим я согласился и начал готовиться к отъезду из Петрограда.

Назначение мое было проведено приказом Верховного главнокомандующего, причем оно было сформулировано как назначение мое военным комиссаром Дальнего Востока. Таким образом, мои права по формированию были расширены на всю нашу Дальневосточную окраину, включая полосу отчуждения Китайско-Восточной жел. дор. и Иркутский военный округ. Одновременно я был назначен командиром Монголо-бурятского конного полка, с отведением полку места для формирования на ст. Березовка Забайкальской жел. дор. (около Верхнеудинска). Помимо этого, я получил также полномочие и письменную инструкцию от петроградского Совдепа. Этот документ в дальнейшем сослужил мне хорошую службу.

За двухнедельный период ежедневных встреч и бесед с полковником Муравьевым, впоследствии главнокомандующим Красной армией, я вынес о нем отличное впечатление в отношении его способностей и умственного развития. Ему не хватало решительности, чтобы сыграть роль российского Бонапарта, к которой он себя безусловно готовил с самого начала революции. Это ясно видно из всего его поведения в течение последующих событий. И если переход полковника Муравьева с частями Красной армии на сторону белых закончился неудачей, то в этом вина не его. Ответственность за провал этой последней авантюры Муравьева должна быть отнесена исключительно за счет несогласованности действий чехов и различных белых отрядов и организаций, которые, не будучи в то время объединены общим командованием, не смогли оказать должную поддержку Муравьеву в его попытке повернуть свой фронт против красной Москвы.

Глава 9
ВОЙСКОВОЙ КРУГ

Снова на Дальний Восток. В пути. Размышления о советских достижениях и задачах Коминтерна. Прибытие в Иркутск. Генерал-майор Самарин. Полковник Краковецкий. Отъезд в Читу. Байкал. Чита. Президиум Круга. Настроение делегатов. Бурятский вопрос. Уничтожение сословий. Мое выступление на Круге. Столкновение с Пумпянским. Бурятский съезд в Верхнеудинске.

26 июля с сибирским экспрессом я покинул Петроград, направляясь через Вологду, Екатеринбург и Иркутск в Забайкалье. Впервые после трехлетнего пребывания на фронте я увидел родную Сибирь. Несмотря на войну и последовавшую революцию, кругом мало что изменилось. Экономическое состояние Сибири и ее обитателей внешне не отражало той разрухи, которая уже наступила в стране.

Станции были так же, как и в довоенное время, запружены лотками с жареными гусями, утками, поросятами и пр. предметами разнообразной деревенской кулинарии. Все было баснословно дешево; например, стоимость целого жареного поросенка не превышала 50 копеек, утка стоила 30 копеек и т. д. Это наглядно свидетельствовало о хозяйственно-экономической мощи страны, даже по истечении трех лет тяжелого военного напряжения. Поля вдоль всего железнодорожного пути были покрыты позолотой созревающих посевов; на лугах виднелись бесконечные стога и копны сена. И все же это было не то, что до войны, когда миллионы рабочих рук, отнятых теперь фронтом, оставались дома. Читая теперь в советских газетах о «достижениях» в колхозном, индустриальном и пр. экономических фронтах и сравнивая то, о чем на весь мир вещают большевики, с тем, что было до их прихода к власти, становится ясным, в какую нищету и одичание ввергли они наш несчастный народ в результате двадцатилетней своей власти в России. Это и понятно, если вспомнить, что власть заботится не о национальных интересах России и русского народа, а исключительно о подготовке всего мира к пролетарской революции, долженствующей расширить пределы Советского Союза в планетарных размерах. Все приносится в жертву этой химерической идее. Россия важна коммунистам постольку лишь, поскольку она является плацдармом для разворачивания интернациональной коммунистической армии воинствующего пролетариата, и все живые силы страны, подпавшей под власть Коминтерна, употребляются на усиление мощи Красной армии, долженствующей на своих штыках принести миру торжество коммунистической идеи. Подготовка к этому идет уже давно. Теперь уже стало ясным, что большевики добивались признания своего правительства как законно существующего в России, соблазняя иностранцев открытием неисчерпаемого рынка для их товаров, не с целью установления нормальных взаимоотношений между буржуазными правительствами мира и коммунистическим Кремлем, а исключительно в видах использования возможности в случае признания включиться в международные взаимоотношения с тем, чтобы влиять на них в нужном для Коминтерна направлении. В этих же видах СССР, не раз подчеркивавший свое пренебрежение к Лиге Наций, вошел в состав ее, и не раз представители СССР с пеной у рта доказывали миру, что Коминтерн и правительство СССР — две совершенно обособленные величины, ничего общего друг с другом не имеющие. Нельзя допустить, чтобы в Лиге Наций сидели люди, могущие поверить такой басне, но факт в том, что цивилизованный мир делает вид, что он, действительно, верит, что Коминтерн и правительство СССР друг от друга независимы. По-видимому, считается, что СССР представляет силу, которая может оказать влияние на течение мировой политики и хозяйства. Упускают из виду, что нищая, голодная страна никаким рынком быть не может; что Красная армия, обезглавленная в своем командном составе и насыщенная шпионами власти, после мобилизации, когда в состав ее будут влиты запасные кадры в виде разоренных, озлобленных мужиков, никакой сколько-нибудь серьезной силы представить не может; наконец, забывают, что русский народ — не правительство СССР и что борьба между народом и правительством продолжается до сего времени и может окончиться лишь с падением власти Советов в России. Те, кто это поняли, кто не хочет закрывать глаза на действительное положение вещей, вышли из состава Лиги Наций, и ныне мы присутствуем при закате этого ареопага, который, по-видимому, постепенно уступит свою руководящую в международной политике роль союзу держав, ставших на путь моральной борьбы с Коминтерном и ликвидации его влияния в своих пределах.

***

1 августа 1917 года я прибыл в Иркутск. Первым моим шагом в этом городе был визит в штаб Иркутского военного округа для представления командующему войсками

округа генерал-майору Самарину. Генерал Самарин, назначенный на эту должность уже после революции, до того был начальником штаба Уссурийской конной дивизии, и, зная его лично, я надеялся, что генерал отнесется к моей командировке более или менее сочувственно и окажет мне необходимое содействие. Впоследствии я убедился, что не ошибся в своих ожиданиях и что в лице генерала Самарина я нашел все, что мог ожидать для успеха своего дела.

Помощником у Самарина был полковник Краковецкий, социалист-революционер, партийный стаж которого начался с первой революции 1904 года. Будучи молодым офицером-артиллеристом, он оказался замешанным в революционном движении, был судим, лишен чинов и сослан в Сибирь. После переворота получил полную амнистию и даже штаб-офицерский чин для сравнения со сверстниками. После состоял при штабе моего отряда как представитель организации «областников», получил от меня 50 тысяч на организацию Сибирского правительства и впоследствии обнаружился в качестве советского дипломата, в должности консула СССР в Мукдене.

Несмотря на необходимость срочно прибыть в Читу, чтобы не опоздать на открытие Войскового Круга, я все же вынужден был задержаться на несколько дней в Иркутске и выехал лишь после того, как подготовил разрешение вопросов в связи с предстоящими монголо-бурятскими формированиями ко времени своего возвращения после закрытия Круга.

5 августа я выехал в Читу. Стальная лента железнодорожного пути окаймляет с южной стороны священный Байкал, то и дело ныряя в туннели, открывая живописнейшие в мире виды на озеро. Кругобайкальская железная дорога настолько живописна, что ничего похожего я не наблюдал ни в Крыму, ни на Кавказе. И только в зимнее время суровость природы оставляет преимущество за югом. Величественность Байкала беспримерна, особенно во время волнения, когда крутые волны бьют о скалистые берега с такой силой, что, кажется, самые скалы содрогаются, с трудом сдерживая на-

тиск волн. Неудивительна сила удара байкальской волны, когда глубина, выбрасывающая ее при внутреннем волнении, достигает двух с половиной верст, а в некоторых местах и вообще не поддается измерению.

Среди прибайкальских жителей существует поверье, что, плывя на пароходе через Байкал, нельзя говорить о нем как об озере, а необходимо называть «священным морем», иначе «закачает». Отсюда, очевидно, наш поэт-сибиряк Омулевский и узаконил в своих произведениях за Байкалом имя «священное море Байкал».

6 августа утром я прибыл в Читу с сибирским экспрессом. Чита особенно мила мне, потому что это первый этап моей самостоятельной жизни, когда в 1906 году я прибыл впервые туда, покинув родную станицу для того, чтобы выйти в широкое море жизни.

Чита осталась столь же милой и такой же пыльной. Наличие песка и пыли несколько умерялось сосновым бором, подходившим к самому городу, заходившим на нагорные улицы и дарившим свежестью соснового воздуха нетребовательного читинца. В то время руководители городского хозяйства придумали засыпать размытые дождями улицы конским навозом. Теперь же, слышно, лес вырублен, улицы еще больше углубились в песок, и засыпать их нечем, потому что и коней не стало у жителей. Вот одно из характерных достижений коммунистического управления страной.

Делегаты съезда уже были все в сборе, и съезд начинал свою работу, когда я приехал в Читу. Председателем был избран С.А. Таскин, член Государственной думы от Забайкальской области, а помощником его генерал-майор Шильников И.Ф. Настроение делегатов съезда, прибывших с фронта и избранных от станиц, было настороженно-выжидательное, т. к. обе стороны не были ознакомлены со взглядами и желаниями друг друга. Судя по тому, что станицы в большинстве послали делегатами лиц, так или иначе замешанных в революционных событиях 1905—1906 годов, можно было предугадать, что нам, фронтовикам, придется вести горячую борьбу в защиту казачества от посягательств на исконные права его, тем более что предстояло разрешить много вопросов, имевших жизненную важность для войска.

Одним из таких вопросов было желание забайкальских бурят войти в состав войска как отдельный, 5-й отдел его. Вопрос не мог бы возбудить особых затруднений, так как мы уже имели в составе войска много бурят при 1-м отделе и монголов во 2-м отделе (по верховьям Онона), если бы этот вопрос не был связан с чисто принципиальным вопросом о дальнейшем существовании казачества как обособленного сословия. Дело в том, что 1-й Войсковой Круг, собравшийся после революции, под влиянием ораторов-социалистов вынес резолюцию об отказе от казачьих привилегий и уравнении в правах с прочими жителями страны. Ныне предстояло этот вопрос пересмотреть. На частном совещании фронтовых делегатов оба этих вопроса, т. е. о сохранении за казачеством его обособленности и о принятии в войско забайкальских бурят, было поручено разработать и проводить на Круге мне.

Задача представляла ту трудность, что казаки испокон веков рассматривались как правительством, так и общественностью как особое служилое сословие. Временное же правительство с первых дней своего прихода к власти объявило об упразднении сословий и всех сословных перегородок. Поэтому, рассуждая логически, следовало прийти к заключению, что с уничтожением сословий в стране казачество как сословие также должно было быть упразднено. Наши противники базировали на этом выводе свои доводы в пользу отказа от особенностей казачьего самоуправления, обвиняя нас, офицеров, в стремлении сохранить усиленные наделы земли в станицах, и потому сохранение казачьей обособленности выгодно только нам, но не войску в целом.

Вопрос этот, как самый важный, из-за которого, собственно, и собирался Круг, должен был быть обоснован на твердом базисе, а потому мы решили отложить его на несколько дней для детальной подготовки Круга к рассмотрению его.

Ввиду того что разработка этого вопроса, так же как и вытекающего из него бурятского вопроса, была возложена на меня, мне пришлось особенно близко и тщательно с ним ознакомиться. К сожалению, было очень трудно найти какие-нибудь твердые основания для отстаивания нашей позиции. Ни история возникновения казачества, ни его взаимоотношения с царским правительством не давали зацепки, за которую можно было бы ухватиться, отстаивая справедливость наших утверждений. Очевидно, и старое правительство было очень осторожно в отношении казаков, учитывая печальные опыты прошлого, когда на попытки вмешательства его во внутреннюю жизнь казачества последнее ответило целым рядом восстаний и бунтов; достаточно указать на имена Разина, Булавина, Пугачева и мн. других, чтобы убедиться, что деды наши своей кровью уплатили за то право на самоуправление и обособленность, от которых нас теперь хотели заставить отказаться. Как бы то ни было, я не мог найти пикаких материалов по вопросу о сущности казачества и должен был строить свою защиту его на том основании, что в наших военных законах существовало указание, согласно которого каждый казак, дослужившийся до первого офицерского чина или произведенный в него по окончании военного училища, получает звание и права личного дворянства; производство же в чин полковника давало потомственное дворянство. Базируясь на этих скудных данных, я составил доклад Кругу, в котором образование казачества объяснил ходом исторического отбора наиболее смелых и свободолюбивых людей, которые, не желая подчиняться распространяющемуся влиянию московской государственности, бросали насиженные места и уходили в Дикое поле искать свободной жизни. Тесня перед собой местных кочевников, казаки кровью своей закрепляли занятые ими места и постепенно смешивались с местными жителями, подчиняя их своему влиянию. Таким образом, казачьи земли создавались естественным путем и казаки были обязаны приобретением их только самим себе. Чувствуя кровное родство свое с русским народом и не желая отрываться от него, казаки, по мере усвоения ими вновь занятых земель, били челом московским царям, отдавая себя под их покровительство, но выговаривая себе во всех случаях право полного самоуправления и широкого народоправства. С течением времени казаки приобрели необозримые пространства земли, слабо или совсем незаселенной; поэтому они не возражали против решения правительства частично заселить их выходцами из России. Они только ревниво оберегали свою вольность и свое право на самоуправление, и всякие попытки правительства ограничить их права в этом направлении неминуемо вызывали кровавые восстания, с трудом подавляемые государственными войсками. Впоследствии, однако, государственная власть усилилась настолько, что казакам стало не под силу бороться с нею и российское законодательство стало урезать казаков в их земельных угодьях, сведя их до нынешних норм пользования.

До этого места моего доклада ложи представителей различных партий и организаций, допущенных на Круг с правом совещательного голоса, хотя и волновались, но говорить мне не мешали. Особенное волнение поднялось в ложе эсеров, где заседал довольно известный на Дальнем Востоке Пумпянский Н.П., когда я умышленно задел революционеров, сравнив их отношение к казачеству с отношением к нему старого правительства, которое сознавало, что казачество не сословие, но не дало точного определения, за кого оно считало нас. В законе ясно указано, что казак может получить личное и потомственное дворянство за выполнение образовательного или командного ценза. Если бы казачество почиталось за сословие, закон предусмотрел бы нелепость создания в сословии еще сословия дворян. В таком случае и украинцев, например, следует считать не одной из народностей, населяющих Россию, а сословием. Важно то, что старое правительство относилось к казакам недоверчиво и сдержанно, без полноты искренности, а теперь представители новой власти стараются ради каких-то революционных целей сделать нас, казаков, не тем, что мы есть, хотят уничтожить существование самобытного и демократического исстари казачества. Где же та революционная справедливость, о которой социалисты так много кричат. Если ход развития так называемых революционных мероприятий будет и дальше направлен против казаков, то мы должны быть готовы к тому, что вслед за уничтожением казачьих так называемых привилегий будет уничтожено и наше право на исконные наши, завоеванные нашими дедами, земли. Если революция рассматривается всем населением России как расширение существующих и завоевание новых гражданских прав, то почему же казаков во имя революции хотят урезать в их правах. В силу великодушия и стремления к братскому единению со всеми народами нашего отечества, предки наши делились своими завоеваниями с государством, принимая выходцев из него и наделяя их землей, права на которую неоспоримо принадлежат казакам, кровью своей закрепившим ее за Российским государством. Ложно то, что казаки пользовались какими-то привилегиями при старом режиме. Если по сравнению с крестьянами казаки пользуются большими земельными наделами, то за это они поголовно служат государству, и на службу выходят в собственном обмундировании, снаряжении и на своем коне.

На этом была закончена моя речь, и начались выступления оппонентов. Первым выступил Н.П. Пумпянский, который привел красочное сравнение казачества с опричниной и призывал Круг раз навсегда снять с себя позорное пятно привилегированного сословия и т. д. Дебаты продолжались два или три дня. В конце концов, я, как единственный оппонент противному лагерю, уже не сходил со сцены Мариинского театра, с которой произносились речи, а, сказав свое возражение, садился позади трибуны, чтобы через пять минут снова подняться на нее для возражения новому оппоненту. От Пумпянского, наиболее сильного оппонента, удалось скоро отделаться, поставив его в положение настолько смешное, что он уехал с Круга и больше на нем не появлялся. Когда Пумпянский увлекся очередным возражением мне и затянул речь надолго, я взял графин с водой, налил из него в стакан и молча подал ему. Растерявшись от неожиданности, он взял стакан и недоумевающе уставился на меня. Тогда, воспользовавшись минутным молчанием, я с серьезным видом предложил ему прекратить революционную трескотню, а пыл его речей залить холодной водой. Пумпянский настолько растерялся, что принял мой совет всерьез, начал пить, захлебнулся, хотел продолжать свою речь, но закашлялся и под гомерический хохот присутствующих вынужден был сойти с трибуны и уехать домой.

Заседания Круга продолжались больше месяца, что сильно задержало мою работу по началу формирования Монголо-бурятского полка. Но еще на съезде я сговорился с бурятскими представителями о национальных бурятских формированиях. Для проведения этого вопроса в жизнь потребовалась санкция бурятского национального съезда, и мне пришлось просить областного комиссара Завадского о разрешении съезда. После некоторого колебания организация его была разрешена в Верхнеудинске, и вскоре после закрытия нашего Войскового Круга, закончившегося полной нашей победой, я выехал из Читы на бурятский съезд в Верхнеудинске. Лидерами национального бурятского движения были: Рынчино, Вампилон, доктор Цибиктаров, проф. Цыбиков, Цампилун и др. Съезд продолжался всего четыре-пять дней и вынес единогласное решение стать в ряды русской армии своим национальным отрядом для «защиты свободы, завоеванной революцией», причем я был избран командующим монголо-бурятскими формированиями.

Глава 10
ОКТЯБРЬСКИЙ ПЕРЕВОРОТ

Набор добровольцев в Монголо-бурятский полк. Первое столкновение на Березовке. Мой выход в Иркутск. Переворот в Иркутске. Посещение Совдепа. Приказ министерства о прекращении формирований. Мой ответ. Инцидент с есаулом Кубинцевым. Попытка задержать меня. Возвращение в Читу. Перенос штаба формирова-

В конце сентября я уже начал набор добровольцев. Не предвидя ничего хорошего, начал принимать не только инородцев, т. е. бурят и монгол, но и русских, поставив единственным условием поступления в мой отряд — отказ от революционных завоеваний — комитетов, отмены дисциплины и чинопочитания и пр. Таким образом, контрреволюционная физиономия моей затеи была выявлена с самого начала, и это вызвало немедленное противодействие со стороны революционных властей, задержавших выплату ассигнованных мне на формирование денег. Довольствие моих людей было поручено хозяйственной части ополченской дружины, охранявшей лагерь военнопленных на Березовке. Вскоре после большевистского переворота, 10 ноября, штаб округа потребовал от меня объяснения по поводу приема в формируемый мною Монголо-бурятский полк добровольцев русской национальности. Отношения с местными революционными властями и ополченцами испортились до того, что 12 ноября у нас произошло вооруженное столкновение, причем я был поддержан запасной сотней нашего войска, стоявшей на ст. Березовка, т. к. у меня в полку было не больше 50 человек. Осведомившись о столкновении, генерал Самарин по телеграфу вызвал меня в Иркутск. Я давно собирался поехать туда, так как мне было необходимо получить на руки приказ по округу о начале формирования монголо-бурятских частей, о чем я просил командующего округом еще в первое свое посещение Иркутска.

По прибытии в Иркутск я немедленно явился в штаб округа и узнал там, что приказ еще не подписан. Ввиду того что события полным темпом шли к окончательному торжеству большевизма, я стал торопить с приказом, чтобы иметь на руках твердый документ от имени Временного правительства прежде, чем власть от него перейдет к большевикам. Генерал Самарин отдал распоряжение начальнику казачьего отдела штаба округа есаулу Рюмкину заготовить приказ и представить его к подписи. Прошло три дня, а приказа все еще не было, и я 16 ноября поехал снова в штаб округа. Генерала Самарина я застал сильно расстроенным и по внешнему виду не спавшим всю ночь. Он немедленно принял меня и сразу же пояснил, что дело с отданием приказа о моих формированиях теперь от него не зависит, ибо он почти арестован при штабе округа, вся власть в котором перешла к председателю местного Совдепа. Генерал мне сообщил, что все возможное для того, чтобы меня снабдили всем необходимым в интендантстве, им сделано, но неисполнительность есаула Рюмкина, до сего времени не приготовившего приказ, лишила его возможности подписать своевременно; теперь же он был лишен права подписывать какие бы то ни было распоряжения. В заключение он посоветовал мне самому набросать проект приказа и попробовать обратиться за утверждением его к новому начальству. Мне пришлось так и сделать, хотя надежды на то, что приказ будет подписан, у меня почти не было. Раздумывать об этом было бесполезно, и я отправился в Совдеп. Для того чтобы более импонировать представителям новой власти, я, будучи в военной форме с погонами и боевыми отличиями, надел на руку красную повязку с печатью петроградского Совдепа и с надписью о том, что я являюсь комиссаром по добровольческим формированиям на Дальнем Востоке. Эту повязку вместе с письменными полномочиями и инструкциями я получил из петроградского Совдепа перед отъездом своим на Дальний Восток.

Мое появление в Совдепе в форме, с орденами и при оружии и в то же время в революционном звании комиссара произвело, по-видимому, впечатление, но все же на мою просьбу подписать приказ о формировании добровольческого Монголо-бурятского полка председатель Совдепа ответил, что о каких-либо формированиях сейчас не может быть и речи, так как новая власть предполагает распустить всю старую армию. Я сейчас же дал ему прочесть мои полномочия от петроградского Совдепа, кои предоставляли мне права не только по формированию революционной добровольческой армии, но и по контролю деятельности местных Совдепов в пределах Иркутского и Приамурского военных округов. На это новый командующий войсками округа заявил мне, что он не оспаривает моих полномочий, но тем не менее все же должен предварительно снестись по прямому проводу с центральным Совдепом, и только по получении оттуда прямых указаний он может дать согласие на мои формирования или запретить их. Меня плохо устраивала такая задержка, и я решил использовать свой последний аргумент, именно постановление бурятского национального съезда; я добавил при этом, что отказ в удовлетворении желания бурят может повести к сепаратным формированиям, вызванным его нерешительностью, и тогда я должен буду применить в отношении иркутского Совдепа вообще и его, председателя Совдепа, в частности ту власть, которая предоставлена мне петроградским Совдепом, дабы не обострять отношний бурятской демократии к органам новой власти. Помимо этого, я заметил, что его согласие подписать приказ не может принести какой-нибудь вред, так как, если будет решено подвергнуть демобилизации всю армию, ей подвергнутся и мои формирования на общих со всеми прочими частями основаниях. Эти доводы, наконец, подействовали, и приказ был подписан. Отдание приказа дало мне возможность получить из окружного интендантства ассигновку необходимых для формирования средств на областное читинское казначейство, но затруднения в проведении дела этим еще не закончились.

Дело в том, что в дни корниловского выступления, еще во время заседаний Войскового Круга, последний, по моему предложению, послал телеграмму генералу Корнилову, приветствуя его и выражая готовность идти всем войском за ним, как за вождем народа. Надо полагать, это стало известно Керенскому, и, когда корниловское выступление было ликвидировано, из военного министерства пришло приказание мне о прекращении всяких формирований и о возвращении моем в полк. На это я послал телеграфный рапорт в Ставку следующего содержания: «Престиж всероссийского Временного правительства, в силу большевистской пропаганды, весьма невысок, а отказ от начатого дела формирований окончательно уронит его в глазах инородцев Сибири, поэтому настоятельно ходатайствую не прекращать порученного мне дела формирования». Генерал Самарин энергично и авторитетно поддержал мое мнение о настроениях среди туземцев Сибири, и в конце концов мы получили благоприятный ответ из Ставки, который дал мне возможность продолжать начатое дело.

И после преодоления всех этих серьезных преград маленький случай неосторожной и излишней словоохотливости есаула Кубинцева, у которого я останавливался в Иркутске, погубил было все дело. Есаул Кубинцев поспорил с писарем штаба округа из-за каких-то документов. В споре с революционным писарем он «пригрозил» тем, что дай-де нам с есаулом Семеновым сформироваться, так мы вам тут «покажем». Это повлекло арест Кубинцева и необходимость тайного моего выезда из Иркутска. Уезжая, я взял с собою пять иркутских казаков добровольцами в свои части. Подъезжая к Верхнеудинску, я ожидал, что будут приняты какие-нибудь меры к моему аресту. Так и оказалось. Комендантом станции Верхнеудинска была получена телеграмма о задержании меня. Для выполнения ее он собрал роту дружины и оцепил ею наш поезд при подходе его к дебаркадеру. Увидя неизбежность ареста, я приказал казакам не сидеть в вагоне, а выйти со мною и не отходить далеко от поезда, дабы вскочить в него при отходе. Как только мы показались из вагона, ко мне подошел комендант и стал спрашивать, кто я. Я назвал какую-то фамилию и пошел вдоль поезда. Чины дружины продолжали стоять, а комендант, очевидно подозревая неправду с моей стороны, обратился к одному из моих казаков с тем же вопросом; тот заявил, что не знает. Тогда комендант в сопровождении двух конвоиров подходит ко мне и требует удостоверения личности. Я крикнул казакам — «ко мне»; те быстро очутились около меня, и я нанес короткий удар в подбородок коменданту, сразу свалившmy его с ног. Казаки мои, обнажив шашки, атаковали дружинников, при этом двое из них были ранены уколом шашек. Рота дружинников разбежалась, а от дежурного по станции я потребовал пустить поезд ранее времени и передать по диспетчеру на следующую станцию поезда не задерживать. Дежурный и сам видел в этом лучший исход для того, чтобы избежать открытия стрельбы со стороны солдат.

Благополучно миновав и эти препоны, я вечером доехал до Читы, где жизнь шла своим чередом, не будучи связанной с Иркутском. Овладение властью здесь большевики производили не спеша, ибо серьезных конкурентов у них не было, и передачу власти местному Совдепу производили путем переговоров с либерально-розовыми элементами местной интеллигенции, что дало мне достаточно времени получить по ассигновке деньги и даже провести некоторые репрессивные меры в отношении местного Совдепа.

Я решил окончательно стать на путь активной борьбы с большевиками, не останавливаясь перед вооруженными с ними столкновениями, и свою деятельность в этом направлении начал немедленно по возвращении в Читу.

В Чите я нашел ожидавшую меня телеграмму из Главного штаба о перемещении пункта формирования на станцию Даурия, вблизи маньчжурской границы, при которой находился военный городок с хорошо оборудованными большими казармами. Эта телеграмма явилась ответом на мое ходатайство о предоставлении мне казарм в Даурии для размещения добровольцев, прибытия которых я ожидал, и полученное разрешение очень устраивало меня, ввиду того что с Иркутском все мои деловые сношения были закончены, оставаться же в Верхнеудинске и Березовке, окруженным обольшевиченными солдатами, с горстью добровольцев было неразумно. Первым моим шагом по прибытии в Читу было получение из областного казначейства денег на формирование по ассигновке окружного интендантства Иркутского военного округа. Я опасался, что после моих столкновений с представителями новой власти кредит может быть приостановлен и денег мне получить не удастся. К счастью, это предположение не оправдалось и читинское казначейство выдало мне ассигнованную сумму без особенных хлопот и проволочек. Теперь оставалось лишь дожидаться прибытия из Верхнеудинска остальных чинов моего штаба и с ними вместе выехать в Даурию. Однако предварительно необходимо было организовать вербовку добровольцев по казачьим станицам и бурятским улусам, и поэтому в Чите пришлось немного задержаться. Так как я все же считал, что мое пребывание в Чите является небезопасным, ибо Иркутск, надо полагать, примет меры к задержанию меня, то я дал телеграмму Муравьеву, прося его прекратить вмешательство местных Совдепов в порученное мне дело формирования, чтобы не создавать разнобой в работе и не нарушать преподанных мне петроградским Совдепом инструкций. Я очень скоро получил ответ, что все меры приняты и непосредственные указания на места даны, тем не менее я все же решил создать свою собственную агентуру, которая держала бы меня в курсе всех действий и намерений местного Совдепа.

С этой целью, через состоявшего при мне мл. урядника Бурдуковского, я привлек к работе некоего солдата Замкина, члена местного Совдепа, услуги которого регулярно оплачивал и который аккуратно снабжал меня подробными сведениями о всех шагах Совдепа. Однажды вечером Замкин сообщил мне, что председатель местного Совдепа говорил по прямому проводу с Иркутском или Петроградом относительно необходимости принятия репрессивных мер против меня. С этой целью на следующий день решено было созвать пленарное заседание Совдепа и на нем обсудить меры обезврежения меня.

Необходимо было предпринять какие-то шаги для противодействия намерению Совдепа. Точно установив час заседания, я через своих станичников, казаков запасного казачьего дивизиона, узнал, кто именно из дивизионного комитета будет командирован для участия в заседании Совдепа, и умышленно пригласил их поужинать к себе вечером на другой день. Уговорились после ужина идти вместе на заседание Совдепа, причем я ни словом не упомянул о том, что мне известно, что Совдеп предполагает принять какие-то меры против меня.

Когда делегаты собрались у меня, я послал Замкина совместно с Бурдуковским вызвать их откуда-нибудь к телефону и от имени Совдепа сообщить, что пленарное заседание, назначенное на вечер, переносится на следующий день. Все было исполнено по расписанию. Один из делегатов, вызванный к телефону, вернулся к столу и с довольным видом сообщил, что из Совдепа звонят о том, что пленарное заседание сегодня не состоится, так что в Совдеп можно не ходить. Я предложил тогда закончить вечер всем вместе в каком-нибудь увеселительном заведении, и мы вышли все, чтобы привести мое предложение в исполнение. Проходя мимо дома Войскового атамана, в котором происходили заседания Совдепа, я вдруг как бы внезапно вспомнил, что мне необходимо повидать Пумпянского и, что весьма возможно, я смогу найти его в помещении Совдепа. Поэтому я просил Замкина с двумя казаками идти вперед в ближайшую шашлычную, а мы с Бурдуковским на минуту зайдем в Совдеп и быстро догоним их.

Я вошел в зал атаманского дома и увидел пленарное собрание заседающим. Председательствовал Пумпянский. Быстро войдя в зал, я объявил собрание закрытым, а всех участвовавших в нем арестованными. Одновременно, обратившись к Бурдуковскому, я приказал ему позвать командира сотни для принятия арестованных, но тут же, будто спохватившись, велел Бурдуковскому подождать и обратился к собранию, указав ему, что казаки не прислали своих делегатов в пленарное заседание Совдепа, будучи возмущенными его интригами против меня. Пумпянский пытался вступить со мной в объяснения, но я оборвал его и, снова обратившись к собранию, предложил всем сидеть на местах и не пытаться оставить зал, т. к. казаки, поставленные мною у дверей, будут стрелять по каждому, кто выйдет из зала без моего разрешения. Это произвело заметный эффект, и я мог свободно переговорить с Пумпянским, не опасаясь каких-либо неожиданностей. Путем переговоров было решено, что арест членов Совдепа мною снимается; заседание должно быть закрыто и возобновится через два дня при моем участии. После всего этого, сделав вид, что я полностью верю, что заключенное соглашение будет выполнено Совдепом, я приказал Бурдуковскому пойти доложить командиру сотни, что сотню можно вести домой, члены же комитета должны остаться и ожидать меня. Бурдуковский вышел и, вернувшись через минуту, доложил, что приказание исполнено, после чего я, попрощавшись с Пумпянским и собранием, вышел в сопровождении Бурдуковского и присоединился к станичникам, не терявшим время в ожидании меня. Бурдуковскому и Замкину я приказал немедленно нанять тройку и собрать вещи с тем, чтобы быть готовыми выехать через два-три часа, рассчитывая, что до утра товарищи не смогут связаться с дивизионом и выяснить истину, мы же успеем за это время добраться до станции Макковеево и пересесть там в маньчжурский экспресс. Замкин решил ехать с нами, опасаясь того, что его двойственная роль, в конце концов, будет раскрыта.

Выезд и пересадка на поезд прошли благополучно, и уже в Даурии я получил сведения о том, что в Чите меня хватились только через два дня. Во главе связи в Чите я оставил своего личного и близкого друга сотника (ныне генерал-майор) Льва Филипповича Власьевского. Его задача была весьма трудна и рискованна, но он блестяще с нею справился.

В Даурию я приехал ночью 28 ноября и остановился у поселкового атамана Даурского поселка. Казаки жаловались на распущенность и бесчинства солдат дружины, охранявшей лагерь военнопленных. Утром я отправился в казармы, где помещался лагерь и дружина, его охранявшая. Там я встретил офицеров дружины, штабс-капитанов Усикова и Опарина, от которых получил полную ориентировку в настроении как солдат дружины, так и военнопленных. В Даурии ко мне присоединились приехавшие из Березовки: войсковой старшина, барон Унгерн, хорунжий Мадиевский, подхорунжий Швалов, мл. уряд. Батаков, ст. уряд. Медведев и казак Батуев. Со мной вместе приехали мл. уряд. Бурдуковский и солдат Замкин. Часть своих людей я отправил в верховья Онона до гор. Ахши во главе с А.А. Погодаевым за вербовкой добровольцев и сбором лошадей, а сам собрался поехать в Харбин к генералу Хорвату с тем, чтобы предложить ему свои услуги по приведению в порядок ополченских дружин, стоявших гарнизонами по линии КВЖД, и по сформированию добровольческой пограничной стражи, которая могла бы взять на себя охрану порядка в крае. Я считал, что генерал Хорват, у которого были все возможности и средства для сформирования и содержания одной отдельной бригады, как комиссар Временного правительства не должен подчиниться советской власти, которая вступила на путь открытой борьбы с правительством и предала Россию в Брест-Литовске, заключив сепаратное перемирие с австро-германцами, и потому решил отдать себя и свои силы в полное его распоряжение.

Глава 11

ПОДГОТОВКА БАЗЫ

Гарнизон Даурии. Военнопленные. Капитан, принц Элькадири. Полицейская команда. Комиссар Березовский. Командировка поручика Жевченко. Офицеры дружины. Обстановка в Харбине. Расстрел Аркуса. Поездка на ст. Маньчжурия. Прапорщик Кюнст и чиновник Куликов. Обстановка в Маньчжурии. Мое решение разоружить Маньчжурский гарнизон. Приглашение представителей властей на совещание. Заседание революционного трибунала. Вызов из Маньчжурии моих людей.

Гарнизон Даурии состоял из одной ополченской дружины. Обязанности его заключались в окарауливании лагеря военнопленных; но состояние дружины, совершенно разложившейся, было таково, что не ополченцы окарауливали военнопленных, а скорее последние контролировали дружину. Гарнизонный комитет с первых дней моего появления в Даурии пытался было вмешаться в мою работу и подчинить моих казаков своему контролю, но раз навсегда был поставлен мною на место, и после энергичного разгона одного из заседаний, на которое я явился с Бурдуковским, вооруженным ручными гранатами, настроение солдат стало немного приличнее. Пьянство и грабежи в казачьем поселке были прекращены самыми строгими мерами воздействия, для чего мне пришлось сформировать нечто вроде военно-полицейской команды из военнопленных германцев и турок. Команда эта была поручена барону Унгерну, хорошо владевшему немецким языком и занимавшему должность моего помощника.

Среди военнопленных, содержавшихся в лагере в Даурии, находился капитан турецкого Генерального штаба, принц Элькадири, один из членов рода, происходящего по прямой линии от пророка Магомета. Капитан Элькадири был освобожден из лагеря и поступил на службу в мой штаб в качестве добровольца. Впоследствии, после заключения перемирия на Западном фронте, он связался, при посредстве великобританского ген. консульства в Харбине, со своими родными в Багдаде, и вскоре после этого я получил письмо из великобританского посольства в Пекине с просьбой не задерживать в Сибири принца Элькадири и дать ему возможность выехать в Пекин, откуда он будет отправлен на родину. Я предложил принцу немедленно выехать в Пекин, стоимость до которого будет мною оплачена, но он, как истый рыцарь долга и чести, отказался воспользоваться моим предложением и просил меня разрешить ему остаться со мной до конца борьбы с большевиками, к которой я готовился в то время и к которой он считал себя приобщенным с того момента, как из положения военнопленного он был назначен в состав моего штаба. В настоящее время принц Элькадири занимает видное положение на своей родине, но полной связи со мной не теряет и время от времени пишет мне.

У меня лично остались самые лучшие воспоминания как о нем самом, так и об его чисто восточной верности долгу и чувству признательности.

Покончив вопрос с организацией полицейской команды из военнопленных, которые отлично справлялись со своей задачей, я решил обеспечить себя от всяких неожиданностей со стороны читинского Совдепа и для этого обратил свое внимание на казака Березовского, который был командирован из Читы в качестве коменданта станции Даурия.

Березовского я знал еще по мирному времени. Казачишка он был никудышный, крайне вздорный и бестолковый, но с повышенным самолюбием, которое в условиях военной службы старого времени привело его, в конце концов, к какому-то крупному нарушению требований воинской дисциплины, результатом чего явилась отдача под суд и дисциплинарный батальон. После революции он был амнистирован, вернулся в войско, и теперь я нашел его членом читинского Совдепа и комендантом станции Даурия. Я был уверен, что болезненное самолюбие Березовского может быть подкуплено обещанием провести его в офицерское звание, и, пригласив как-то его к себе к чаю, я прямо предложил ему перейти ко мне на службу, обещая, что если он оправдает мое доверие и прекрасно выполнит те задания, которые я дам ему, то я, как военный комиссар Временного правительства, условно, впредь до утверждения правительством, произведу его в чин прапорщика. Как я и ожидал, Березовский с готовностью согласился на мое предложение, и я приказал ему передавать в Читу только ту информацию, которую он будет получать от моего штаба, все же остальное задерживать и представлять мне.

Березовский своими действиями оказал большую услугу зарождавшемуся Белому движению. Пользуясь полным доверием читинского Совдепа, он своей тенденциозной информацией спутал все расчеты Читы и удержал ее от активных действий против меня в такой момент, когда мою деятельность можно было легко пресечь без особых усилий. Зато он заваливал меня информацией о Чите настолько сомнительного, в отношении согласования ее с истиной, свойства, что это обстоятельство первое время заставляло относиться к нему с известной осторожностью. Последствия, однако, показали, что Березовский вполне честно работал на меня, но, как склонный к увлечениям, преувеличивал и свои сведения, и свои заслуги. Перед началом боевых операций я произвел его условно в чин прапорщика. Впоследствии Омское правительство адмирала Колчака утвердило это производство, и к началу эвакуации из Забайкалья Березовский дослужился до чина подъесаула. В эмиграции он ударился в богоискательство; перешел к адвентистам, от имени которых миссионерствовал по линии б. КВЖД, затем вернулся в лоно православия, обличал адвентистов и их понимание Св. Писания и в настоящее время находится где-то в Северном Китае.

Сложность обстановки на месте заставила меня временно отложить свою поездку в Харбин, и я командировал с письмами к генералу Хорвату вновь присоединившегося ко мне поручика Жевченко. Последнему я дал инструкции добиться от генерала Хорвата согласия на замену разложившихся и дезорганизованных русских частей на линии КВЖД, вновь сформированными добровольческими частями и на отпуск необходимого имущества и денежных средств для проведения этого предложения в жизнь. В то же время мне пришлось оказывать действительную поддержку офицерам дружины в Даурии, т. к. они находились в полной неосведомленности о своей судьбе и порядке подчиненности.

Командир дружины штабс-капитан Опарин производил прекрасное впечатление дельного офицера и самоотверженно нес свои тяжелые обязанности в обстановке полного морального разложения вверенной ему части; что касается второго офицера дружины, штабс-капитана Усикова, то с первых же дней моего прибытия в Даурию он присоединился ко мне; впоследствии приписался к войсковому сословию Забайкальского казачьего войска и в настоящее время, в чине войскового старшины, находится в эмиграции, возглавляя одну из казачьих организаций в Шанхае.

Между тем Жевченко доносил мне, что генерал Хорват не склонен принимать какие-либо меры против большевиков, считая, что перемена власти в центре не может отразиться на его положении в силу особых его взаимоотношений с местной китайской администрацией, тем более что он застраховал себя с этой стороны, обратившись к китайцам с предложением ввести свои войска в полосу отчуждения КВЖД для охраны порядка, к чему русские части в это время были уже неспособны.

Однако, несмотря на это, попытка устранить Д.Л. Хорвата и заменить его местным маньчжурским большевиком Аркусом все же была сделана при полном безучастии китайцев. Попытка эта не удалась исключительно благодаря моему своевременному вмешательству, которое повлекло за собой окончательный мой разрыв с советской властью.

В первых числах декабря 1917 года я получил телеграмму от харбинского полицмейстера г. фон Арнольда, в которой он просил задержать Аркуса, назначенного на место Хорвата и выехавшего в Иркутск за инструкциями. По прибытии в Даурию поезда, в котором ехал Аркус, я арестовал его, имея намерение продержать его у себя неделю или две, чтобы лишить его возможности попасть в Иркутск, о чем мною и было ему заявлено при аресте. Но Аркус с самого момента ареста стал держать себя в высшей степени возмутительно. Он начал ругать непозволительными словами и меня лично, и все офицерство, угрожал расправой чинам, производившим его арест, и пытался обратиться с зажигательной речью к солдатской массе, собравшейся на вокзале. Все это привело к тому, что я тут же на станции нарядил военно-полевой суд, который приговорил Аркуса к смерти, тем более что в его багаже нами были найдены документы, свидетельствовавшие о том, что Аркус принял меры для согласования с китайским командованием вопроса о замене Хорвата и об аресте меня. С этими документами, которые должны были, по моему мнению, открыть глаза Д.Л. Хорвату на истинное положение дела и заставить его согласиться на предложенный мною выход — форми-

рование добровольческих отрядов для охраны линии дороги, я, после казни Аркуса, решил больше не откладывать
своей поездки в Харбин и 18 декабря 1917 года прибыл на
станцию Маньчжурия, где обстоятельства снова заставили
меня задержаться.

Прибыв в 9 часов утра в Маньчжурию, я с двумя казаками, урядниками Бурдуковским и Батуриным, пошел на
паспортный пункт, помещавшийся тут же на станции, для
предъявления своих документов. Здесь я познакомился с
начальником пункта военным чиновником И.И. Кулико-
вым и его помощником прапорщиком Кюнстом. Оба произвели на меня очень хорошее впечатление, и будущее показало, что это впечатление не было ошибочным. Как
Куликов, так и Кюнст оказали большие услуги мне и начатому мною делу, как истинные патриоты, не останавлива-
ющиеся перед жертвами во имя блага своей родины. Они
дали мне полную информацию обстановки в Маньчжурии,
куда только что пришла бригада китайских войск. Карти-
на, нарисованная моими собеседниками, была поистине
безотрадна. Полное бездействие власти, полная деморали-
зация 720-й ополченской дружины и железнодорожной
роты, составлявших гарнизон города; полный разгул большевистской агитации, пользовавшейся успехом у населения, которому обещалось все. Китайские войска имели
намерение разоружить русский гарнизон и взять охрану
порядка в городе в свои руки, но начальник китайского гарнизона генерал-майор Ган считал, что имеющейся в его
распоряжении бригады для этой цели недостаточно, и в
ожидании затребованного из Харбина подкрепления не
предпринимал никаких шагов против чинимых нашими
солдатами безобразий.

В результате полученных мною сведений я пришел к заключению о необходимости принятия самых решительных
мер против творившегося в городе безобразия и решил произвести немедленное разоружение солдат гарнизона, применив силу психологического воздействия на китайцев, на большевиков и на нашу общественность. Вследствие принятого

решения, я обратился к И.И. Куликову с просьбой взять на себя труд пригласить на паспортный пункт китайского бригадного командира, начальника дипломатического бюро Цицикарской провинции с драгоманом, городского голову и начальника милиции. Пока прапорщик Кюнст поехал передать приглашение названным лицам, я обратил внимание на присутствовавшего в пункте офицера, в чине поручика, который своим пришибленным видом и расстроенным лицом заставил меня поинтересоваться у И.И. Куликова, знает ли он этого офицера и что с ним случилось. Куликов сообщил мне, что поручик является комендантом станции (фамилии его, к сожалению, не помню) и находится под судом «революционного трибунала». Разбор его дела совершается как раз в этот момент в одной из комнат 2-го этажа станционного здания. Узнав об этом, я приказал уряднику Бурдуковскому стать у двери, ведущей в помещение паспортного пункта, и никого через нее не пропускать. Бурдуковский был предан мне и весьма пунктуален и свиреп в исполнении возложенных на него обязанностей. Поэтому, когда через несколько минут в помещение паспортного пункта пытались проникнуть двое из членов трибунала, командированные за подсудимым, он не только не впустил их, но на попытку пройти силой применил приклад винтовки как средство воздействия на солдат. Впечатление от этого непривычного для революционных солдат физического воздействия было настолько сильным, что весь трибунал с криками «казаки бьют» в панике разбежался. Успокоив затравленного поручика и убедив его, что отныне никакие безответственные суды и трибуналы ему не угрожают, я отпустил его домой, так как тем временем уже собрались приглашенные мною представители власти.

Куликов познакомил меня с собравшимися, и я предложил произвести разоружение русского гарнизона своими силами, так как это входит в мои обязанности как комиссара Временного правительства. Кроме того, я заявил им, что считаю необходимым, чтобы разоружение было произведено именно русскими, чтобы оно прошло безболезненно и не вызвало враждебных столкновений между китайскими и русскими солдатами, от которых, безусловно, пострадало бы городское население, охрану коего отныне я беру на себя. Предложение мое было встречено сочувственно, и генерал Ган тотчас согласился предоставить мне свободу действий и помощь своей бригады в случае необходимости. Поблагодарив любезного генерала, я отказался от содействия, рассчитывая справиться собственными средствами.

Получив, таким образом, возможность действовать, я немедленно начал приводить в исполнение свой план. Первым делом потребовал от начальника станции предоставления мне свободного эшелона в 30 оборудованных нарами и печами теплушек. Состав должен был быть немедленно отправленным в Даурию, где будет произведена погрузка моего полка, после чего на рассвете 19 декабря полк должен быть доставлен на воинскую платформу станции Маньчжурия.

В действительности никакого полка фактически не существовало, и в Даурии, за исключением трех казаков, занятых при лошадях, оставались свободными следующие лица: войск. старш., барон Унгерн, хорунжий Мадиевский, подхор. Швалов, старш. уряд. Фирсов и казак Батуев; двое (Бурдуковский и Батурин) находились при мне; три человека были отправлены с моими письмами в Баргу к правителю, князю Гуй Фу и один находился в Харбине в распоряжении поручика Жевченко. Таким образом, я имел в своем распоряжении семь человек. Бурдуковского я отправил с поездом с приказанием к барону Унгерну, которому написал, чтобы он взял всех свободных людей и изобразил с ними настоящий эшелон, затопив в вагонах печи и осветив их свечами. Двигаясь к Маньчжурии, возомнить, что идет Монголо-бурятский конный полк, и если кто будет интересоваться эшелоном, то так и говорить.

Я рассчитывал с семью человеками разоружить весь гарнизон Маньчжурии, явившись в казармы на рассвете и захватив пирамиды с винтовками. В успехе предприятия я был совершенно уверен, полагая, что если я именем Временного правительства объявлю демобилизацию и отправку разоруженных солдат по домам, то никаких осложнений выйти не может и солдаты будут довольны возможности выехать домой.

К 4 часам утра «полк» подошел к воинской платформе на ст. Маньчжурия. Я встретил эшелон и приказал двум казакам дежурить у поезда, говоря всем, кто будет спрашивать, что вагоны заняты Монголо-бурятским полком. Самый состав, по моему приказанию, был поставлен на выходной путь и держался с прицепленным паровозом под парами для немедленной эвакуации солдат после разоружения.

Я сам с бароном Унгерном отправился в дипломатическое бюро Цицикарской провинции, где нас ожидали ген.-майор Ган и остальные представители власти. Все были в полной уверенности, что прибыл Монголо-бурятский полк; никому не приходило в голову, что состав полка заключался в семи человеках и что вагоны из Даурии пришли пустыми.

«Действующие силы» своего полка я распределил следующим образом: я с казаком Батуевым, вдвоем, должны были разоружить 720-ю дружину; барон Унгерн с одним казаком взяли на себя разоружение железнодорожной роты и команды конского запаса; хорунжий Мадиевский с двумя казаками должен был объехать квартиры наиболее заметных большевистских агитаторов, арестовать их и доставить на вокзал.

Глава 12

ОБСТАНОВКА В МАНЬЧЖУРИИ

Разоружение гарнизона Маньчжурии. Отправка разоруженных солдат на запад. Высылка большевистских лидеров из Маньчжурии. Заседание Маньчжурского городского совета. Мое появление на заседании. Три категории большевиков. Телеграмма генерала Хорвата. Командировка Жевченко в Шанхай. Приглашение адмирала Колчака. Связь немцев с большевиками. Ошибочность немецкой политики и ее последствия. Мое решение вести борьбу самостоятельно. Эвакуация итальянцев и получение от них оружия. Первые столкновения с большевиками.

Около 6 часов утра 19 декабря мы приступили к выполнению поставленной себе задачи. Барон Унгерн взял с собой начальника милиции гор. Маньчжурия капитана Степанова, который должен был указать ему местонахождение казарм. Я еще днем осмотрел расположение казарм 720-й дружины и в проводнике не нуждался.

Капитан Степанов был чрезвычайно удивлен, увидев, что барон Унгерн намерен произвести разоружение двух рот с одним только казаком, и, считая, по-видимому, эту авантюру заранее обреченной на полный провал, решил отстраниться от участия в ней. Поэтому он категорически отказался вести барона Унгерна к казармам и пытался уехать домой, так что барону пришлось применить совершенно экстраординарные меры и отшлепать почтенного капитана ножнами шашки по мягким частям тела, чтобы заставить его проводить себя до места.

Как я и ожидал, разоружение произошло быстро и легко, без всяких инцидентов, если не считать попытку одного из членов комитета дружины призвать растерявшихся товарищей к оружию. Призыв этот, однако, успеха не имел, так как винтовки были уже заперты нами на цепочку и около них стоял мой Батуев с ружьем на изготовку и взведенным на боевой взвод курком. В то же время, вынув пистолет, я объявил во всеуслышание, что каждый, кто сделает попытку сойти с места, будет немедленно пристрелен.

Я обратился к солдатам с соответствующей речью, объявив им именем Временного правительства о демобилизации и отправлении их по домам, причем дал 20 минут на сборы, объявив, что каждый опоздавший будет арестован и предан суду.

Услышав об отправке домой, солдаты повеселели и быстро начали свертывать свои пожитки и укладывать сундучки. Через полчаса все было готово. Я выстроил дружину во дворе, рассчитал по два и повел вздвоенными рядами к вокзалу, оставив Батуева окарауливать казарму. На вокзале я подвел свою колонну к эшелону, уже готовому к отправлению, рассадил солдат по вагонам, назначив старших на каждую теплушку. К этому времени и барон Унгерн привел разоруженных им солдат, в количестве нескольких сот человек, которые также были размещены по теплушкам. От каждого десятка по одному человеку было командировано за кипятком, и вскоре все было готово к отправлению эшелона, ждали только хорунжего Мадиевского, который должен был привести арестованных им большевистских лидеров. Среди последних были учителя, рабочие и лица неопределенных профессий, специализировавшиеся на политической спекуляции в это сумбурное время. Они были помещены в отдельную теплушку, которую я приказал запломбировать, объявив арестованным, что они должны быть горды въехать в Россию в запломбированном вагоне, подобно своему вождю Ленину.

Эшелон был готов к отправке в 10 часов утра. Я объявил солдатам, что задняя теплушка занята конвоем, который имеет распоряжение до станции Борзя из вагона никого не выпускать и стрелять в каждого, кто попытается выйти из вагона или выглядывать из окна. Подхорунжему Швалову, в единственном числе конвоировавшему эшелон в 37 вагонов, я приказал до станции Даурия ехать на тормозной площадке, а при проходе поездом этой станции уменьшенным ходом спрыгнуть с нее. Через дежурного по станции было сообщено по линии до станции Борзя остановки эшелону не давать и пропустить его ходом более быстрым, чем обычно. Все эти меры были приняты мною из опасения, что солдаты, обнаружив отсутствие конвоя в поезде, могут высадиться в Даурии и соединиться там с Даурским гарнизоном, и тогда справиться с ними будет много труднее. Опасения эти, к счастью, не оправдались, и я одновременно получил из Даурии донесение о благополучном проследовании эшелона в Борзю.

Китайское командование и представители городского самоуправления прибыли ко мне с поздравлениями по случаю успешного разоружения; почти никто не знал, что 1500 солдат были разоружены 7 человеками, а если кто и слышал о численности нового русского гарнизона Маньчжурии, считал эти слухи вздорными и не верил им.

Таким образом, с 19 декабря под моим контролем находились два гарнизона: Даурский и Маньчжурский. Однако Маньчжурия еще не окончательно подчинилась мне, и через несколько дней после разоружения гарнизона мне пришлось такими же решительными мерами выступать против городского самоуправления, чтобы привести его к порядку и полному подчинению себе.

Избранный по революционным ультрадемократическим законам, Маньчжурский городской совет носил явную социалистическую окраску и потому не мог, конечно, искренне симпатизировать мне. Поэтому неудивительно, что на второй или третий день после разоружения у меня произошло первое недоразумение с ним. Я был приглашен на заседание городского совета, где мне пришлось выслушать много благодарностей за освобождение города от разнузданных солдат и пр. Я ответил также благодарностью, но просил городской совет обсудить вопрос и вынести постановление о поддержке меня и моих формирований, о чем телеграфировал генералу Хорвату как главному начальнику края. Это мое предложение не было принято большинством голосов, что я объяснил наличием скрытой оппозиции, против которой решил принять свои меры. Поэтому, когда в январе 1918 года городской совет собрал в помещении Железнодорожного собрания пленарное заседание своих гласных, я, не будучи приглашен на него, все же в целях информации командировал на него своего офицера поручика Алексеева. Поручик Алексеев успешно выяснил цель происходящего собрания, но с трудом выбрался из здания, т. к., обнаружив в нем моего подчиненного, его пытались задержать в собрании до окончания заседания. Явившись ко мне, поручик Алексеев доложил, что на повестке собрания стоит два вопроса: 1) о нарушении революционных свобод есаулом Семеновым и об отношении к нему в связи с этим и 2) о разгоне Учредительного собрания в Петрограде большевиками. Имея на руках повестку заседания, я с несколькими офицерами, вооруженными винтовками, на извозчиках отправился в Железнодорожное собрание. Поставив у всех выходов вооруженных офицеров с приказанием никого не впускать и не выпускать из помещения, я в сопровождении подполковника Скипетрова, подъесаула Тирбаха и поручика Цховребашвили быстро вошел в зал заседания и, поднявшись на кафедру, скомандовал: «Руки вверх».

Неожиданность моего появления и решительность выступления парализовала всякую возможность какого-либо сопротивления не только со стороны присутствовавших в зале, но и со стороны многочисленной публики, находившейся в коридорах здания. Я потребовал от всех подходить по очереди с поднятыми руками к столу президиума на сцене и складывать имеющееся оружие, предупредив, что всякий, кто сделает попытку опустить руки или не исполнит моего требования о сдаче оружия, которое будет обнаружено у него после обыска, будет немедленно же расстрелян. Некоторые обратились с заявлением, что руки затекли и устали, но я возразил, что при данных условиях выход только один — быстрее сдавать оружие. Было сдано свыше 90 револьверов, после чего я разрешил опустить руки и сесть на места. Когда это было исполнено, я обратился к присутствовавшим с речью, указав им, что недопустимо было ставить такой важный вопрос, как разгон Учредительного собрания, на второй план и отдавать все свое внимание вопросу о противодействии мне. После этого подполковник Скипетров, только что перед этим прибывший из Иркутска, начал говорить о событиях, которые произошли там, и о восстании юнкеров и офицеров против Совдепа, жестоко подавленном большевиками.

В это время из-за кулис кем-то была подброшена записка, в которой оказались перечисленными присутствовавшие в зале большевики. После того как подполковник Скипетров закончил свою речь, я снова занял кафедру и обратился к присутствовавшим, разъясняя им свое отношение к большевикам. Всех большевиков я разделил на три категории: 1-я — сознательные изменники и предатели типа Ленина, которых я буду уничтожать беспощадно; 2-я — не меньшие мерзавцы, примкнувшие к большевикам в силу личного благополучия и выгоды. Эти также подлежат безжалостному уничтожению. 3-я — дураки и ослы, примкнувшие к большевикам по глупости и неспособности разобраться в сущности большевизма. Эти могут быть прощены, если они искренне сознают свое заблуждение. После этого я вызвал по полученной мною записке семь или восемь человек и спросил, к какой категории причисляют они себя.

Конечно, все заверили меня, что они являются большевиками 3-й категории, и выдали соответствующие расписки о полном своем отказе от большевистской идеологии.

Этим были закончены мои недоразумения с маньчжурским самоуправлением, и я почувствовал себя в Маньчжурии более или менее твердо. Что же касается городского самоуправления, то, во избежание всяких недоразумений в будущем, я распорядился, чтобы никаких собраний без ведома коменданта города, коим я назначил поручика Алексеева, впредь не производилось.

Сразу после разоружения гарнизона Маньчжурии и установления связи с генералом Ганом я отправил к генералу Хорвату телеграмму текстуально следующего содержания: «Харбин, генералу Хорвату. Разоружил обольшевичившийся гарнизон Маньчжурии и эвакуировал его в глубь России. Несение гарнизонной службы возложил на вверенный мне полк. Жду ваших распоряжений. *Есаул Семенов*». Через четыре дня после отправки моей телеграммы, уже после изложенного в предыдущей главе выступления моего в городском самоуправлении, я получил от генерала Хорвата телеграмму следующего содержания: «Есаулу Семенову, Маньчжурия. Прошу не препятствовать населению устраивать свою жизнь путями предвозвещенными Временным всероссийским правительством. *Хорват*». ·

Получив такую телеграмму, я одновременно был осведомлен городским головой Маньчжурии г. Бурмакиным о том, что в городе некоторыми влиятельными лицами получен от полковника Колобова, начальника канцелярии Хорвата, конфиденциальный совет последнего не только не поддерживать меня и мои формирования, но постараться выдворить меня каким-нибудь образом из Маньчжурии.

Ввиду всего этого, я решил на поддержку генерала Хорвата не рассчитывать и послал инструкцию поручику Жевченко выехать в Шанхай, встретиться там с адмиралом Колчаком и просить его прибыть в Маньчжурию для возглавления начатого мною движения против большевиков. Не зная лично адмирала, я считался с тем, что имя его было известно не только по всей России, но и за границей. Начатое дело, при возглавлении его лицом, пользовавшимся известностью, могло привлечь к нему больше сторонников. Кроме того, я считал, что появление адмирала во главе противобольшевистского движения, при его связях с англичанами и другими иностранцами, даст возможность убедить наших союзников в необходимости поддержать стремление русских антибольшевиков восстановить противогерманский фронт если не в Европейской России, так на Урале или в Сибири для того, чтобы изолировать сотни тысяч военнопленных, которые по требованию центральных держав могли бы быть и впоследствии, действительно, были вооружены большевиками и использованы против союзников. При таких условиях поддержка зарождавшегося Белого движения прямо отвечала интересам держав Согласия. Впоследствии я использовал этот довод, когда мне пришлось вести переговоры с иностранными консулами в Харбине и убеждать их оказать поддержку моему отряду.

Здесь я позволю себе сделать небольшое отступление, чтобы указать на ошибку германского Генерального штаба, не использовавшего возможность полного контроля над советским правительством, путем вооружения свыше полумиллиона австро-германцев, находившихся в Сибири в качестве военнопленных. Германский Генеральный штаб должен был предусмотреть возможность интервенции союзников с востока так же, как и возможность вооружения военнопленных и вмешательства их в гражданскую войну в России. Если бы эти все военнопленные были вооружены германским командованием, которое в Брест-Литовске имело полную возможность добиться этого, оно держало бы Ленина в своих руках; оно дало бы возможность ликвидировать Советы в тот момент, когда это наиболее отвечало бы интересам Германии; наконец, фактическая оккупация Сибири немцами дала бы им крупный козырь при переговорах в Версале.

Эта ошибка германского командования оказалась роковой для империи, потому что кооперация с большевиками выдвинула социалистические элементы Германии на авансцену политической жизни страны и стоила императору Вильгельму его трона. Это противоестественное сближение императорской Германии с Советами в Брест-Литовске и после него оттолкнуло национально мыслящую Россию от Германии, и первая помощь, которая была оказана Белому движению иностранцами, была обусловлена именно участием германских военнопленных в Красной армии.

Все это Жевченко, по моим инструкциям, изложил адмиралу Колчаку, находившемуся в то время в Шанхае. Однако адмирал нашел несвоевременным свое появление во главе антибольшевистских элементов, и Жевченко по его поручению донес мне, что адмирал считает, что обстановка данного момента еще, по его мнению, не требует спешности в его активном выступлении, но он будет готов служить делу родины, как только она позовет его. Донесение Жевченко было подтверждено полученной мною одновременно телеграммой за подписями самого адмирала, нашего генерального консула в Шанхае Путилова и графа Езерского. Содержание телеграммы заключалось в пожелании мне успеха в начатом деле и в выражении уверенности, что я справлюсь с поставленной себе задачей.

Таким образом, и вторая моя попытка втянуть известных и опытных лиц в активное участие в противобольшевистском движении потерпела также неудачу. Несмотря на все, я все же решил идти по начатому пути и продолжать работу по подготовке базы в Монголии и в полосе отчуждения КВЖД, так как я верил в жизненность поставленных себе целей и верил, что не останусь одиноким в своем стремлении организовать вооруженный отпор захватчикам власти. Действительность показывала, что я был прав и что наше офицерство, молодежь и все, любившие родину и желавшие ей счастья, с большими трудностями и риском для жизни, прослышав про объявленный мною набор добровольцев против большевиков, ежедневно просачивались на станцию Маньчжурия и примыкали ко мне. Я принимал всех желающих, не обещая ничего и не зная, смогу ли я прокормить своих людей.

В это же время из Сибири проходил батальон итальянцев, сформированный еще при императорском правительстве из военнопленных австрийской армии, по национальности итальянцев. Его командир майор Гарибальди был встречен мною на станции. Мы познакомились, и вечером я со своими офицерами угощал итальянцев ужином в Маньчжурском общественном собрании. Это было как раз в день моего выступления против городского самоуправления и общественности, о котором я говорил выше, так что я вынужден был извиниться перед своими гостями и на некоторое время покинуть их, чтобы привести к покорности отцов города. Вернувшись обратно, я рассказал майору Гарибальди комический эпизод с тремя категориями большевиков, и ввиду того, что майор придерживался тех же взглядов на большевиков, что и мы, мне нетрудно было войти с ним в некоторое соглашение и получить от него несколько легких пулеметов и шасси грузовика с мотором Минерва, который впоследствии был нами оборудован как бронированный автомобиль. Эта работа была проведена тремя техниками, бельгийцами по национальности, которые входили в состав батальона майора Гарибальди и которые остались в Маньчжурии и поступили ко мне на службу.

К этому же времени относятся первые столкновения моих разъездов с большевиками западнее Даурии. В то время мы были плохо вооружены, не имели ни артиллерии, ни пулеметов, так что держаться было довольно трудно.

Итак, я имел перед собой три враждебные мне группы.

Первая группа — маньчжурская общественность, за которой стоял генерал Хорват, почему-то с первых же дней появления моего в Маньчжурии ставший мне в оппозицию. Мои отношения с генералом Хорватом состояли из сплошных недоразумений, т. к. генерал, дороживший своей дружбой с китайцами, весьма косо смотрел на мою работу среди монгол, вызывающую острое недовольство китайских властей.

Вторая группа, опасавшаяся меня и старавшаяся помешать созданию моего отряда, возглавлялась тогдашним командующим китайскими войсками в Маньчжурии. Он поверил заявлению большевиков об отказе их от прав России на КВЖД и смотрел на меня как на препятствие к полному подчинению Маньчжурии китайской администрации. Отношения с ним так и не наладились, и только замена его другим генералом разрядила остроту обстановки. Особенно же близкими и сердечными отношения стали после назначения в Маньчжурию генерала Чжан Хайпына, ныне генерал-адъютанта Е. И. В. Императора Маньчжурской империи.

Наконец, третью группу открытых моих врагов составляли большевики, в борьбу с которыми и был вложен весь смысл моих усилий.

Глава 13
ВЗАИМООТНОШЕНИЯ С МОНГОЛАМИ

Борьба между харагенами и баргутами. Мое мирное посредничество. Конференция и переход харачен ко мне на службу. Зачисление баргут в Монголо-бурятский полк и охрана ими западного участка КВЖД. Вмешательство ген. Хорвата и кн. Кудашева. Соглашение об охране дороги. Приезд майора Куроки. Мой ответ кн. Кудашеву. Назначение барона Унгерна комендантом города Хайлара. Обстановка в Хайларе. Недоразумение с офицерами гарнизона. Разоружение Хай-

*ларского гарнизона. Нервность китайских властей. Инцидент в Бу-
хэду. Разоружение баргут и арест барона Унгерна. Мой первый «бро-
невик». Мои отношения с бароном. Личность барона и его своеобразность. Арест и расстрел д-ра Григорьева. Взгляд на религию.*

Выше я указывал на то обстоятельство, что с юных лет
у меня установились хорошие отношения с приграничны-
ми монголами. Первые шаги своей самостоятельной жизни, после производства в офицеры, я начал с активного
участия в монгольской революции. Тогда, волею нашего
Министерства иностранных дел, моя работа в Монголии
была быстро и решительно пресечена и я был вынужден
выехать из Монголии, но кое-какие знакомства и связи
с вождями монгольских племен мне удалось сохранить, и
теперь они мне очень пригодились.

В 1916 году китайский генерал Баба Джан поднял восстание против своего правительства и привлек на свою сторону монгольское племя харачен. Восстание не удалось, так как
Баба Джан был убит в одном из первых же столкновений
повстанцев с регулярными китайскими войсками. Его заме-
стил князь Фу Шинга, который, теснимый китайцами, повел свое племя в северо-западном направлении через Баргу,
рассчитывая выйти в Халху и там найти возможность ук-
рыться от преследования китайцев. Двигаясь через Баргу с
семьями и стадами, харачены по пути потеснили жителей
Барги баргут, поэтому правитель Барги, князь Гуй Фу, был
вынужден вступить в вооруженную борьбу с ними. Ко
времени моего приезда на Войсковой Круг в Забайкалье в
1917 году с фронта борьба монгол между собою была в полном разгаре. Имея в виду свои формирования, я тогда же
решил использовать этот факт, чтобы, примирив враждующие племена, предложить харраченам вступить в формируе-
мые мною части. Для этой цели я связался с давнишним своим знакомым Таламой, которого направил в лагерь харачен
с целью произвести предварительно обследование положения и выяснить возможность моего мирного посредничества.

По прибытии в Маньчжурию я связался также с правителем Барги, князем Гуй Фу.

Предложение мое было принято обеими враждующими сторонами, и мирные переговоры пошли очень успешно. Была созвана конференция, на которой, по предложению обеих сторон, председательствовал я и которая в течение трех дней выработала условия мирного соглашения и подписала договор о дружбе. Харачены, как эмигранты, вытесненные китайцами из Внутренней Монголии, вступали ко мне на службу в количестве одной бригады, которой баргуты обязались дать свободный пропуск через Баргу. Часть харачен и семьи их, при содействии популярного монгольского общественного деятеля господина Фу Хая, получили амнистию от китайского правительства и разрешение вернуться на свои земли.

Монгольская бригада получила назначение двигаться в направлении на Даурию, но прибытие ее не могло осуществиться в более или менее близком будущем, принимая во внимание, что ей предстояло пройти для этого свыше 800 верст.

Баргутские монголы, возглавляемые князем Гуй Фу и его сыном, князем Фу Шанем, выдающимся деятелем, отлично понявшим всю опасность распространения большевизма в Азии, решили примкнуть ко мне в начинаемой мною борьбе, для чего приступили к формированию собственных национальных частей. Новые части были мною зачислены в Монголо-бурятский полк и поставлены на охрану западного участка КВЖД от Маньчжурии до Хайлара включительно.

Появление этих частей не могло не обеспокоить китайцев, которые в то время постепенно захватывали линию КВЖД своими сильными гарнизонами, вводимыми в полосу отчуждения на основании соглашения, подписанного, с одной стороны, российским послом в Китае, князем Кудашевым и генералом Хорватом, а с другой — представителями китайского правительства.

Ссылаясь на это соглашение, китайские власти настойчиво требовали от меня оставления полосы отчуждения и роспуска монгольских отрядов.

По-видимому под давлением китайцев, князь Кудашев и генерал Хорват также пытались воздействовать на меня. Я получил от них длинную телеграмму, в которой указывалось, что привлечение монгол к формированиям воинских частей является нарушением суверенных прав Китая, на основании чего мне предлагалось отказаться от всякого сотрудничества с монголами.

Выполнение требований китайцев, князя Кудашева и генерала Хорвата поставило бы меня в полную невозможность продолжать какую бы то ни было организационную работу против большевиков. Поэтому я решил их не выполнять, тем более что точка зрения нашего посла в Китае и генерала Хорвата не могла быть признана мною правильной, ибо Барга, в силу давнего согласия, существовавшего между Россией и Китаем, пользовалась автономией и правом иметь свои воинские части под руководством русских инструкторов. Принимая же во внимание, что весь западный участок КВЖД до самого Хингана проходит по территории Барги, я считал, что протест в данном случае был направлен не столько в защиту якобы попираемых мною прав Китая, чего фактически не было, сколько на удаление меня из пределов полосы отчуждения КВЖД.

С другой стороны, я не мог согласиться и с тем, что новое соглашение о порядке охраны КВЖД, заключенное князем Кудашевым и генералом Хорватом от имени Временного правительства, уже не существовавшего в то время, и передававшее охрану дороги в руки китайцев, было законно и обязательно для меня. Поэтому я старался уклониться от более или менее определенного ответа на требование китайцев оставить Маньчжурию и перенести свою базу на российскую территорию до тех пор, пока в Маньчжурию не приехал майор Куроки, прикомандированный японским правительством ко мне в качестве советника, с которым я быстро достиг взаимного понимания и которому удалось уладить вопрос о сохранении моей базы в Маньчжурии с китайскими властями.

Таким образом, с китайцами вопрос был так или иначе улажен. Что же касается князя Кудашева и генерала Хорвата, то я написал им свои соображения, изложенные выше, и выразил пожелание видеть в них защитников интересов нашей родины, а не суверенных прав Китая, к тому же фактически не нарушенных. Позднее по этому вопросу из Пекина был командирован в Маньчжурию советник нашего посольства г. В.В. Граве, который имел задачей убедить меня в правильном понимании наших задач в связи с новым соглашением об охране дороги. Я не мог согласиться с ним. Конечно, китайскому правительству было выгодно настаивать на этом соглашении, мы же, по моему мнению, не имели права заключать его, так как оно было создано уже после того, как российское правительство, от имени которого оно было подписано, перестало существовать; сменившая же его советская власть вообще не желала признавать ни соглашений, ни дипломатов, назначенных ее предшественниками. При таких условиях соглашение, конечно, не имело юридической силы и потому не было обязательным для меня, тем более что на мою просьбу ознакомить меня с текстом со стороны В.В. Граве последовал отказ, и я до сего времени не знаю, в чем, собственно, состоял этот любопытный дипломатический документ.

Я считал, что китайцы так или иначе все равно введут свои войска в полосу отчуждения КВЖД, но полагал более правильным предоставить им в данном случае действовать по собственному усмотрению, коль скоро мы не имели силы заставить их уважать свои права, и ограничиться лишь дипломатическими протестами. Таким путем мы имели возможность в будущем требовать восстановления односторонне нарушенного положения. Согласие же наше на передачу охраны дороги в руки китайцев узаконивало их действия и лишало нас какой-либо надежды на удовлетворение в будущем.

Все это создавало недоразумения и неувязку в моих отношениях с представителями старой, царской России и давало им повод поносить мои действия как незаконные и этим натравлять на меня китайские власти. В этих условиях приезд майора Куроки явился подлинным спасением для меня и для моего дела, ибо отныне я мог рассчитывать на помощь и содействие, в которых мне отказали наши представители в Китае, несмотря на то что они были поставлены именно для охраны интересов национальной России на далекой восточной границе ее.

После соглашения с монголами, ввиду предстоящего формирования из них охранных частей для западного участка линии КВЖД, я назначил барона Унгерна комендантом города Хайлара, приказав ему привести в порядок русские части, квартировавшие там. В Хайларе находились части Железнодорожной бригады и конные части корпуса Пограничной стражи. Не только солдаты этих частей, но и большинство офицеров их были совершенно разложены большевизмом, и во многих случаях именно офицеры являлись инициаторами и руководителями во всех революционных нововведениях во внутренней жизни строевых частей и в их внешних политических выступлениях. Поэтому назначение барона Унгерна комендантом города было встречено упорным сопротивлением, чуть ли не полным бойкотом со стороны офицерского состава, не желавшего подчиниться вновь назначенному коменданту города. Небольшая часть офицеров, понимавшая обстановку и готовая помочь барону, встретила противодействие со стороны старой комендатуры, подыгрывавшейся под настроения распущенной солдатской массы. Одним из выдающихся офицеров местного гарнизона являлся штабс-ротмистр Межак; он не только не поддался разлагающему влиянию большевизма, но сумел сохранить свою сотню, единственную часть в Хайларе, имевшую в то время воинский облик. Штабс-ротмистр Межак со своей сотней добровольно подчинился барону и предоставил себя в полное его распоряжение.

В середине января 1918 года я получил от барона Унгерна донесение о необходимости принятия решительных мер в отношении преступного поведения некоторых офицеров гарнизона. В связи с этим я вынужден был поехать в Хайлар, чтобы согласовать вопрос с монгольскими властями. Вопрос был быстро разрешен, и ночью я решил произвести разоружение старого Хайларского гарнизона, несмотря на то что в нашем распоряжении находился только наскоро сформированный дивизион Монголо-бурятского полка, укомплектованный баргутами. Мы имели основание также рассчитывать на содействие конной сотни штабс-ротмистра Межака.

Было установлено, что в день предположенного разоружения комитет гарнизона должен был иметь заседание около 11 часов вечера. Это время мы и решили использовать для разоружения казарм. Численность гарнизона достигала 800 штыков, мы имели 250 конных баргут и одну сотню штабс-ротмистра Межака. Здесь уже наша уверенность в успехе была полной, не то, что было 19 декабря на ст. Маньчжурия, когда мы в числе 7 человек разоружали 1500 человек.

Разоружение было произведено бароном Унгерном в течение не более двух часов времени настолько безболезненно, что гарнизонный комитет, заседавший в это время, даже не подозревал о случившемся. Разоруженные наутро следующего дня были эвакуированы через станцию Маньчжурия в глубь России.

Хайлар мы успели занять раньше, чем туда подошли китайские части. Они концентрировались в первую очередь на границах, полагая, что в тылу их расположения уже никто не сможет распоряжаться. Поэтому захват нами Хайлара китайцами был воспринят крайне нервно.

Желая утвердить свое влияние до Хингана, я вскоре командировал барона Унгерна с 150 баргутами для занятия станции Бухэду. Там уже находился китайский гарнизон, и барон Унгерн был встречен китайцами внешне очень радушно и даже приглашен на обед к начальнику гарнизона. Но пока он обедал, его баргуты оказались разоруженными, а самого его арестовали. Находясь в Хайларе, я был немедленно извещен о случившемся. Мне пришлось прежде всего успокаивать баргутских начальников, которые факт разоружения нашего отряда рассматривали как начало враждебных действий между китайцами и нами, а затем придумывать способы для освобождения барона Унгерна и обратного получения отобранного у его отряда оружия. Каких-либо вооруженных сил в своем распоряжении я не имел; взять хотя бы небольшое количество людей из Маньчжурии не решался, так как ожидал, что китайцы воспользуются случаем и не допустят обратного моего возвращения в Маньчжурию, что лишило бы меня базы и имущества, приобретенного мною после разоружения 720-й дружины. Оставалось применить снова хитрость и психологическое воздействие, что мне удалось уже однажды в Маньчжурии при разоружении дружины. Я взял два товарных вагона и платформу. На платформу я поставил скат колес с осью от казенной обозной двуколки; положил на него длинное круглое полено, приблизительно соответствующее длине тела орудия, и закрыл его брезентом. С этим «броневиком» я выдвинул команду баргут под командой моего офицера к станции Бухэду, а начальнику гарнизона ее одновременно послал ультимативную телеграмму, в которой сообщил о посылке броневика, которому приказано разгромить все Бухэду, если к его приходу мой офицер и солдаты не будут освобождены и отобранное оружие возвращено. Спустя два часа после этого я получил сообщение, что офицер и солдаты уже на свободе; оружие им возвращено, и весь инцидент вызван недоразумением, о котором начальник гарнизона ст. Бухэду весьма сожалеет. Вслед за тем и сам барон Унгерн сообщил мне, что он освобожден и оружие баргутам возвращено, но ввиду наличия сильного китайского гарнизона в Бухэду он не считает возможным оставаться там далее. На другой день барон со своим отрядом и с посланным на выручку ему «броневиком» вернулся в Хайлар.

Успех самых фантастических наших выступлений в первые дни моей деятельности был возможен лишь при той взаимной вере друг в друга и тесной спайке в идеологическом отношении, которые соединяли меня с бароном Унгерном. Доблесть Романа Федоровича была из ряда вон выходящей. Легендарные рассказы о его подвигах на Германском и гражданском фронтах поистине неисчерпаемы. Наряду с этим, он обладал острым умом, способным проникновенно углубляться в область философских суждений по вопросам религии, литературы и военных наук. В то же время он был большой мистик по натуре; верил в закон возмездия и был религиозен без ханжества. Это последнее в религии он ненавидел, как всякую ложь, с которой боролся всю свою жизнь.

В области своей военно-административной деятельности барон зачастую пользовался методами, которые часто осуждаются. Надо, однако, иметь в виду, что условия, в которых протекала наша деятельность, вызывали в некоторых случаях неизбежность мероприятий, в нормальных условиях совершенно невозможных. К тому же все странности барона всегда имели в основе своей глубокий психологический смысл и стремление к правде и справедливости.

Помню такой случай: в Хайларском гарнизоне был некий доктор Григорьев, который с самого прибытия барона в Хайлар поставил себя в резко враждебные отношения к нему и не останавливался перед чисто провокационными выступлениями с целью дискредитировать барона. Мною было отдано распоряжение о беспощадной борьбе с большевиками и провокаторами, на основании которого, после одного особенно возмутительного выступления доктора Григорьева, барон его арестовал, предал военно-полевому суду, сам утвердил приговор и сам распорядился о приведении его в исполнение, вследствие чего Григорьев был расстрелян. Когда все было кончено, барон поставил меня в известность о случившемся. Я потребовал, чтобы в будущем барон не допускал подобных вопиющих нарушений судопроизводства и без моей санкции не производил никаких расстрелов, но Роман Федорович, который специально приехал из Хайлара, чтобы выяснить этот вопрос, упорно доказывал мне, что в данных условиях не всегда возможно придерживаться буквы закона; обстановка требовала решительности и быстроты в действиях, и в этом отношении, в условиях зарождавшейся гражданской войны, всякая мягкотелость и гуманность должны быть отброшены в интересах общего дела.

Наряду с тем Роман Федорович был искренне верующим человеком, хотя взгляды его на религию и на обязанности человека в отношении ее были достаточно своеобразны.

Барон был твердо убежден, что Бог есть источник чистого разума, высших познаний и Начало всех начал. Не во вражде и спорах мы должны познавать Его, а в гармонии наших стремлений к Его светоносному источнику. Спор между людьми, как служителями религий, так и сторонниками того или иного культа, не имеет ни смысла, ни оправданий, ибо велика была бы дерзновенность тех, кто осмелился бы утверждать, что только ему открыто точное представление о Боге. Бог — вне доступности познаний и представлений о Нем человеческого разума.

Споры и столкновения последователей той или иной религии между собой неизбежно должны порождать в массах, по мнению барона, сомнения в самой сути существования Бога. Божественное начало во вселенной одно, но различность представлений о Нем породила и различные религиозные учения. Руководители этих учений, во имя утверждения веры в Бога, должны создавать умиротворяющее начало в сердцах верующих в Бога людей на основе этически корректных отношений и взаимного уважения религий.

Вероотступничество особенно порицалось покойным Романом Федоровичем, но не потому, однако, что с переходом в другую религию человек отрекается от истинного Бога, ибо каждая религия по своему разумению служит и прославляет истинного Бога. Понимание Божественной Сути разумом человеческим невозможно. «Бога нужно чувствовать сердцем», — всегда говорил он.

Глава 14

ВЗАИМООТНОШЕНИЯ С ХАРБИНОМ

Поездка в Харбин. Свидание с Д.Л. Хорватом. Неопределенные обещания генерала Хорвата. Похищение двух орудий. Формирование батареи. Требование ген. Чжан Хуансяна о сдаче оружия. Переговоры и мой ультиматум. Укрепление моего положения в Маньчжурии. Пополнение полка. Пропаганда, агитация и рассылка вербовщиков. Содействие большевиков. Привлечение на службу китайских милиционеров. Сербы. Вторичная поездка в Харбин. Получение винтовок. Организация казачьей самоохраны на местах. Ахшинский и Ургинский отряды. Снова в Харбин. Столкновение с полицией. Переговоры с иностранными консулами. Ген. штаба полковник Куросава. Майор Куроки и мое сближение с ним.

Только в начале января месяца я смог, наконец, попасть в Харбин. Приехал я туда в сопровождении взвода монгол и остановился в гостинице «Ориант».

Первый мой визит по прибытии в Харбин был, конечно, к генералу Хорвату. Помимо выявления наших отношений, я надеялся получить от него обмундирование и кое-какое вооружение, принадлежавшее в прошлом корпусу Пограничной стражи. Генерала Хорвата до этого времени я никогда не встречал, и первое знакомство с ним произвело на меня очень хорошее впечатление; в разговоре на текущие темы мы установили общность взглядов по многим вопросам, и генерал изъявил готовность по мере сил помочь мне. Когда же я начал просить его теперь же отпустить мне оружие, и, главное, артиллерийские орудия, которых у меня не было, генерал Хорват пытался отклонить эту просьбу, поясняя, что, по договору с китайцами, он должен передать все вооружение Пограничной стражи вновь вводимым в полосу отчуждения КВЖД китайским войскам. Открытая передача орудий мне прежде, чем договор будет выполнен, вызовет много разговоров и, возможно, поведет к осложнениям, поэтому он снабдит меня кое-каким оружием впоследствии и так, чтобы это не могло отразиться на взаимоотношениях русской администрации дороги с китайским командованием. Столь неопределенное обещание не могло, конечно, удовлетворить меня, т. к. я нуждался в артиллерии немедленно, и потому, убедившись в том, что генерал Хорват не был склонен идти на какие-либо уступки, я решил добыть орудия без его помощи и ведома. Пользуясь симпатиями ко мне некоторых офицеров штаба корпуса, я, проезжая через Хинган, с их помощью попросту забрал два полевых орудия с зарядными ящиками и комплектом снарядов, находившихся на охране туннеля, быстро погрузил их на платформу и увез в Маньчжурию, где мои сослуживцы встретили меня и привезенные мною орудия с бурным восторгом.

Этот шаг вконец испортил отношение ко мне со стороны покойного генерала, и только впоследствии, когда Д.Л. Хорват готовился объявить себя временным правителем России, он изменил его и даже обратился к моему содействию при формировании своего правительства.

В это время мои передовые части занимали военный городок Даурию, ведя наблюдение конными разъездами за большевистскими силами, расположенными тогда в районе станции Борзя. На станции Маньчжурия находилась моя база и производился прием добровольцев, ежедневно прибывающих из России по нескольку человек. По мере их прибытия, некоторые направлялись в Даурию и вступали в сторожевую линию, некоторые же получали назначение на должность инструктора в монгольские части и выезжали в Хайлар.

Вернувшись из Харбина, я, не останавливаясь в Маньчжурии, проследовал до ст. Даурия, где осмотрел сторожевые посты и размещение моих чинов в казармах, и к вечеру вернулся в Маньчжурию. Здесь я немедленно приступил к формированию батареи и занялся подбором людей, годных для этой цели. Ночью, около 2 часов, ко мне в комнату вошел дежурный ординарец и доложил, что прибыл адъютант командующего войсками, который просит срочно его принять. Первой моей мыслью было, не повели ли большевики наступление на Маньчжурию, но я сейчас же отбросил ее, потому что в этом случае я имел бы уже соответствующие донесения от своих разведчиков. Оказалось, что генерал Чжан Хуансян командировал своего офицера, достаточно хорошо говорившего по-русски, с тем чтобы передать мне его требование к 8 часам утра сдать оружие и распустить своих людей. В этом случае мне и всем моим людям гарантировалась личная неприкосновенность и полная безопасность.

Чтобы оттянуть время и получить возможность предпринять кое-какие меры, я заявил молодому офицеру, что я прошу прибыть ко мне начальника штаба, ибо вопрос, переданный мне, очень важен и требует обсуждения. Через час примерно явился начальник штаба китайских войск в сопровождении того же офицера. Я принял гостей радушно, поскольку позволяло мое настроение после передачи такого требования, и пригласил их пить чай. Был поставлен самовар, чтобы затягивалось время, и за чаем мы начали вырабатывать условия, на каких должна произойти сдача мною оружия: выбиралось место, куда китайское командование доставит нас после разоружения, а также определялась сумма денег, которую мы должны были получить за сданное имущество.

Тем временем я секретно отдал распоряжение выкатить наши два орудия на площадь против китайских казарм и сложить около них все имеющиеся снаряды.

К 8 часам мы закончили наш чай и двинулись на площадь, где стояли орудия, снятые с передков и повернутые фронтом на китайские казармы. Около орудий стояла прислуга при них, в количестве 15 человек, в полном боевом снаряжении. Когда мы подошли к орудиям, я обратился к начальнику штаба китайских войск и предложил ему передать своему командующему нижеследующий мой ультиматум: в течение четверти часа командующий должен быть здесь, около орудий, и подписать приказ о дружбе и союзе со мной, срочно опубликовать его среди подчиненных ему войсковых частей и в будущем не допускать никаких действий, враждебных мне и моему отряду. Если же это требование не будет удовлетворено, то через 15 минут я открою огонь и разгромлю казармы и все, что в них находится. Мне и моим людям терять нечего. При этих словах я приказал зарядить орудия и навести их на казармы.

Начальник штаба с адъютантом бегом направились в казармы, заверив предварительно меня, что все будет «хорошо».

Не прошло и 10 минут, как генерал со своей свитой прибыл к орудиям и выразил готовность тут же подписать заранее заготовленный, немногословный, но сильный по духу и определенный по содержанию приказ, в котором указывалось, что он приказывает всем подведомственным ему чинам относиться к есаулу Семенову и его частям как к союзным войскам и строго запрещает всякие выступления против них.

Таким образом, мы приобрели союзника в деле борьбы с большевиками. Но суть дела заключалась не в этом, а в том, что наличие приведенного выше приказа развязывало мне руки и давало основание требовать в нужные моменты содействия и помощи от китайского командования. Это было большим достижением.

После случая с неудавшимся разоружением китайцы в Маньчжурии и в Хайларе стали чрезвычайно вежливы в отношении русских воинских чинов вообще и в отношении меня в особенности, никогда не упуская отдавать мне установленные воинские почести, включая до назначения почетных караулов в случаях посещения мною китайских штабов.

Этот случай дал мне необычайную популярность среди китайского населения и китайской прессы в Маньчжурии, которая посвятила мне целый ряд статей, помещая в них поистине фантастические данные о моем происхождении и биографии. Дошло до того, что объявили меня китайцем по матери, которая якобы была куплена одним русским купцом, женившимся на ней.

Как бы то ни было, но случай с неудавшимся разоружением меня в Маньчжурии имел своим последствием укрепление моего положения. Общая обстановка потеряла свою остроту, взаимоотношения выяснились, и я получил возможность спокойно отдаться работе по формированию своего отряда.

Пока шли все эти события, люди постепенно собирались в Маньчжурии и вступали в формируемый мною полк для участия в активной борьбе с большевиками. Пополнение шло, однако, медленно, потому что я не имел возможности надлежащим образом организовать агитацию из-за отсутствия средств. Кроме того, лица, прибывающие с поездами из Сибири, сообщали, что большевики установили тщательный контроль всех пассажиров на станции Слюдянка, около Иркутска, и всех, кто вызывал хоть малейшее подозрение в желании проехать в Маньчжурию, ко мне, снимали с поездов и арестовывали.

Некоторую помощь в деле пропаганды оказали мне сами большевики, которые через свои газеты забили тревогу после казни Аркуса и разоружения большевистского гарнизона в Маньчжурии. Газеты большевиков разнесли весть о моем выступлении против Советов по всей Сибири и России, сообщая фантастические небылицы обо мне и моих действиях. Они сами создали впечатление, что с востока надвигается грозная опасность для Советов; что семеновцы беспощадно вешают и расстреливают большевиков, что мы откуда-то получаем крупные деньги и что нас поддерживают и снабжают союзники и пр. Все эти сведения, неверные по существу, повели к тому, что в Маньчжурию потянулись офицеры, казаки, солдаты, юнкера, гимназисты, студенты и пр., преимущественно молодежь.

Для усиления полка до значительной боевой единицы я отправил по станицам Забайкалья и бурятским улусам несколько агитаторов с воззваниями. В Амурскую область были посланы штабс-капитан Языков, подъесаул Шалыгин, прап. Плотников, прап. Малов и др., которые отправляли людей партиями и поодиночке через Сахалян-Цицикар на Маньчжурию.

В результате этих мер полк постепенно поднимался на ноги, рос количественно и качественно, и, несмотря на страшный упадок в обществе и все препоны, которые ставились мне буквально со всех сторон, к 9 января в полку числилось 51 офицер, 3 чиновника, 300 баргут, 80 монгол и 125 казаков, солдат и добровольцев. Всего, следовательно, в полку числилось 559 человек, не считая военнопленных и китайцев, замещавших нестроевые должности. Это была достаточно крупная сила для начала, и после выяснения отношений с китайцами в Маньчжурии, при наличии ее, я мог чувствовать себя спокойным и уверенным в возможности привести в исполнение свой план борьбы с красными захватчиками власти в России. Помимо приема русских добровольцев, прибывающих в Маньчжурию, я поручил в Хайларе поручику Подгорецкому вступить в переговоры о переходе ко мне на службу отряда в 2000 китайцев-милиционеров при офицерах. Они служили на охране линии дороги, но с приходом сюда китайских регулярных войск остались без службы, и я рассчитывал использовать их для пополнения своих частей.

В половине января 1918 года из Сибири через Дальний Восток проходила бригада сербов, направляясь на Западный фронт. Так же как позднее чехам, большевики, под влиянием германского правительства, не дали согласия на отправку сербов морем, через Архангельск, почему они вынуждены были предпринять почти кругосветное путешествие.

Сербы в громадном своем большинстве были настроены резко против большевиков, и свыше 300 человек из бригады, во главе с подполковником Драговичем, остались в Маньчжурии, добровольно вступив в состав формируемого мною полка. Это значительно увеличило мои силы, и, принимая во внимание также недавнее приобретение нами двух орудий, 10 января я подписал приказ о дополнительном формировании, кроме Монголо-бурятского конного полка, одной артиллерийской батареи двухорудийного состава и пешего полка, названного Семеновским.

С проходом сербов в Харбин явилась необходимость и мне выехать вслед за ними, чтобы попытаться получить хотя бы частично их вооружение, которое они должны были оставить в Харбине. После длительных переговоров с генералом Хорватом мне удалось, при содействии начальника сербской бригады, получить около 2000 винтовок, что в то время имело для меня весьма большое значение, т. к. войска гарнизонов Маньчжурии и Хайлара были вооружены трехлинейными винтовками только отчасти, главная же масса солдат имела однозарядные винтовки Бердана, совершенно устаревшие и к современному бою не приспособленные.

В расчете на получение оружия от сербов, я вызвал в Харбин для приема его взвод баргут, который своим появлением снова вызвал массу неудовольствия в кругах китайской администрации края. Я полагаю, что наличие в Харбине вооруженных монгол послужило к скорейшему разрешению вопроса о снабжении меня оружием, т. к. китайцы настаивали на немедленном отъезде их из Харбина, я же заявил, что баргуты не уедут, пока я не получу оружия. Все это доставляло много хлопот генералу Хорвату, на которого главным образом обращалось недовольство китайского командования и которому адресовались его протесты, в силу, надо полагать, соглашения, заключенного кн. Кудашевым и Хорватом с правительством Китая. После этого мои посещения Харбина стали довольно частыми, потому что получение всего нужного для моих формирований зависело от Харбина.

Помимо воззваний и агитации среди населения Забайкалья в пользу поступления в формируемый мною отряд, я принял кое-какие меры к созданию казачьей противобольшевистской самоохраны на местах, выдавая оружие и огнеприпасы наиболее надежным казакам, приезжавшим за получением указаний ко мне в Маньчжурию.

В результате этих мер по всему Забайкалью образовались противобольшевистские ячейки, державшие связь между собою и со мною; в районе же Ахши и Троицкосавска выросли два небольших отряда, которые висели на правом фланге красноармейцев и постоянно вели малую войну с ними, портя пути сообщения, уничтожая мелкие отряды, перехватывая комиссаров и разведчиков и держа в постоянном напряжении гарнизон Троицкосавска.

В один из очередных приездов своих в Харбин, в январе месяце 1918 года, я обратил внимание на то, что ни в одной гостинице не оказалось свободных комнат и мне с моими спутниками буквально негде было остановиться. Это обстоятельство заинтересовало меня, и, заехав в какой-то ресторан, я произвел обследование причины столь непонятной перенаселенности харбинских отелей. Обследование с полной убедительностью показало, что свободные комнаты имеются, но по каким-то причинам меня избегают как квартиранта. Это было совершенно непонятно, тем более что ни с моей стороны, ни со стороны моих спутников не было допущено ничего, что бы могло объяснить столь странное отношение к нам. Просидев много времени в ресторане, мы, наконец, получили комнаты в третьеразрядных номерах, называющихся «Харбинское подворье».

В Харбин я прибыл в сопровождении полковника Нацвалова, подъесаула Тирбаха и сотника Савельева. Разместились по два в комнате. Нацвалов с Савельевым заняли комнату в верхнем этаже гостиницы; я с Тирбахом разместились внизу.

Рано утром мы с подъесаулом Тирбахом заказали самовар и готовились пить чай; в это время в дверь постучали, и вошел гимназист лет 15—16. Цель его визита заключалась в желании поступить ко мне добровольцем. Я просил молодого человека подождать, пока мы напьемся чаю, и он вышел в холл, где и сел, ожидая нас. Не прошло и 10 минут после этого, как наша дверь с шумом распахнулась и в комнату ворвалось восемь человек вооруженных полицейских, сразу бросившихся ко мне и объявивших, что я арестован. Среди них не было ни одного офицера или чина, соответствующего этому званию. Я встал и, подойдя к ближайшему, начал наносить ему удары в лицо, чему немедленно последовал и подъесаул Тирбах. Милиционеры растерялись и на мое требование сдать оружие беспрекословно исполнили это. Разоружив их, я приказал им войти в комнату швейцара, которая, как обычно, помещалась под лестницей. Заперев там арестованных, я поставил на стражке к дверям комнаты все еще ожидавшего разговора со мной гимназиста, вооружив его одним из револьверов, отобранных у арестованных, и объяснил ему, как нужно действовать в случае попытки арестованных освободиться и как стрелять из револьвера. Молодой человек был преисполнен гордостью выпавшим на его долю ответственным поручением и сообщил мне, что он умеет стрелять из револьвера и пристрелит каждого, кто попытается подойти к запертой двери.

Закончив эту операцию и войдя к себе в комнату, чтобы надеть пальто и взять фуражку, я увидел в окно, что здание гостиницы оцеплено полицией. Не раздумывая долго, я с подъесаулом Тирбахом оделись и вышли на улицу с видом совершенно независимым и никакого отношения к происходившему не имевшим. У выхода из гостиницы нас задержал полицейский офицер и заявил, что нам выходить нельзя. Не сговорившись заранее, мы с подъесаулом Тирбахом тем не менее мгновенно поняли друг друга и, сбив с ног полицейского, открыли стрельбу в воздух. Чины милиции, окружавшие гостиницу, обратились в бегство, поднялась тревога, и раздались свистки. Тирбах бросился преследовать убегавших и, увлекшись преследованием, не слыша моих криков вернуться, вскоре скрылся за поворотом улицы. Меня задержало то обстоятельство, что я увидел роту китайских солдат, приближавшуюся бегом к гостинице, во главе с майором, как выяснилось впоследствии, комендантом Пристани. Чтобы отвлечь внимание майора от арестованных мною полицейских, я намеренно встретил его при подходе его к гостинице и, подозвав китайчонка, выполнявшего здесь роль швейцара, в качестве переводчика, обратился к майору с заявлением, что на гостиницу произведено нападение, по-видимому, русских хунхузов, переодетых в полицейскую форму, которые увели с собой моего друга офицера. Майор отдал распоряжение командиру роты догнать бежавших и выручить моего друга, а сам, по моему приглашению, прошел в мою комнату, где я угостил его пивом. Позвав сотника Савельева, я приказал ему принять меры к розыску подъесаула Тирбаха.

В это время Тирбах, увлекшись преследованием бежавших полицейских, ворвался вслед за ними в помещение полицейского участка и здесь был арестован. Его связали и начали избиение, которое было прекращено появлением сотника Савельева с китайскими солдатами. У Тирбаха оказалась глубоко рассечена шашкой голова и несколько ран на лице.

Факт разгрома нами местной полиции, или, как она называлась тогда, милиции, быстро стал известен харбинским властям, и ко мне в гостиницу был командирован один из чинов управления милиции для выяснения инцидента, с которым я и вступил в переговоры. Переговоры выяснили любопытную вещь. Оказалось, что приказ о моем аресте был подписан прокурором окружного суда г. Сечкиным.

Несомненно было, что приказ об аресте имел какое-то отношение к генералу Хорвату. Я соединился по телефону с генералом и сообщил ему о происшедшем, потребовал наказания виновных, угрожая, в противном случае, что я вызываю из Маньчжурии свой отряд и сделаю переворот в Харбине. Решительность моих требований возымела свое действие, и Д.Л. Хорват заверил меня, что он совершенно неосведомлен о случившемся и не допускает мысли, чтобы приказ о моем аресте исходил от Сечкина. Для выяснения всего дела он посылает ко мне помощника Сечкина, товарища прокурора г. Крылова.

Крылов произвел на меня прекрасное впечатление. Он обещал мне добиться наказания виновных и просил отпустить арестованных мною полицейских.

На следующий день я был приглашен на обед к генералу Хорвату. Он встретил меня радушно и продолжал отрицать какую-либо причастность властей к попытке меня арестовать.

Впоследствии я выяснил все подробности происшедшего столкновения и убедился, что генерал Хорват не был со мной вполне искренен. Попытка моего ареста исходила именно от него и преследовала цель моего удаления из Маньчжурии. Основанием для ареста послужило обвинение меня в нарушении закона Временного правительства об отмене смертной казни. Временным правительством смертная казнь, действительно, была отменена, но это не мешало большевикам и распропагандированным солдатам, матросам и рабочим по всей России подвергать мучительной смерти тысячи русских патриотов без всякой вины с их стороны и без всякого суда и следствия. Смешно было при таких условиях говорить об отмене смертной казни; всероссийский бунт, поднятый Лениным, требовал решительных мер для своего усмирения, и беспощадное уничтожение предателей и большевиков являлось единственным средством воздействия на потерявший голову, опьяневший от революции народ. Я убежден, что покойный Д.Л. Хорват отлично понимал это сам, но, к сожалению, как бы то ни было, остается фактом, что главная трудность начала борьбы с большевиками в первый ее период на Дальнем Востоке создавалась не красными, а представителями нашей старой бюрократии.

В этот свой приезд в Харбин я нанес визиты иностранным консулам, которым детально изложил цель и смысл моих начинаний. В первую очередь мною были посещены японский генеральный консул г. Сато и генеральный консул Великобритании г. Портер.

Идея создания в Сибири противогерманского фронта в принципе встретила одобрение, и мне была обещана поддержка как оружием, так и деньгами. Первая финансовая помощь была оказана Великобританией, что объясняется энергичным содействием г. Портера и вице-консула г. Хилла. Вскоре из Пекина прибыл майор Денни, который был назначен состоять при штабе моего отряда. Следом за Великобританией последовала помощь и от Франции, посольством коей был командирован в штаб моего отряда капитан Пеллье, известный своими научными исследованиями по Китаю.

По рекомендации японского генерального консула я познакомился с Генерального штаба полковником Куросава, впоследствии бывшим начальником Военной миссии в Чите и позднее генерал-квартирмейстером Главного штаба в Токио, ныне покойным. У меня осталось о нем лучшее воспоминание, как об умном, образованном офицере и на редкость порядочном человеке. По его представлению, японское правительство командировало ко мне специальную миссию во главе с капитаном Куроки, до конца своей жизни оставшимся искренним и преданным моим другом. Чувства моей братской привязанности и глубокой дружбы к капитану, впоследствии майору Куроки навсегда останутся неизменными в моем сердце. Мы весьма близко сошлись с покойным майором. Наши взгляды на развитие политических событий в Восточной Азии, на неизбежность развития коммунистического движения в Китае и Монголии и на необходимость большой работы на пути объединения народов Востока и создания Великой Азии оказались совершенно тождественными. Эта наша духовная близость была замечена и надлежащим образом зафиксирована в наших дипломатических представительствах в Пекине и Урге, а затем использована и большевиками, которые получили в свое распоряжение весь дипломатический архив. Гос. сов. издательство выпустило объемистый труд, озаглавленный «Атаман Семенов и Монголия», в котором уделило много места покойному майору Куроки, хотя и приписало ему совсем не то, что было в действительности.

Неудивительно, что большевики, составляя историю Гражданской войны в Сибири и на Дальнем Востоке, использовали факты так, как им было выгодно, и, не ограничиваясь этим, не остановились даже перед явными подлогами и передержками. Это сродни большевистской натуре и не может почитаться чем-либо из ряда вон выходящим.

Гораздо удивительнее, что некоторые эмигрантские деятели в своей слепой и непонятной ненависти ко мне даже теперь, на исходе двадцатилетней давности событий, не останавливаются перед тем, чтобы использовать большевистские методы и материалы в своих попытках тем или иным путем дискредитировать меня.

Не так давно в эмиграцию кем-то были пущены анонимные листовки, в которых фигурировал фотографический снимок с якобы подписанного мною соглашения с советскими властями о совместной с ними работе в Монголии. Клише этого явно подложного документа помещено в указанном выше советском издании «Атаман Семенов и Монголия», и снимок был извлечен оттуда, по-видимому, в целях политической борьбы со мной. Нечего и говорить, что подобные мало чистоплотные приемы не могут достичь своей цели, потому что даже поверхностная экспертиза установила явную апокрифичность приведенного документа, но они с достаточной красочностью характеризуют моих противников, их неразборчивость в средствах и всю глубину их ненависти ко мне.

Глава 15
ПОДГОТОВКА К ВЫСТУПЛЕНИЮ

Отношение к нам населения. Вооружение Красной гвардии и рабочих. Экспедиция на станцию Оловянная. Совместные действия с 1-м Читинским полком. Занятие Оловянной и Адриановки. Народный совет в Чите. Наступление большевиков и мой отход в Маньчжурию. Состав моего отряда. Боевые качества его. Национальные части отряда. Китайские и монгольские части. Их организация и особенности.

Обстановка и настроение населения не благоприятствовали организации антибольшевистского движения в то время. Силы большевиков росли быстро и повсеместно, так как народ, утомленный войной и развращенный Временным правительством, легко поддавался гипнозу всеобещающих лозунгов коммунизма и вдохновлялся ими на дикий разгул и преступления ради наживы, мести и пр. Грабеж и бессудные убийства интеллигенции, офицерства и всех инакомыслящих стали обычным явлением и почитались чуть ли не идейным долгом каждого большевика. Казалось, самый воздух нашей родины был насыщен гарью и кровью в это проклятое время. Агитаторы большевиков натравливали молодежь на старшее поколение, солдат на офицеров, рабочих на городскую интеллигенцию, облекая всякое хулиганство и преступление в тогу геройства и революционной доблести. Понятия о долге, морали и чести потеряли всякое значение и были отметены, как контрреволюционные предрассудки. Вихрь разнузданности кружил головы людей и бросал их в бездну полного нравственного падения. Зверь из бездны со всеобъемлющей алчностью торжествовал на Руси.

Попытки немногих людей, решившихся в эти сумбурные дни выступить с призывом к отрезвлению и прекращению творившегося безобразия, терялись в общем разгуле черни и разбежавшихся с фронта солдат и звучали скорее иронически. И в этих условиях силы формируемого мною полка, как я упоминал выше, все же росли; медленно и постепенно полк пополнялся за счет отдельных бойцов, просачивающихся сквозь большевистские рогатки к границам Маньчжурии. Монгольская бригада находилась еще в пути. Союзные представители при моем штабе ожидали со дня на день прибытия оружия. В Маньчжурии наскоро сбивались части войск и проходили первоначальное обучение, осваивая военную технику. Время шло. Приближалась весна. Большевики стягивали части из Европейской России на «Семеновский», как они называли, фронт. Особое внимание большевиков на этот фронт было привлечено фактом разоружения обольшевиченных солдат в Хайларе, Маньчжурии и Даурии. Будучи эвакуированными в Читу и дальше на запад, эти солдаты разнесли с собой фантастические сведения о моих силах и моих возможностях.

В начале января большевики усиленно начали вооружать Красную гвардию и рабочих Забайкальской железной дороги. Вообще, оружие свободно раздавалось всем, кто стоял за советскую власть.

Необходимо было устранить грозившую опасность и в то же время показать населению и союзникам силу отряда. По этим соображениям барону Унгерн-Штернбергу приказано было 11 января сделать набег на ст. Оловянная для разоружения красногвардейцев; в распоряжение барона были даны прапорщики Сотников и Березовский и 23 человека команды.

Отряд обезоружил железнодорожное депо и исполнительный комитет Совета р. и с. д. Отобрано было 175 винтовок и 4 ящика патронов. 13-го числа отряд благополучно вернулся в Маньчжурию.

Этот налет, разумеется, не остановил большевистского вооружения.

Начиная с 12 января в штаб отряда стали поступать весьма тревожные сведения из Читы, Карымской и ст. Оловянная.

Во всех этих пунктах рабочие вооружались и образовывали Красную гвардию. Из Иркутска в Читу подходили большевистские подкрепления с пулеметами и орудиями. 13 и 14 января обнаружилось передвижение эшелонов большевиков из Читы на ст. Оловянная, с целью нападения на отряд.

14 января была получена телеграмма от офицера со ст. Даурия, что Оловянная занята большевиками с тремя орудиями и что они на ст. Карымская пытались разоружить небольшой отряд нерчинских казаков.

Наконец, 15-го числа выяснилось продвижение эшелонов большевиков от ст. Оловянная к востоку, что ставило в угрожающее положение часть отряда, находившуюся на ст. Даурия.

Одновременно получены были сведения, что к Чите движется 1-й Читинский казачий полк с явно выраженным антибольшевистским настроением. Всю дорогу, начиная от позиций, полк выдерживал натиск большевизма, пуская иногда в оборот оружие, напр., в Черемхове; и только две сотни из полка были разоружены большевиками.

Читинские большевики решили силой оружия заставить полк признать советскую власть.

Принимая во внимание все эти обстоятельства, я решил двинуть специальный боевой дивизион для занятия г. Читы и соединения с 1-м Читинским казачьим полком, а также для устранения читинских большевиков, готовившихся к агрессивным действиям против отряда и 1-го Читинского полка.

Кроме того, экспедиция должна была показать нашим союзникам, что отряд окреп, способен к активным выступлениям, что красные не устоят перед ним и что, наконец, отряд пользуется сочувствием казачества и широких кругов населения.

Командиром дивизиона был назначен сотник Савельев. Погрузка эшелона произведена была в 12 часов ночи на 16 января. Ночная таинственность необходима была для того, чтобы скрыть действительное число людей эшелона; с тою же целью под эшелон дали 26 вагонов, тогда как вся команда, в числе 102 человек, могла разместиться в каких-нибудь 4—5 вагонах.

Перед отправлением эшелона из Маньчжурии в Читу мною были посланы внушительные телеграммы: «Приказываю разоружить Красную гвардию и очистить Читу от большевиков; для поддержки требований высылаю несколько эшелонов».

Перед мостом через Онон поезд был остановлен, эшелон выгрузился и, рассыпавшись в боевую цепь, пошел на ст. Оловянная. Красные не приняли удара и бежали в Читу.

16-го числа была занята Оловянная, где, кроме провианта, ничего не оказалось; часть оставшихся красногвардейцев была разоружена, отобрано 78 винтовок и 12 шашек.

В Оловянной командир эшелона сотник Савельев получил приказ двигаться в Карымскую, так как «вся линия должна быть очищена от большевиков».

Для обеспечения успеха этого предприятия я обратился за содействием к командирам 1-го Читинского и Нерчинского казачьих полков.

«Наш отряд на днях будет двигаться в направлении ст. Карымская. Прошу, в предупреждение всяких эксцессов и возможности оповещения о движении отряда большевиков, немедленно, по получении сего, преданными нам частями занять телеграф правительственный и железнодорожный; установить контроль на этих телеграфах. Кроме того, прошу оказать поддержку высылкой отряда в 50 человек с оружием и патронами на ст. Карымская. Отправку казаков произвести немедленно, по получении условной депеши со ст. Оловянная на имя командира полка, без подписи в одно слово: «Жду».

Командиру Нерчинского полка, кроме того, было сделано определенное задание: «Шестнадцатого вечером займите прочно Карымскую и закрепите за собою».

16-го же числа, в 9 часов 30 минут вечера, дивизион занял Адриановку, и тоже без сопротивления. Дальше двигаться не удалось.

На другой день в Адриановку явилась депутация от читинского Народного совета, в составе городского головы Лопатина, члена войскового правления сотника Токмакова и др., с предложением, во избежание кровопролития, эшелону вернуться в Маньчжурию, так как 1-й Читинский полк вошел в город, обезоружил Красную гвардию, у которой отобрал 12 орудий, и водворил порядок, а власть перешла в надежные руки, в лице Народного совета, в котором большевики находятся в незначительном числе, в количестве 15 человек.

В то же время Войсковой атаман полковник Зимин вызвал меня к прямому проводу для переговоров, но за моим отсутствием явился начальник штаба полковник Скипетров. Зимин просил «во избежание кровопролития и междуусобий в Чите» вернуть эшелон обратно.

Депутаты снеслись со штабом отряда, после чего сотн. Савельеву приказано было вернуться в Маньчжурию; с эшелоном поехали и депутаты.

В Маньчжурии отряд и депутаты составили акт, в котором Чита обязывалась не допускать большевистской власти, а отряд обещал помочь укреплению Народного совета.

Народный совет недолго просуществовал в Чите, всего до 28 января, затем власть перешла к Совдепу.

Экспедиция сотника Савельева не на шутку встревожила большевиков, которые решили во что бы то ни стало или уничтожить меня, или в крайнем случае изгнать за границу.

С середины января в Иркутске шла лихорадочная работа по подготовке Красной армии на «Семеновский» фронт. Командующим назначили иркутского коменданта Лазо, как наиболее даровитого. В отряд завлечены были казаки 1-го Аргунского полка, под командой есаула Метелицы, и 2-го Читинского. Даны были пушки и пулеметы.

Приготовления эти напугали Читу, которая просила помощи у отряда. В Чите в это время к тому же существовали противобольшевистские организации: офицерская, Белая гвардия, и Титовская станица. По циркулирующим в городе слухам, Красная гвардия предполагала «снять» своих противников в ночь на 2 февраля. Для предупреждения или, в случае столкновения, для поддержки Народного совета я решил 31 января выслать к Чите одну роту сербов и сотню сотника Савельева.

Впрочем, экспедиция не состоялась, вследствие того что были получены точные сведения о превосходных силах противника с хорошим вооружением.

В начале февраля большевистские эшелоны перевалили уже Читу. Утром 14-го числа была занята ими Борзя, 16-го — Даурия, 20-го — Шарасун, 21-го — Мациевская.

Не будучи в состоянии противостоять хорошо вооруженным большевикам, я оттянул свои части в Маньчжурию, выставив сторожевое охранение на линии ближайшего к Маньчжурии разъезда № 86. Большевики дошли до станции Шарасун, где и остановились.

Прошедшие события показали боеспособность частей отряда и их готовность вести борьбу; но почти полное отсутствие артиллерии, пулеметов, патронов, теплой одежды и средств делали эту борьбу безнадежной и заставили меня настойчиво просить союзников поторопиться с доставкой оружия и отпуском обещанных мне средств, потому что действительность требовала немедленного начала серьезной и активной вооруженной борьбы с большевиками, прочно захватившими власть в стране.

До 7 апреля 1918 года части отряда имели постоянные столкновения с большевиками на плацдарме от границ

Маньчжурии и до реки Онона. Столкновения носили характер мелких стычек конных разъездов О. М. О., которые служили единственной завесой, прикрывающей формирования на станции Маньчжурия, и вели разведку противника. Красные, благодаря численному превосходству своих сил, часто теснили наши разъезды до самой границы, и в таких случаях приходилось давать им отпор выдвижением сильных частей с артиллерией. Наскоро сбитые роты и сотни сразу же подвергались боевому испытанию и, надо отдать справедливость, всегда выходили с честью из численно неравных боевых столкновений. Количественный перевес всегда был на стороне нашего противника.

Однообразного вооружения в отряде все еще не было. Некоторые были вооружены австрийскими винтовками Манлихера, у некоторых — русские трехлинейные винтовки, а часть имела уже устарелые берданки. Патроны имелись в крайне ограниченном количестве, так что в случае столкновений с противником наши части вынуждены были открывать огонь только с расстояния прямого выстрела, чтобы не тратить патронов зря.

К апрелю месяцу 1918 года мы еще далеко не были готовы к большому наступлению, как в отношении численного состава частей, так и в смысле их вооружения. Несмотря на это, я решил с первыми теплыми днями открыть кампанию, так как красные спешно формировали части из демобилизованных солдат, рабочих и военнопленных; кроме того, были получены сведения о прибытии в Читу матросов с Балтийского моря. Все указывало на то, что красные готовятся к каким-то активным шагам на нашем фронте, и мне важно было предупредить их.

Конница О. М. О. состояла из Монголо-бурятского конного полка, укомплектованного, несмотря на название, из казаков и офицеров-добровольцев, с небольшой примесью бурят, и двух полков монгол-харачен. Все конные полки имели четырехсотенный состав.

Пехота состояла из двух полков: 1-го Семеновского и 2-го Маньчжурского, пеших.

Две офицерские роты служили запасными кадрами для пополнения убыли в командном составе отряда.

Две роты сербов первоначально составляли 3-й батальон 1-го Семеновского пешего полка, впоследствии же, с развитием операций, были выделены из него и реорганизованы в отдельный конный дивизион под командованием подполковника Драговича.

Артиллерия состояла из двухорудийной тяжелой батареи Арисака, двух полевых батарей четырехорудийного состава Арисака и четырехорудийной батареи горных французских пушек.

Кроме того, имелись четыре бронепоезда, вооруженные пулеметами и орудиями. На одном была установлена тяжелая английская мортира; на другом крепостная пушка Кане, на двух остальных русские трехдюймовые орудия.

Численность О. М. О. в сравнении с количеством противника была незначительна и уступала силам красных в четыре-пять раз. Командовавший Восточным фронтом большевиков Лазо имел в своем распоряжении свыше 30 тысяч войск; большим преимуществом на стороне красных было также то обстоятельство, что они снабжались на месте населением всем необходимым. Нам население, в главной массе своей, сочувствовало мало, ожидая от большевиков, не скупившихся на обещания, установления чуть ли не рая на земле. Угар увлечения большевизмом у большинства прошел очень быстро, и население быстро поняло сущность коммунизма, но время было уже упущено, и красные легко захватили власть на всей территории государства, поддержанные крестьянством, рабочими и даже интеллигенцией.

Производя оценку боевых качеств моего небольшого отряда, я должен сказать, что командный состав его, за небольшим исключением, был на высоте положения и лучшего желать было нечего. Немногие неудачные назначения первых дней, вызванные полным незнакомством с внутренними качествами кандидатов, были весьма быстро исправлены, и если командный состав отряда был различен по стажу своего служебного и боевого опыта, то в смысле боевой доблести всегда соблюдалось равнение по лучшим, вне зависимости от их возраста, ценза или занимаемого служебного положения.

Количество пехотных офицеров, прибывавших в отряд, особенно после иркутских событий, значительно превысило в количественном отношении число офицеров других родов оружия, а потому усиление рядов О. М. О. шло преимущественно за их счет.

Особенно много пришлось работать офицерам пехоты, полки которой были укомплектованы китайцами, и офицерам конных монгольских частей.

В период развертывания Монголо-бурятского полка и дальнейшего формирования частей отряда я до конца придерживался принципа национализации частей своей армии и всегда находил и нахожу теперь, что это наиболее правильное решение, принимая во внимание разноплеменность состава бойцов, их различное воспитание и понимание дисциплины, вытекающие из того обстоятельства, что они принадлежали к разным народам и даже государствам. Я считал, что к такой разноплеменной армии совершенно невозможно подходить с общей меркой психологической и политической оценки частей ее составляющих, и последующие события доказали полную мою правоту. В обстановке гражданской войны однородные по племенному составу воинские части имели более крепкую внутреннюю спайку; крупные же войсковые соединения из частей разных национальностей давали гарантию безопасности от политического развала одновременно всех вооруженных сил.

Такая организация давала возможность использовать национальный антагонизм, существовавший издавна между монголами и китайцами; также соревнование между казаками-добровольцами, с одной стороны, и кадетами и гимназистами, с другой; в то же время соревнование между русскими и татарами и пр. Кто имел опыт командования воинскими частями во время гражданской войны, тот знает, насколько сложной и трудной является роль начальника. В О. М. О. же, в состав которого входили добровольцы не менее десяти национальностей, роль начальника усложнялась отсутствием единого языка.

Солдаты-китайцы понимали только по-китайски, монголы — по-монгольски, сербы и японцы имели своих доблестных офицеров, и с ними вопрос управления был легок. Также легко разрешен был вопрос и с корейцами, которые составляли рабочую роту под командой своего офицера. Другое дело было с китайцами и монголами, у которых не было своих офицеров, в подлинном значении этого слова. Поставить же русских офицеров было невозможно из-за отсутствия общего языка. Из этого положения я вышел путем назначения двойного командного состава. Этим сохранялся авторитет китайских офицеров и получалась гарантия боеспособности части. При двойном командном составе монгольских и китайских частей пришлось особо регламентировать права и обязанности такого командного состава; русские офицеры были начальниками только в бою; в казарме же их роль сводилась к положению инструкторов по строевой и тактической подготовке частей. Местный же командный состав этих инородческих частей ведал внутренним порядком в обстановке казарменно-бивачной жизни, но под инструктажем русских офицеров. На практике подобная комбинация дала прекрасные результаты.

Под командой русских офицеров китайские части в бою были неузнаваемы: доблесть их временами поражала очевидцев; но при своем национальном командном составе китайцы были плохими бойцами — причины крылись в отсутствии доверия к боевым качествам своих родичей-руководителей.

Имевшие место боевые эпизоды дали полное основание китайским частям именоваться «доблестными». Например, атака станции Борзя батальоном 1-го пешего Семеновского полка может служить примером для любой отличной части какой угодно нации. Правда, атака эта была вдохновлена выдвижением лично мною впереди цепей двух французских горных пушек, которые открыли огонь по противнику на дистанции не более 1000 шагов. Увидя результаты огня, китайцы пришли в состояние крайнего воодушевления и, как один, с винтовками наперевес, без единого выстрела пошли в штыки, выбили их в бегство. Большевики в этом бою оставили на позиции два орудия и на путях два эшелона с боевыми припасами и интендантским имуществом, имея свободные пути отхода и паровозы под парами во главе эшелонов. Численность большевиков, против которых был направлен китайский батальон, равнялась, как определенно установлено, трем батальонам.

Что касается монгол, то боевые качества их имеют своеобразные свойства. Порыв их должен быть всегда использован немедленно; пассивность приводит к дезорганизации и к параличу на долгое время их боевого воодушевления.

Часть вторая
ГРАЖДАНСКАЯ ВОЙНА

Глава 1
ТАКТИКА И ИДЕОЛОГИЯ ГРАЖДАНСКОЙ ВОЙНЫ

Организация О. М. О. Функция штаба и управление тылом. План вторжения в Забайкалье. Мобилизация. Временное правительство Забайкальской области. Своеобразность тактических приемов на дальневосточном театре Гражданской войны. Роль конницы. Подвижность и внезапность. Личный элемент. Пропаганда. Роль военнопленных в Сибири. Идеология противобольшевистского движения. Причины интервенции. Судьба ее после заключения перемирия на Западном фронте.

С падением Временного правительства и захватом его функций партией большевиков уже не было законной власти, не было никакого руководства государственным аппаратом на пространстве всей территории России. Всюду царил лишь большевистский террор.

Начиная борьбу с большевиками, необходимо считаться с требованиями жизни и иметь хотя бы в зародыше аппарат государственной власти. Поэтому штаб Особого маньчжурского отряда, или О. М. О., как его сокращенно называли, помимо чисто оперативных функций, должен был выполнять обязанности органов верховной и исполнительной власти. Как командовавший самостоятельным фронтом против большевиков, я пользовался правами командующего отдельной армией, предусмотренными соответствующими статьями положения о полевом управлении войск. В тех же случаях, когда по обстоятельствам чрезвычайной обстановки мне приходилось брать на себя функции верховной власти, все мои распоряжения носили условный характер и формулировались: «Условно, впредь до утверждения законной Всероссийской властью». Это было строго проводимо мною во всех без исключения случаях, отчасти в силу охраны престижа будущего Всероссийского правительства, главным же образом, чтобы избавить себя и свой штаб от излишних нареканий в захвате не принадлежащих нам функций и в желании узурпировать верховную власть на занятой частями отряда территории.

Исходя из изложенных соображений, схема организации О. М. О. была приноровлена к требованиям жизни. Помимо чисто военных отделов управления, состоявших из штаба отряда, с подразделениями: оперативным, инспекторским, интендантским, отряд имел совершенно самостоятельные отделы: Судебно-административный, Финансовый, Железнодорожный, Политический и Мобилизационный. Хотя отрасли деятельности управления отрядом были весьма многогранны, касаясь буквально всех сторон жизни, численность занятых этой работой людей была весьма ограничена. Со всеми делами справлялось не более десяти человек, состоявших при моем штабе, которые вели ответственную работу и в распоряжении которых находился необходимый штат сотрудников. Правда, в то время и дел было сравнительно не так много, ибо территория, занимавшаяся нами, была весьма незначительна, но тем не менее необходимость в таком аппарате ощущалась с достаточной ясностью; в дальнейшем же, по мере продвижения отряда в глубь территории Забайкалья, явилась необходимость создания временного правительства Забайкальской области, каковое и составилось из меня как председателя и руководителя по военным вопросам; генерал-майора И.Ф. Шильникова, возглавлявшего военно-административную и мобилизационную часть, и С.А. Таскина, взявшего на себя гражданское управление освобожденной территории.

План вторжения в пределы Забайкалья базировался на быстром распространении нашего влияния на возможно большую часть территории Забайкальского казачьего войска, чтобы иметь возможность мобилизовать занятые станицы и получить таким путем необходимое отряду пополнение. Впоследствии расчет этот удался вполне, и территория 2-го военного отдела войска была занята весьма быстро. Объявленная мобилизация дала возможность усилить отряд бригадой конницы трехполкового состава и приступить к дополнительному оборудованию броневых поездов, на которые была возложена охрана железнодорожной линии в тылу отряда, помимо содействия передовым частям его в их продвижении вперед.

Перед началом наступления генерал-лейтенант Никонов, мой помощник по военной части, обратил внимание на чисто формальную ненормальность в области существовавшей в отряде иерархии. Будучи в чине есаула, я имел в своем подчинении генералов и штаб-офицеров, в отношении которых являлся их непосредственным или прямым начальником. Чтобы обойти неловкость подчинения мне старших в чине, высший командный состав отряда обратился ко мне с просьбой принять на себя звание атамана О. М. О. Мое согласие сгладило все неловкости, так как если я имел незначительный чин, будучи, в сущности, еще молодым офицером, то мой престиж, как начальника отряда и инициатора борьбы с большевиками, принимался в отряде всеми без исключения и без какого-либо ограничения. Отсюда произошло наименование меня «атаман Семенов». Впоследствии это звание было узаконено за мной избранием меня походным атаманом Уссурийского, Амурского и Забайкальского войск. После ликвидации Омского правительства и гибели атамана Дутова войсковые представительства казачьих войск Урала и Сибири также избрали меня своим походным атаманом.

В отряде не было ни одного офицера Генерального штаба, поэтому приходилось действовать по обстановке, не разрабатывая предварительных оперативных соображений, тем более что гражданская война для всех нас была вновь и только последующий опыт научил нас давать правильную оценку своеобразных приемов и элементов такого рода войны. Во главе штаба отряда стоял полковник Нацвалов, под руководством которого работали в оперативном отделении: сотник Сергеев — обер-квартирмейстер штаба отряда, и подъесаул Мунгалов — в качестве его помощника. Военно-административная часть отряда была сосредоточена в инспекторском отделении, во главе которого стояли дежурный штаб-офицер войсковой старшина Вериго со своим помощником подпоручиком Понтовичем. Весь тыл отряда находился в твердых руках полковника Оглоблина, которому приходилось, помимо своей прямой задачи устройства тыла и снабжения отряда всем необходимым, зорко следить за действиями китайских властей, находившихся в тесных и оживленных сношениях с красным командованием.

7 апреля 1918 года я отдал приказ о наступлении вдоль линии Забайкальской железной дороги. Начатое наступление встретило сильное сопротивление красных. Большевистское командование согнало против нас все силы, какие было возможно собрать не только в Восточной, но и в Западной Сибири. Задача большевиков заключалась в полной изоляции отряда от его базы в Маньчжурии, что казалось легко достижимым при незначительной численности его, для того чтобы совершенно уничтожить «Маньчжурскую пробку». Для осуществления этого плана ими был создан так называемый «Восточный», или «Семеновский», фронт, которым командовал Лазо, бывший прапорщик, офицер штаба Уссурийской казачьей дивизии. Начальником штаба у него был Генерального штаба генерал-майор, барон Таубе, бывший заведывающий передвижением войск штаба Иркутского военного округа.

Несмотря на подавляющее превосходство в силах противника, мне удалось в короткий срок углубиться более чем на 200 верст на территорию Забайкалья. Красные были отброшены за реку Онон. Ононский железнодорожный мост у станции Оловянная большевики взорвали. Онон широко разлился, вскрывшись ото льда, что затрудняло нашу коммуникацию, вытянутую на сотни верст и не имевшую решительно никакой защиты против внезапного нападения конницы противника на наш тыл. Единственным выходом из могущего в этом случае создаться критического положения было бы решение оторваться от железнодорожной линии, бросив все находившееся в вагонах, и, повернув на юг, уйти через Кулусутай в Монголию на Керулен, откуда через Ганчжур снова выйти на линию КВЖД. Отсюда вытекала необходимость усилить обеспечение нашего левого фланга, чтобы не быть отброшенным от пути на Монголию.

Овладение нами рубежом реки Онона и дальнейшее продвижение в глубь Забайкалья сильно взволновало красных, спешно приступивших к формированию конницы из военнопленных мадьяр, с целью отрезать меня от Маньчжурии и бросить ее на путях нашего отхода в Монголию. Уверенность большевиков в вынужденном моем отходе на Монголию базировалась на заключенном ими с китайцами соглашении разоружить мой отряд и интернировать его в случае нового моего появления в Маньчжурии. Предвидя все это, я все же вынужден был с боем отходить на нашу маньчжурскую базу по линии железной дороги именно потому, что это направление должно было считаться противником наименее вероятным путем нашего отхода. Отступая под напором красных, мы каждый шаг родной земли отдавали с боя, имея ежедневные столкновения с противником на протяжении времени с 7 апреля по 21 июля включительно. Эти три месяца непрерывных тяжелых боев измотали совершенно даже лучшие части отряда, не говоря уже о пехоте, укомплектованной китайцами. Участились беспорядки в полках и попытки уйти с оружием за границу настолько, что понадобилась организация специальной военно-полицейской команды для задержания дезертировавших китайцев и отобрания от них оружия. По мере приближения к границе Маньчжурии мы вынуждены были сокращать длину фронта, потому что ряды отряда редели с прогрессирующей быстротой. Никакие меры не могли остановить убыли в отряде, потому что каких-либо пополнений ожидать было невозможно и неоткуда. Формирование генералом Хорватом отрядов в Харбине, при условии мирного существования этих отрядов в большом городе, оттянуло в тыл весь малоактивный элемент, предпочитавший Харбин опасностям и неудобствам походной боевой жизни в отряде.

Я не знаю, как протекала борьба с большевиками на остальных фронтах Гражданской войны, но у нас на Дальнем Востоке, и в частности в частях О. М. О., применялись такие тактические приемы, которые с точки зрения теории военного дела и практики в нормальных внешних войнах едва ли могли иметь место. Начать с того, что наша пехота, укомплектованная китайцами, никак не мирилась с тем, чтобы сторожевые заставы были без артиллерии или, в крайнем случае, без пулеметов. Никакими силами нельзя было заставить сторожевое охранение оставаться на своих местах и не спать по ночам. Линия фронта, в том смысле, как ее принято понимать, не существовала вовсе — фронт был узкой лентой железнодорожного пути и имел только одно измерение — в глубину. Позднее, когда мы обзавелись аэропланами, к этому измерению прибавилась еще высота. Позиций не было; если и встречались укрепленные боевые участки, то они были настолько короткими, что не давали и малейшего представления об определенном участке фронта. Скорее, это были укрепленные гнезда, служившие тонкой осью действовавшего отряда, который, опираясь на них, выполнял самостоятельную задачу или обеспечивал операцию всех сил О. М. О.

Весьма часто бывали положения, когда фронт представлял собою точку, лежавшую на железнодорожном пути, простираясь только в глубину. В этом случае части, вытянутые по линии железной дороги, обеспечивались усиленной разведкой конных частей, служивших заслонами от внезапного нападения противника. Объектом операций частей отряда служили населенные пункты. Угроза занятия их нами была достаточной гарантией того, что местные жители будут сидеть дома и удержат молодежь от участия в гражданской войне на стороне наших противников, во избежание всякого рода репрессий в случае занятия нами этих пунктов. С другой стороны, то же опасение репрессий со стороны красных удерживало молодежь и от вступления в ряды О. М. О. Такого рода задачи требовали от войск максимальной подвижности. Поэтому наиболее ценным родом оружия в этой войне являлась конница. Конница есть и всегда была душой маневра. Если она не обладает подвижностью моторизованных частей, то ее крупным преимуществом является возможность действовать в любой местности, в любую погоду и в любое время суток. Гражданская война вообще, и в Забайкалье в частности, дала хороший экзамен коннице, в отношении сочетания ее действий на коне и пешком, и это испытание было блестяще выдержано ею. Большое неравенство в количественном отношении сил наших и красных в значительной степени возмещалось нашей маневренной гибкостью. Бывали случаи, когда конные части О. М. О. перебрасывались в течение ночи на 80 и больше верст, пользуясь заводными конями, запас которых имелся весьма значительный. Неожиданность появления в течение каких-нибудь 10—12 часов одних и тех же частей в пунктах различных направлений, отстоящих один от другого почти на сотню верст, сбивала с толку большевистское командование, заставляя его значительно преувеличивать наши силы и считать одни и те же части за многочисленные подкрепления, подходящие к отряду. Блестящими примерами действий конных частей О. М. О. являлись наскоки на фланги и тыл противника генерал-майора Мациевского и сотника Стрельникова. Действия генерала Мациевского весной 1918 года являются образцом тонкого расчета времени движения его обходной колонны в два полка с артиллерией. Сочетание его боевых операций с главными силами О. М. О., наступавшими под моим командованием вдоль линии железной дороги в направлении Борзя—Бырка—Оловянная, может служить классическим примером правильно организованного кавалерийского рейда.

При современном развитии технических средств боя, при большой насыщенности ведущих его частей огневыми средствами группировка кавалерии для действий в конном строю крупными силами требует от начальника исключительного умения вовремя оценить обстановку и надлежащим образом использовать ее. На основании личного опыта я считаю, что в данных обстоятельствах наиболее удачным является применение комбинированного боя, т. е. огневой бой в пешем строю, с обязательным завершением его конной атакой, доведенной до конца, т. е. до применения холодного оружия.

Задачи конницы остались прежними; изменились лишь способы действий. Роль и значение конницы в гражданской войне, где позиционная борьба едва ли будет иметь место, останутся неизменными и тактика ее действий будет зависеть лишь от топографии местности данного плацдарма. При этом не следует упускать из виду, что для успеха операции в гражданской войне решающее значение имеет элемент внезапности, что повышает ценность конницы и делает ее незаменимым родом оружия, ибо только конница обладает подвижностью, не зависящей ни от условий местности, ни от состояния погоды.

Вообще в войне, а в гражданской в особенности, решающую роль всегда будет иметь людской элемент. Причины политического характера, организация пропаганды и идеологические цели гражданской войны являются важнейшими факторами успеха вербовки людей и пополнения материальными средствами, ибо они рассчитывают на привлечение симпатий населения и его жертвенность. Большое значение пропаганда имеет и для успеха внешней войны, когда, распространяясь путем прессы во всех воюющих и нейтральных странах, она создает общественное мнение и дает моральный успех, который является залогом победы на фронте. В обстановке же гражданской войны правильно организованная пропаганда приобретает превалирующее значение для успеха.

Тот, кто был свидетелем развала российского фронта после Февральской революции, не мог не видеть, что большевистское движение в России действовало и развивалось исключительно силой пропаганды.

Имея некоторый опыт в ведении противобольшевистской агитации на фронте, я был убежден, что в стремлении своем утвердиться в России большевики неизбежно должны будут использовать сотни тысяч военнопленных как силу, опираясь на которую они смогут утвердить свою власть и получить возможность влиять на политическое положение в Австро-Венгрии и Германии. Это послужило основанием для моего обращения к представителям Антанты, через консулов в Харбине, с предложением принятия необходимых мер против использования большевиками по директивам германского Генерального штаба австро-германских военнопленных. Основная идея моего предложения заключалась в восстановлении с помощью союзников противогерманского фронта в Сибири, с целью предотвратить оккупацию ее германцами при помощи военнопленных, в очень большом числе расселенных по концентрационным лагерям по всей Сибири. После того как подтвердилось наличие военнопленных в частях Красной армии, действовавших на Забайкальском фронте против О. М. О., временное правительство Забайкальской области, в составе меня, генерала Шильникова и г. Таскина, сложило с себя полномочия, мотивировав этот акт нижеследующими соображениями:

«Звание правительства мы приняли на себя для родного нам Забайкалья на время борьбы с большевиками, которые, сумев разорить и опозорить Россию, не смогли противостоять нашему маленькому отряду и призвали на помощь себе наших врагов немцев, мадьяр и австрийцев. Борьба с большевиками после этого перестала быть нашим внутренним русским делом и приняла характер международный, вылившись в борьбу с Австрией и Германией. Этот факт породил необходимость возобновления нашего участия в противогерманской коалиции, и начатая атаманом Семеновым борьба ныне превращается в борьбу народов. Посему с 10 августа 1918 года временное правительство Забайкалья слагает с себя свои полномочия и представляет себя и все свои ресурсы в распоряжение Верховного командования противогерманских союзных сил».

В результате факта участия военнопленных в Красной армии явилось решение союзников послать экспедиционный корпус в Сибирь. Интервенция эта не имела должного успеха сначала вследствие трений между представителями союзнического командования в Сибири, а затем ввиду капитуляции центральных держав и прекращения войны.

С момента заключения перемирия согласованные действия держав в отношении большевиков прекратились, и французское правительство немедленно вступило в секретные переговоры с большевиками о признании их «де-юре», взамен согласия с их стороны на создание лимитрофов вдоль западной границы России. Переговоры эти велись в строго секретном порядке, и фактическая перемена фронта правительством Франции была доказана лишь недостойными и предательскими действиями генерала Жанена в Сибири, выдавшего красным Верховного правителя адмирала Колчака, и не менее предательским отношением французского правительства к генералу, барону Врангелю, после того как миновала надобность в его содействии борьбе поляков против большевиков. Эти два исторических предательства служат лучшим показателем той закулисной игры по разложению русского противокоммунистического фронта, которую вела Франция в угоду большевикам.

Идеология нашей борьбы с большевизмом имела два дополняющих друг друга обоснования: а) борьба за спасение нашей государственности от морального разложения большевиками и б) противодействие международному шпиону Ленину и его клике в их стремлении использовать заблуждения нашего народа во вред России.

Глава 2

ОТХОД О. М. О. В МАНЬЧЖУРИЮ

Оборонительные действия О. М. О. Необходимость отдыха. Японский добровольческий батальон. Встреча с адмиралом Колчаком. Его взгляды на нашу политику. Полное расхождение в ориентации. Обстановка на фронте отряда. Переговоры китайцев с красными. Условия пропуска отряда через границу. Предательство Шелкового.

*Подвиг майора Такеда. Печальная роль Харбина. Мой план отхода
в район Хайлара. Комбинированный маневр. Соглашение с китайцами. Связь с антибольшевистскими организациями в Сибири.*

Отряд постепенно отходил по линии дороги к границе,
отвечая контратаками на каждую атаку противника. Наличие в отряде конницы, действовавшей на тыл и фланги противника и оттягивавшей этим на себя главные силы его,
позволяло нашей ослабленной пехоте еще держаться на
фронте. Самым длительным периодом сопротивления отряда явилась борьба за удержание позиций, занятых О. М. О.
приблизительно в 10 верстах от станции Маньчжурия, на
линии Атамановская сопка — станция Мациевская и иду-
щая от нее в юго-западном направлении цепь гор. Защита
этой линии, удобной для обороны, ввиду командующего
положения Атамановской сопки над всей окружающей ме-
стностью, дала возможность заблаговременно подготовить
пути отхода в полосу отчуждения КВЖД, что рано или поздно необходимо было сделать для предоставления хотя бы
непродолжительного отдыха совершенно измотанным частям отряда, несмотря на то что китайцы категорически заявили, что они не пропустят через границу отряд, если он
предварительно не сдаст оружия.

С трех сторон нас теснили красные, силы которых больше чем в десять раз превышали численность отряда. Наш
тыл упирался в границу, охранявшуюся со стороны Мань-
журии китайскими войсками. Настроение этих войск было
явно враждебным нам в силу какого-то соглашения, которое
существовало между китайским командованием и Лазо.
Оборона нашего левого фланга, находившегося на железнодорожной линии, была возложена на дивизион броневых
поездов под командой капитана Шелкового. Штаб отряда
помещался в вагонах сзади броневиков на разъезде Атама-
новском (ныне Отпор). При штабе находился батальон
японских добровольцев, в количестве до 600 человек, который представлял собою подвижной резерв и бросался обычно на атакованный участок фронта, заменяя пехоту из

добровольцев-китайцев, доблесть которых после трехмесячных непрерывных боев оставляла желать много лучшего.

Японский батальон был создан по инициативе капитана Куроки, который командировал сотрудников своей миссии, Анжио и Сео Эйтаро, в Южную Маньчжурию для привлечения добровольцев из числа резервистов. Они успешно справились с поставленной им задачей, завербовав на службу в отряд несколько сот человек только что окончивших службу солдат. Батальоном командовал доблестный офицер капитан Окумура. Японский батальон в короткое время заслужил репутацию самой крепкой и самой устойчивой части в отряде, и люди, составлявшие его, приучили нас, русских офицеров, солдат и казаков, смотреть на японцев как на верных и искренних друзей национальной России, которые верность своим обязательствам ставят выше всего на свете, выше даже собственной жизни. Таким образом, в степях сурового Забайкалья зародилась дружба и братство русских и японских солдат, которые были закреплены тяжелыми потерями, понесенными отрядом в этот период непрерывных боев с превосходными силами противника.

К этому периоду относится приезд адмирала Колчака в Харбин и назначение его на пост командующего русскими войсками в полосе отчуждения КВЖД. Проинспектировав различные отряды, формировавшиеся в Харбине, адмирал выехал в Маньчжурию для осмотра Особого маньчжурского отряда, о чем я был извещен из Харбина. Занятый постоянными боями, я решил не выезжать в Маньчжурию для встречи нового командующего, полагая, что, если он желает видеть отряд, он приедет сам к нам на позицию. В один прекрасный день мне передали по телефону из Маньчжурии, что адмирал Колчак прибыл и желает видеть меня. Я поехал в Маньчжурию и явился адмиралу. По-видимому настроенный соответствующим образом в Харбине, адмирал встретил меня упреками в нежелании подчиняться Харбину, вызывающем поведении относительно китайцев и слишком большом доверии к моим японским советникам, влиянию которых я якобы полностью подчинился. Покойный адмирал являлся в то время ярым противником так называемой японской ориентации и считал, что только Англия и Франция готовы оказать бескорыстную и исчерпывающую помощь национальной России, восстановление которой находится в их интересах. Что касается Японии и САСШ, то, по мнению адмирала, они стремились использовать наше затруднительное положение в своих собственных интересах, которые настойчиво диктовали возможно большее ослабление России на Дальнем Востоке. Ориентацию на Японию адмирал считал чуть ли не преступлением с моей стороны и настойчиво требовал от меня полного отказа от самостоятельной политики в этом вопросе и подчинения Харбину. В свою очередь, я напомнил адмиралу, что, приступая к формированию отряда, я предлагал возглавление его и ему самому, и генералу Хорвату. Если бы кто-нибудь из них своевременно принял мое предложение, я безоговорочно подчинился бы сам и со всеми своими людьми и никакие разговоры о моей самостоятельной политике и сношениях с иностранными консулами не могли иметь места. В настоящее же время, когда я с ноября месяца прошлого года оказался предоставленным самому себе, я считаю вмешательство в дела отряда с какой бы то ни было стороны совершенно недопустимым и в своих действиях, так же как и в своей ориентации, буду давать отчет только законному и общепризнанному Всероссийскому правительству.

Свидание наше вышло очень бурным, и мы расстались явно недовольными друг другом. Адмирал отказался от посещения частей отряда и немедленно вернулся в Харбин. От этой встречи с адмиралом у меня осталось впечатление о нем как о человеке крайне нервном, вспыльчивом и мало ознакомленном с особенностями обстановки на Дальнем Востоке. Его неприязнь и недоверие к японскому сотрудничеству в деле борьбы с красными, его уверенность в стремлении Японии к использованию нашей гражданской войны для территориальных приобретений за счет русского Дальнего

Востока я считал основанными только на личных его антипатиях и потому не мог согласиться с ним. Эта первая и последняя моя непосредственная встреча с покойным адмиралом выяснила всю разность наших взглядов на ближайшие задачи внешней политики национального нашего движения и на наши взаимоотношения с союзниками. В то время как адмирал, подозревая японское правительство в агрессивных замыслах против России, строил все свои расчеты на широком использовании наших западных союзников, я никогда не верил в то, чтобы помощь с их стороны могла быть сколько-нибудь существенной. Со стороны же Японии я не видел никаких поползновений на ущемление наших интересов на востоке, и оказываемая японским правительством мне помощь никогда не обуславливалась какими-либо обязательствами с моей стороны, которые могли бы быть истолкованы как стремление использовать наше тяжелое положение в собственных интересах.

Эта единственная моя встреча с адмиралом послужила впоследствии одним из оснований для моего протеста против передачи ему всей полноты государственной власти и вызвала известный мой конфликт с Омском. И только последовавшее вскоре полное разочарование адмирала в его англо-французских симпатиях повело к мужественному признанию им моей правоты и установило то полное взаимопонимание между нами, которое дало основание покойному Верховному правителю назначить именно меня своим правопреемником на нашей восточной окраине, вопреки всем интригам и противодействию его ближайшего окружения.

Вскоре после отъезда адмирала из Маньчжурии, следствием которого явилось еще большее охлаждение отношений между Харбином и мною, разыгрался инцидент, могший иметь весьма чреватые последствия и благополучно ликвидированный исключительно благодаря высокой доблести японских добровольцев отряда.

В результате непрерывных тяжелых боев обстановка становилась поистине критической; держаться дольше против наседавших красных мы не могли. Предстояло или сложить оружие и отдаться под покровительство китайцев, с риском быть выданными красным, или попытаться выйти с честью из положения путем какого-нибудь исключительного по гибкости маневра. Успех последнего обуславливался наличием бронепоездов, к которым китайцы относились с большим почтением и нескрываемой боязнью.

В один день особенно тяжелого боя усталые части были выведены с позиций и сосредоточены вблизи границы. Китайским властям я объявил, что в ближайшие дни намерен сдать им оружие и выйти с людьми из боя, отдавшись под их покровительство. Зная наверное, что это мое намерение немедленно будет сообщено красным, я рассчитывал, что, осведомившись от китайцев о моем решении уйти за границу, большевики потребуют от китайцев выдачи меня и моих людей и что последние вступят в переговоры по этому вопросу, что даст мне возможность ввести в заблуждение как тех, так и других, и уйти в полосу отчуждения КВЖД, сохранив оружие и боеспособность отряда. Расчет мой оказался совершенно правильным. В тот же день ко мне прибыл из Маньчжурии майор Лю, который просил пропустить его через линию фронта в штаб Лазо. Целью своей поездки майор Лю выставил желание вступить в переговоры с красным командованием о прекращении обстрела наших позиций дальнобойными орудиями, ввиду того что выпускаемые ими снаряды, простреливая наше расположение, поражали район расположения выдвинутых на границу китайских войск. Я дал свое согласие на пропуск майора Лю через наши цепи, но прежде просил его сообщить начальнику китайских войск на ст. Маньчжурия, что я желал бы встретиться с ним для совместной выработки условий сдачи оружия и подписания соглашения о пункте эвакуации моих частей после разоружения их. Этим ходом я рассчитывал убедить китайцев в подлинности моего решения прекратить сопротивление большевикам и уйти за границу, сдав оружие.

В результате поездки майора Лю в штаб Лазо китайское командование официально предложило мне сдать оружие на русской территории большевистским приемщикам, но при китайских посредниках, т. к. в противном случае китайцы будут вынуждены допустить красных в Маньчжурию для приема сданного мною оружия. Я обещал обсудить этот вопрос, ни минуты не предполагая вообще сдавать оружие и желая только выиграть время и отвлечь от себя внимание противника.

Пока велись эти переговоры между китайцами и красными, с одной стороны, и между китайцами и мною, с другой, я получил донесение от капитана Кострова, батарея которого была расположена на позиции на нашем левом фланге, под прикрытием броневиков, что капитан Шелковый, командир дивизиона броневых поездов, внезапно снялся с позиций и ушел в тыл со всеми броневиками, не предупредив никого из начальствующих лиц ближайших боевых участков. Мною срочно были приняты меры к выяснению причины внезапного ухода броневиков с позиций. Оказалось, что Шелковый бежал со всеми броневиками в Харбин, совершенно обнажив левый фланг нашего расположения. Я немедленно телеграфировал моему другу генералу Чжан Куйу в Цицикар, прося его задержать броневики и вернуть их обратно, так как потеря броневиков в момент, когда фактически решалась судьба отряда и всего Белого движения на Дальнем Востоке, ставила меня в совершенно безвыходное положение и лишала главного козыря в задуманном мною маневре. К моему удивлению, генерал Чжан Куйу уведомил меня, что он получил распоряжение из Харбина о пропуске броневиков на восток и потому не мог их задержать. В Харбине броневики были встречены с почетом, и Шелковый получил благодарность от ген. Плешкова за привод броневиков. Однако команды броневиков, узнав, что Шелковый обманным образом увел их с фронта, бросив отряд и предав его в самый критический момент его борьбы, немедленно оставили Харбин и в полном составе по собственному желанию вернулись в отряд.

Я до сих пор не могу понять отношения ко мне и к моему отряду харбинской общественности и стоявших во главе ее старых генералов. Начиная по собственной инициативе дело вооруженной борьбы с коммунизмом, я обращался как к той, так и к другим с просьбой оказать мне помощь своими авторитетными для меня указаниями и советами и указать лицо, которое могло бы быть приглашено для возглавления начатого дела. Те и другие в свое время отказались принимать какое-либо участие в начавшемся движении, но, не помогая нисколько мне, и те и другие начали критиковать, иногда очень злостно, мои действия. От словесной критики неоднократно переходили к действиям, явно направленным против меня, и не остановились даже перед торжественным приемом предателя Шелкового, бросившего позицию в самый тяжелый момент жизни отряда и уведшего с собой его главную силу — броневые поезда.

Я не допускаю мысли, чтобы все это делалось с целью намеренно провалить дело борьбы за освобождение родины от красной власти, захватившей ее. По-видимому, все было направлено лично против меня, что также не совсем понятно, потому что я не претендовал ни на какую важную роль, желая лишь вести активную борьбу с красными поработителями моей родины.

Немедленно после увода Шелковым броневиков японские добровольцы заняли позицию на нашем левом фланге, и, когда красные, обнаружив исчезновение броневиков, повели энергичное наступление на наш фронт и захватили командующую Атамановскую сопку, сбив с нее наши китайские части, Генерального штаба майор Такеда, замещавший выехавшего в Японию капитана Куроки, лично принял командование и повел свой батальон против наступающих красных. Батальон, понеся крупные потери, все же занял обратно сопку и захватил пленных и пулеметы, восстановив, таким образом, положение и дав возможность частям отряда продержаться на занятых ими позициях до обратного прихода броневиков, которые через несколько дней, по настояниям иностранных консулов, были возвращены в отряд. По постановлению Георгиевской думы, состоявшей из старших офицеров — георгиевских кавалеров, майор Такеда за свой подвиг был награжден орденом Св. великомученика и победоносца Георгия 4-й степени, образца, установленного для чинов О. М. О.

С возвращением броневиков на фронт я вновь получил уверенность в успехе своего плана выхода из большевистско-китайского окружения в полосу отчуждения КВЖД, сохранив свою организацию и оружие для пополнения отряда и необходимого отдыха частям его.

В те дни мне всего было 27 лет, и я еще не знал, что открытая сила во многих случаях с успехом заменяется дипломатией, построенной на умелой и тонкой лжи. Но еще со школьной скамьи я твердо усвоил, что в военном деле важно отвлечь внимание противника от намеченной цели и что успех маневра в очень большой степени зависит от того, насколько тонко противник будет введен в заблуждение относительно истинной цели предпринятой операции.

Переговоры китайцев с большевиками все еще не были закончены. Пользуясь тем, что внимание обеих сторон было от меня отвлечено, я отдал секретное распоряжение коменданту станции Маньчжурия постепенно перегнать весь порожняк из Маньчжурии на ближайшую от нее станцию на восток, Чжалайнор. Комендант станции получил также указания, в случае расспросов китайских властей, объяснить перегонку составов в Чжалайнор полученными сведениями о намерении большевиков занять Маньчжурию и захватить составы, в которых они ощущали острый недостаток. В течение двух дней потребное количество вагонов и паровозов было сосредоточено в Чжалайноре, не возбудив никаких сомнений.

Когда тыл был подготовлен для отхода, нужно было снять и отвести назад с занимаемых позиций части таким образом, чтобы ни китайцы, ни большевики этого не заметили. Я решил осуществить это ближайшей же ночью и предварительно сообщил китайцам, что вследствие недостатка продовольствия я решил на рассвете отвести свои части на границу и сложить оружие. Я был осведомлен о том, что китайцы еще не закончили свои переговоры с красными, и потому мое решение сдать оружие именно теперь застанет их неподготовленными. Согласно секретной диспозиции, части отряда должны были ночным маршем покрыть расстояние в 50 верст и, обойдя Маньчжурию, выйти на станцию Чжалайнор, ночью же погрузиться в приготовленные эшелоны и двигаться в направлении на Хайлар. Броневики оставались со мной на позициях до окончания погрузки последней части. Настало утро 28 июля, когда начальник штаба китайских войск в сопровождении большой свиты прибыл в мой штаб. В это время уже все части, кроме двух бронепоездов, были сняты с позиций. Пехота грузилась в вагоны в Чжалайноре; конница и артиллерия походным порядком шли в обход Маньчжурии на станции Цаган и Хорхонтэ. Я со штабом находился в броневике. Встретив гостей, я пригласил их в вагон и предложил ехать в Маньчжурию для встречи с командующим китайскими войсками. Арьергардные бронепоезда следовали в небольшом расстоянии за нами.

Мое появление в Маньчжурии вызвало сильное волнение у китайцев, которые, не закончив еще своих переговоров с большевиками, не ожидали меня в Маньчжурии. Когда бронепоезд остановился на перроне станции, я заявил сидящему у меня в вагоне начальнику штаба китайских войск, что мои части с фронта уже сняты и красные каждую минуту могут войти в Маньчжурию, как только обнаружат мой отход. Это было громом среди ясного неба. С этого момента роли переменились и под удар красных попадали уже китайцы, а не мы.

Начальник китайских войск в Маньчжурии, не будучи уверенным в том, что большевики не сделают попытки овладеть Маньчжурией, обратился ко мне с предложением принять участие в защите города, и ввиду моего согласия нами совместно была выработана диспозиция на случай наступления красных, причем наши офицеры были назначены инструкторами в китайскую артиллерию.

Узнав об отходе моем в полосу отчуждения КВЖД и о предположенной совместной обороне Маньчжурии в случае наступления красных, большевики обвинили китайцев в двуличии. Отношения между ними испортились, и я получил возможность дать своим частям спокойный и заслуженный ими отдых.

Ведя силами О. М. О. вооруженную борьбу с большевиками, я одновременно поддерживал через подполковника Краковецкого оживленную связь с противобольшевистскими организациями в Иркутске и далее на запад. Благодаря материальной поддержке, которую я мог оказать им из средств, отпускаемых мне союзниками, эти организации крепли морально и материально, но я старался удержать их от активных выступлений, чтобы не рисковать созданной организацией, не имея твердой уверенности в успехе. Тем не менее большевики были осведомлены о той скрытой работе, которая велась против них в Восточной Сибири. Поэтому, опасаясь восстания, они стягивали к Иркутску крупные силы, совершенно обнажив Западную Сибирь.

Маневренная гибкость частей О. М. О., благодаря двойному комплекту конского состава, вводила в заблуждение противника и заставляла его сильно преувеличивать силы отряда.

Многие лица, мобилизованные красными и служившие на их Восточном фронте, впоследствии же, после ликвидации большевиков, продолжавшие службу в частях Дальневосточной армии, свидетельствовали, что ликвидация О. М. О. в это время отодвигала на второй план все другие серьезные задачи большевиков и в силу именно этого обстоятельства большевики прозевали чехов и вызванное их выступлением восстание в Западной Сибири и на Волге.

Глава 3
ПЕРЕВОРОТ В СИБИРИ

Выступление чехов. Письмо полковника Ушакова. Новое наступление О. М. О. Встреча с чехами. Первые недоразумения с ними. Приказ генерала Гайды и мой протест. Поездка генерала Хорвата в штаб Гайды. Сибирское правительство. Мое подчинение ему. Свидание с генералом Пепеляевым и генералом Гайдой. Выступление генерала Хорвата. Интервенция, ее цели и задачи. Совместные действия с японскими частями. Роль американцев. Советско-германские отношения. Несогласованность союзников. Оценка интервенции с русской точки зрения. Занятие Читы. Эвакуация социалистов в Иркутск. Роль Дунина-Яковлева. Возникновение Амурского фронта.

Около 20 августа ко мне приехал из Иркутска посланец от полковника Ушакова, находившегося в рядах чехословацких войск. В своем письме полковник Ушаков просил меня немедленным движением на Читу отвлечь на себя силы красных, чтобы облегчить чехам проход по Сибирской железной дороге на восток.

Австрийские военнопленные славянских национальностей, массами сдававшиеся русским войскам во время войны, были организованы в войсковые части и вооружены еще при старом правительстве. Их предполагали использовать на фронте как солдат союзных нам держав — Италии, Сербии — и вновь возрожденных к самостоятельной государственной жизни Польши и Чехословакии. После Октябрьской революции и фактического прекращения большевиками войны с германской коалицией положение этих бывших военнопленных, на которых германское командование, естественно, смотрело как на государственных преступников, сделалось совершенно невыносимым, и они стремились во что бы то ни стало выбраться из России, чтобы принять участие в продолжающейся еще войне против германцев на Западном фронте. Под влиянием немцев большевики начали чинить всякие препятствия стремлению чехов и прочих славян выбраться из России и даже пытались разоружить их, следствием чего явилось вооруженное столкновение между обеими сторонами. Часть чехов пробивалась на север, часть пошла на восток. По пути к ним примыкали местные офицерские антибольшевистские организации, которые с помощью чехов везде свергали советскую власть. На месте большевиков сейчас же становились правительства из местных общественных деятелей, зачастую совершенно несходных политических взглядов и не связанные между собою. Подходя к Иркутску, чехи наткнулись на сильное сопротивление со стороны большевистских войск, которые были сняты с Восточного фронта после отхода О. М. О. в Маньчжурию и за исключением двух бригад, оставленных на границе, целиком брошены против чехов. В этих обстоятельствах полковник Ушаков и послал мне свое письмо с целью установления связи и координации действий частей чехов и О. М. О.

На другой же день после получения письма от полковника Ушакова конные части отряда из Хайлара были двинуты на Забайкалье походным порядком; пехота и технические части двинулись по железной дороге. Быстрым рейдом конница О. М. О. заняла станцию Оловянная, захватив врасплох штаб Лазо и разогнав его. Молниеносный разгром штаба красного командования внес полную растерянность в ряды войск, действовавших против чехов, и дал последним возможность легко преодолеть сопротивление большевиков и занять Иркутск и Кругобайкальскую железную дорогу.

Первая встреча с чехами произошла на станции Оловянная, которая была занята конными частями О. М. О. под командой генерал-майора Мациевского. Придя туда, чехи потребовали от генерала Мациевского очистить станцию, о чем было немедленно донесено мне. Я приказал своим частям оставаться на месте и ожидать дальнейших моих указаний. В это же время, к своему удивлению, получаю донесение, что несколько чешских солдат, следуя пассажирским поездом на восток, распространяют прокламации, в которых был отпечатан приказ генерала Гайды о том, что генерал Хорват и я должны немедленно явиться в штаб Гайды. Неисполнение этого должно было повлечь за собою предание нас военно-полевому суду. Я немедленно послал телеграмму Гайде с требованием отмены опубликованного приказа и извинения перед генералом Хорватом и мною и получил от него ответ, что никакого приказа о явке генерала Хорвата или моей им не отдавалось и что им назначено расследование этого случая. Солдаты-чехи были по моему приказанию задержаны и подвергнуты допросу. Они утверждали, что листовки с приказом ими были получены из штаба генерала Гайды с приказанием широко их распространять. Произведенное по моему приказанию расследование установило, что солдаты на допросе показали правду, так как, помимо листовок, распространяемых ими, подобный приказ генерала Гайды из Оловянной, где он со своим штабом находился, был передан по телеграфу в Маньчжурию и в Харбин. Таким образом, или генерал Гайда сознательно лгал, отрицая свою причастность к приказу, или он не был осведомлен о том, что делалось у него в штабе, и приказ был выпущен без его ведома. Удостоверившись в том, что оскорбительный для русского командования приказ, так или иначе, был действительно выпущен, я телеграфировал в Омск вновь образовавшемуся Сибирскому правительству, настаивая на отозвании генерала Гайды и о назначении на его место русского генерала. Председатель правительства Вологодский сообщил мне, что Гайда будет отозван, а на его место выезжает генерал Пепеляев.

Пока шли эти переговоры с генералом Гайдой и Сибирским правительством, на станцию Борзя, где я находился, вдруг совершенно для меня неожиданно прибыл поезд генерала Хорвата. Как только я был осведомлен о прибытии генерала, я пошел к нему в вагон. Из разговора я выяснил, что генерал Хорват направляется в Оловянную по телеграмме генерала Гайды. Я ознакомил Д.Л. Хорвата с теми переговорами, которые велись мною с Сибирским правительством по поводу совершенно неприличного приказа генерала Гайды, и убеждал генерала Хорвата воздержаться от поездки в Оловянную, тем более что Гайда должен был быть со дня на день заменен генералом Пепеляевым. Убедить генерала Хорвата мне не удалось, и он проехал в Оловянную для встречи с Гайдой, после чего я решил прекратить всякую связь с Д.Л. Хорватом. Незадолго до этого он объявил себя временным правителем России, и поездка его в штаб Гайды, на мой взгляд, являлась совершенно недопустимой, так как, выполняя слишком покорно требования генерала Гайды, выраженные к тому же в столь неприличной форме, Хорват ронял свой престиж не только в качестве управляющего КВЖД и комиссара Временного правительства, но и в качестве лица, претендующего на власть во всероссийском масштабе.

В это время через станцию Борзя проезжал командированный Сибирским правительством эмиссар, г. Завадский, который имел своим заданием обследование положения на Дальнем Востоке и переговоры с генералом Хорватом и Дербером, претендовавшими на роль правительств, первый в Харбине, а второй во Владивостоке, и стремившимися к возглавлению всей освободившейся от советской власти территории. Переговорив с Завадским, я решил поехать в Оловянную для встречи с генералом Пепеляевым, уже прибывшим туда и заменившим генерала Гайду. Предварительно я получил запрос Вологодского о признании мною возглавляемого им Сибирского правительства в Омске. Я телеграфировал, что если правительство намерено продолжать борьбу с большевиками до полного их уничтожения, то не может быть никаких препятствий на пути моего полного подчинения ему. Если же оно решит искать каких-нибудь компромиссных соглашений с красными, то я вынужден буду оставить за собой свободу действий. В тот же день я получил телеграмму от Вологодского, что правительство непреклонно решило освободить страну от тирании большевиков и что на этом пути оно не допускает никаких компромиссов, после чего я официально заявил о полном своем подчинении правительству. Генерал Хорват был очень недоволен таким моим решением, находя, что оно ослабило его позиции в переговорах с Омском, но я считаю, что своей поездкой на поклон к Гайде генерал Хорват сделал свою кандидатуру на пост правителя совершенно неприемлемой.

Оформив свои взаимоотношения с правительством, я выехал в Оловянную и попросил свидания с генералом Пепеляевым. Беседа наша продолжалась почти час, когда генерал поразил меня вопросом, сможет ли он увидеться с атаманом Семеновым и когда именно? Оказалось, что, разговаривая со мною, он все время считал меня одним из офицеров, командированных атаманом, не подозревая, что говорил именно со мною. Когда недоразумение разъяснилось, генерал Пепеляев от имени правительства предложил мне пост командующего V отдельным Приамурским корпусом, с местонахождением моей главной квартиры в Чите. Ввиду выраженного мною согласия, немедленно была послана в Омск телеграмма о моем назначении.

Обсуждая сообща вопросы формирования национальной армии, я особенно просил генерала Пепеляева указать правительству на нежелательность какой-либо мобилизации, особенно на Дальнем Востоке. Я указывал правительству на опасность этого шага при отсутствии точного плана мобилизации, неорганизованности призывных пунктов, где должны были собираться мобилизованные, также при полной недостаче вооружения, обмундирования и снаряжения. Генерал Пепеляев согласился с моими доводами и обещал соответствующим образом обрисовать этот вопрос перед правительством, но, к сожалению, мобилизация, без всякой предварительной подготовки к ней, была все же объявлена и результаты получились в достаточной степени печальные. Собранные люди, разбитые на полки, не получая ни обмундирования, ни достаточного продовольствия, частью разошлись по домам, частью пополнили собою ряды разогнанных и притаившихся до времени большевиков. Мобилизация, на Дальнем Востоке по крайней мере, проведенная неумело и несвоевременно, была большой ошибкой со стороны правительства, восстановив против него наиболее молодой и энергичный слой населения.

Во время моего собеседования с генералом Пепеляевым в вагон последнего явился полковник чешских войск Гусарек, который передал нам приглашение от имени генерала Гайды к нему на обед. Пепеляев, в свою очередь, просил меня не отказываться от приглашения, и потому мы, все трое, отправились к составу генерала Гайды.

Выйдя на перрон вокзала, я услышал чешскую команду и увидел салютовавшего офицера, направлявшегося ко мне. Не ожидая совершенно никакой встречи, я указал офицеру на генерала Пепеляева как на старшего, но последний пояснил мне, что генерал Гайда приказал приветствовать почетным караулом именно меня. Тогда, приняв рапорт офицера, я обратился с несколькими словами к солдатам, составлявшим почетный караул, и просил их понять общность наших целей в борьбе с большевиками. Пропустив караул, который составляла рота, мимо себя церемониальным маршем (она прошла, надо отдать справедливость, великолепно), мы все вошли в вагон генерала Гайды, которого я встретил впервые.

Гайда оказался очень общительным человеком и интересным собеседником. Он поделился своим удивлением, что генерал Хорват поспешил явиться к нему, даже не выяснив подлинность пресловутого приказа, который, как оказалось, явился какой-то непонятной провокацией, направленной, очевидно, на то, чтобы испортить отношения между русским и чешским командованием. Впечатление и от обеда, и от его хозяина у меня осталось очень хорошее, и, когда через два дня генерал Гайда прибыл с ответным визитом ко мне на Борзю, я встретил его с подобающим почетом и вниманием, приличествующим ему, как генералу союзной с нами армии.

Тем временем карьера генерала Хорвата в роли всероссийского правителя закончилась так же незаметно, как она и началась.

В июле 1918 года, когда борьба с большевиками как в Забайкалье, так и в Приморье, где действовал отряд есаула Калмыкова, подчинявшийся мне, была в полном разгаре, генерал Хорват решил, наконец, вступить на путь активной политики против большевиков и запросил моего мнения по этому вопросу. Я обещал ему свою поддержку и командировал в распоряжение его С.А. Таскина и А.В. Волгина как опытных администраторов для замещения министерских должностей в правительстве, которое будет возглавляться генералом Хорватом. После этого я неоднократно настаивал на срочности образования правительства, непременно на российской территории. Генерал все колебался и дотянул до того, что в Приморье его опередило своим появлением правительство Дербера. После этого только генерал Хорват решился выехать в Гродеково и позднее во Владивосток, где он снова долго не решался чем-нибудь проявить себя, пока не образовалось Омское правительство. Только после этого генерал Хорват ликвидировал свой кабинет и спокойно вернулся в Харбин, заняв снова свое положение Главноначальствующего в полосе отчуждения КВЖД.

Таким образом, на линии реки Онона, моей родной реки, я закончил свои самостоятельные операции против большевиков, встретившись в Оловянной с частями только что образовавшегося Сибирского правительства и чехов. Истекло десять месяцев борьбы с Красным интернационалом, когда образовалась национальная власть в Омске и когда союзные державы приняли решение активно вмешаться в русские дела, предприняв интервенцию в Сибирь. Я затрудняюсь сказать, какие именно цели преследовали державы, посылая свои войска в Сибирь. Несомненно, какая-то общая, хотя бы и неглубокая, договоренность должна была существовать, хотя в отношениях представителей различных держав к русским националистам и красным, с одной стороны, и между собой, с другой, в течение всего времени интервенции, приходилось наблюдать полный разнобой.

Впервые мы встретились с союзниками в самом начале октября 1918 года, когда 7-я дивизия Императорской японской армии, под командой генерал-лейтенанта Фудзия, прибыла в Забайкалье. Конные части О. М. О., совместно с японскими кавалерийскими частями, под общим руководством Генерального штаба капитана Андо, форсировали переправы через широко разлившийся Онон, мост через который был взорван красными. Там снова было закреплено то братство по оружию, которое является залогом грядущего братского союза двух великих наций, и там мы, русские националисты, хорошо узнали японцев и научились ценить и уважать их. Представители японского командования всегда стремились поддерживать порядок в пределах занятой ими зоны и строго следили за тем, чтобы никакие антинациональные группировки не смогли организоваться и проявлять себя за их спиной.

В то же время американцы своим безобразным поведением всегда вносили беспорядок, вызывая глубокое недовольство населения. За исключением некоторых отдельных лиц, как, например, майора Борроса, который отлично понимал наши задачи и гибельность коммунизма и душою был с нами, большинство американцев во главе с генерал-майором Гревсом открыто поддерживали большевиков, включительно до посылки одиночных людей и группами с информацией и разного рода поручениями к красным. Их незнакомство с существовавшим в России положением было настолько разительно, что они совершенно искренне изумлялись, почему русские так упорно сопротивляются власти «самой передовой и прогрессивной партии», предпочитая ужасы царской деспотии просвещенному правлению Коммунистического интернационала. Я полагаю, что причиной этому был весьма низкий моральный уровень американских солдат, посланных в Сибирь, и недостаточная дисциплина в американской армии. В большинстве своем солдаты американских частей, осуществлявших интервенцию, являлись дезертирами Великой войны, набранными в концентрационных лагерях на Филиппинах, и представляли собою почти исключительно выходцев из России, бежавших или от преследования закона, или от воинской повинности. Из России они не вынесли ничего, кроме ненависти к бывшему своему отечеству и государственному устройству его, поэтому понятно, что все их симпатии были на стороне красных. Нас же, русских националистов, они считали сторонниками старого режима и потому относились к нам с такой же ненавистью, с какой они относились и к национальной России. Я не знаю, кто такой был генерал-майор Гревс, но образ его действий, несомненно своевольных, потому что трудно допустить, чтобы правительство инструктировало Гревса открыто и постоянно во всем противодействовать русским националистам, указывает на то, что по своему моральному уровню он недалеко ушел от своих солдат. Несомненно одно, что та неприязнь, которая осталась у нас, русских, в отношении американцев, должна быть отнесена нами не за счет американского народа, но за личный счет генерал-майора Гревса, преступный образ действий которого восстановил против американцев весь национально мыслящий элемент Сибири.

Надо полагать, что истинная причина интервенции держав в Сибирь заключалась в необходимости: 1) создать препятствия на пути полного сближения Германии с Советами, которое считалось вероятным в результате Брест-Литовского мирного договора, и 2) дать возможность нескольким десяткам тысяч чехов, которых большевики по настоянию германского Генерального штаба не хотели выпускать из России, пробиться к Владивостоку и Архангельску для дальнейшего направления их на Западный фронт.

Союзники, несомненно, учитывали, что после полной капитуляции Советов в Брест-Литовске Германия может получить в свое распоряжение неисчерпаемые запасы российского сырья, что даст ей возможность благополучно довести до конца затянувшуюся войну. Но союзники, как и германцы, не понимали сущности большевизма и строили свои расчеты на неправильной предпосылке возможности мирного сотрудничества буржуазного правительства Германии с Коммунистическим интернационалом, в лице Совета народных комиссаров, который стремился лишь к созданию повсюду резких противоречий между народами и классами населения в интересах исключительно мировой пролетарской революции. Несмотря на все меры профилактики, принятые немцами с присущими им аккуратностью и педантизмом, Германия очень скоро убедилась, что, создав и финансировав большевизм в России, она сама не избегла заразы и что идеи большевиков о том, что война нужна лишь помещикам и офицерам, немецкие солдаты воспринимали не менее охотно, чем их русские собратья. Брест-Литовский мир, сблизивший Советы с Германией, чрезвычайно усилил германскую социал-демократию и дал ей превалирующее влияние на внутреннюю и внешнюю политику страны. В результате твердость германских позиций была поколеблена, сила сопротивляемости страны, под влиянием социалистической пропаганды, понизилась и правительство императора Вильгельма пало жертвой той силы, которую оно само вызвало и которая, сделав свое гнусное дело в России, обратилась против породившей ее Германии. Как только неувязка во взаимоотношениях Германии и Советов была полностью выявлена, последние признаки согласованности политики союзников в отношении России исчезли. Каждая нация проводила свою программу, и интервенция не только не принесла пользы национальной России, но оказала ей непоправимый вред, усилив большевиков и внеся развал в дело снабжения и железнодорожного транспорта в тылу национальных армий.

Для русских националистов вмешательство союзников и интервенция, предпринятая ими, имели бы смысл, если бы союзники подкрепили ими свои требования к агентам германского Генерального штаба, засевшим в Кремле, о немедленной передаче власти национальным русским элементам и оставлении территории России, как страны, находившейся в известных договорных обязательствах к противогерманской коалиции. Это было бы вполне честно в отношении национальной России, которая была вправе рассчитывать на лояльность союзников, ввиду колоссальных жертв, принесенных ею на пользу общего дела, и вполне оправдало бы интервенцию в глазах национально мыслящей России.

Если бы наши союзники вели определенно четкий курс своей политики в отношении России, то послевоенный кризис во всех странах был бы давно изжит, ибо продолжающаяся фактически и поныне изоляция России из мирового экономического общения является безусловной и основной причиной мировой депрессии последних десятилетий. Пора, наконец, понять, что большевики органически не могут стать на путь свободного экономического сотрудничества с другими странами, ибо это положит конец их власти в России и заставит отказаться от утопической идеи мировой революции, которая в нашу эпоху, при всех обстоятельствах, возродиться не может. Поскольку интервенция была бы обоснована в достижении изложенных целей, она получила бы совершенно другое значение и последствия. Совершенно иная судьба постигла бы и национальные группировки, возникшие на протяжении всей территории Сибири и преждевременно вызванные к жизни вооруженным конфликтом, возникшим между чехами и советской властью.

В начале октября 1918 года конные части 7-й японской дивизии О. М. О. заняли Читу и немедленно выдвинули заслоны на линию Амурской железной дороги, куда бросились красные, вынужденные очистить железнодорожную магистраль и прилегающую местность.

С занятием нами Читы я увидел, что за короткое властвование там большевиков население было обобрано реквизициями и налогами, которые собирались не только деньгами, но и натурой. Потребовалось принять меры к подвозу продовольствия и всего необходимого для населения с первых же дней освобождения Читы от красных. Последствием занятия мною Читы явилась спешная эвакуация из нее всех социалистических организаций в Иркутск. Вначале это явление казалось совершенно необъяснимым, так как до сего времени я не отказывался от сотрудничества с социалистами и один из лидеров партии с.-р., Краковецкий, являлся моим сотрудником по связи с антибольшевистскими организациями Иркутска. Узнав о бегстве социалистов, я принял к выяснению причин этого явления кое-какие меры, кои привели к совершенно неожиданным доказательствам двойственной политики социалистов, желавших застраховать себя с обеих сторон. Было совершенно неопровержимо установлено, что иркутский губернатор Дунин-Яковлев, назначенный на этот пост Сибирским правительством, сотрудник Авксентьева и старый работник партии социалистов-революционеров, с первого дня своего назначения завязал сношения с большевиками, ушедшими на Амурскую дорогу, и начал снабжать их продовольствием и оружием через Тунку, направляя туда же одиночных людей и мелкие партии рассеянных большевиков.

При таком положении Амурский фронт в скором времени приобрел важное значение и привлек к себе значительные части наших воинских сил, в частности, весь 1-й казачий корпус, а затем и пехоту. В восточной части Амурской области доблестные амурские казаки под руководством своего Войскового атамана Гамова успешно вели дело борьбы с большевиками, но силы их были далеко не достаточны. Атаман Калмыков, во главе славных уссурийцев, очистил от красных Приморье и прилегающую часть Приамурья и вел организационную работу по усилению своего отряда в Хабаровске.

В Забайкалье положение, в общем, было твердое, но в 1-м военном отделе генерал-майор Шильников и генерал-майор Комаровский приняли решение не подчиняться мне и увели из Троицкосавска квартировавшую там бригаду в Иркутск. Этим они дали возможность красным обосноваться в Чикое и в приграничном районе Монголии.

К сожалению, здесь повторилось то, с чем мне приходилось уже сталкиваться в первый период борьбы с красными: вся суть наших неудач зависела от противодействия своих единомышленников в большей степени, чем от достигаемых большевиками успехов.

Глава 4

КОНФЛИКТ С ОМСКОМ

Поездка генерала Нокса и адмирала Колчака в Омск. Мой разговор с Ноксом. Переворот в Омске. Предание суду руководителей переворота. Мое мнение об адмирале. Возникновение конфликта. Приказ № 61. Мое решение. Переговоры с генералом Волковым. Делегация Омска в Чите. Комиссия по расследованию моей деятельности. Неожиданные результаты расследования. Отмена приказа № 61. Переговоры с адмиралом. Мой план дальнейшей борьбы на фронте. Неудачное операционное направление Сибирской армии. Ошибки внешней политики. Расстройство тыла.

Правительственный центр, образовавшийся в Омске, привлек к себе внимание всего мира, и много иностранцев, официальных представителей, военных и дипломатов, журналистов, купцов и просто любопытных ежедневно проезжало Читу, направляясь в Омск. Все это было внове и рассматривалось большинством как решение союзников помочь русской национальной власти стабилизировать нормальное положение в стране.

В начале октября месяца, совершенно для меня неожиданно, пришел ко мне пешком с вокзала английский генерал Нокс. Он сообщил мне, что направляется в Омск, и в разговоре изложил свой взгляд на нашу борьбу с большевиками. К концу разговора Нокс задал мне вопрос о моих отношениях с адмиралом Колчаком. Я знал, что факт моего столкновения с адмиралом в бытность последнего командующим русскими войсками в полосе отчуждения КВЖД, а также и причины, вызвавшие это столкновение, были отлично известны генералу Ноксу, поэтому я не счел нужным скрывать перед ним что-либо в этом вопросе и совершенно откровенно изложил ему всю историю моих взаимоотношений с Харбином, не скрывая и собственных ошибок. Генерал Нокс внимательно выслушал меня и под конец спросил, как я смотрю на возможное назначение адмирала военным министром Омского правительства. Я ответил, что это будет встречено с полным удовлетворением как мною, так и подчиненными мне частями, ибо военно-административный опыт адмирала и его решительность и энергия в деле восстановления русского флота после Русско-японской войны находятся вне всякого сомнения. В должности военного министра адмирал будет на месте, но назначение его на роли верховного руководства политикой страны или ее армией было бы весьма неудачным, вследствие многих причин, из коих главнейшими, пожалуй, были личные качества адмирала: его прямолинейность, нетерпимость к другим мнениям, малая гибкость в вопросах внешней политики, в которых личные симпатии обычно переплетаются с интересами страны, а также его податливость посторонним влияниям. Генерал Нокс сообщил мне, что адмирал ехал на запад совместно с ним в специальном поезде, но пожелал сохранить инкогнито и потому просил о своем проезде мне не говорить. В силу этих причин я не имел возможности посетить его, чтобы не нарушить доверия, оказанного мне генералом Ноксом.

На следующий день поезд ушел на запад, а некоторое время спустя, причем очень короткое время, стало известно о назначении адмирала Колчака военным министром, что было встречено с полным удовлетворением всеми военными кругами у нас.

Прошло около месяца, когда была получена неожиданная телеграмма о перевороте, происшедшем в Омске, об аресте Директории и провозглашении адмирала Колчака Верховным правителем. Никакой предварительной информации, освещающей обстановку и поясняющей причины происшедшего переворота и основания для вручения всей полноты верховной власти именно адмиралу, получено не было, и известие о происшедшем явилось для нас совершенно неожиданно. Вслед за извещением о перевороте мною была получена вторая телеграмма о предании военному суду Катанаева, Красильникова и Волкова за арест Директории и убийство одного из членов ее. Зная, что все перечисленные офицеры, принадлежавшие к Сибирскому казачьему войску, являлись одними из инициаторов и первых участников вооруженной борьбы с красными, я решил вмешаться в их судьбу и постараться избавить от суда за поступок, носивший высоко патриотический характер.

Мое мнение об адмирале Колчаке было вполне определенно, и я его уже высказал генералу Ноксу. Считая его весьма способным администратором, что он и доказал, проведя коренную ломку в нашем морском ведомстве после Русско-японской войны, признавая его горячую любовь к родине и готовность на всякие жертвы во имя ее, я тем не менее не был уверен, что адмиралу удастся справиться с ролью Всероссийского диктатора в той сложной обстановке столкновения самых противоположных интересов и стремлений, которая создалась в Омске. Вопреки ходячему мнению о несокрушимой воле адмирала и его железном характере, я считал его человеком весьма мягким, податливым влиянию окружающей обстановки и лиц и потому, учитывая его резко выраженные англо-французские симпатии, не сомневался, что адмирал всецело подпадет под влияние наших западных союзников, интерес которых к судьбам национальной России должен был погаснуть вместе с окончанием Великой войны и ликвидацией военного сотрудничества членов противогерманской коалиции.

Поэтому, выражая полную свою солидарность с произведенным в Омске переворотом, я счел своим долгом выразить сомнение в целесообразности назначения адмирала Колчака Верховным правителем, вследствие несоответствия его характера и личных качеств тем требованиям, которые должны предъявляться к столь ответственному назначению. Я высказал пожелание видеть во главе правительства генерала Деникина, генерала Хорвата или, наконец, атамана Дутова. Одновременно я просил о командировании всех трех офицеров, арестованных в связи с произведенным переворотом, в мое распоряжение, ручаясь за то, что в борьбе с общим врагом они искупят свою вину и принесут большую пользу родине и Белому делу.

В ответ на эту телеграмму я получил короткий ответ, подписанный генералом Лебедевым: «Не ваше дело вмешиваться в дела Верховного правителя». Я был в то время командиром отдельного корпуса, и потому подобное содержание ответа, отправленного к тому же без всякого шифра, невозможно было истолковать как-нибудь иначе, как умышленным подрывом моего авторитета в глазах армии и населения. После такого шага Ставки я счел необходимым более настойчиво ходатайствовать об освобождении от суда трех офицеров-сибиряков. Текст посланной мною в Омск телеграммы был немного менее резок, чем полученный мною, но я находил оправдание в стремлении спасти жизнь трех казаков, патриотическое выступление которых, совершенно не касаясь личности адмирала, высоко оценивалось мною и всеми национально мыслящими кругами Сибири. Вместе с тем я обратился на имя адмирала Колчака с жалобой на недопустимый тон переписки, который принял без всякого повода с моей стороны его начальник штаба генерал Лебедев. Вместо всякого ответа на эти обращения я был вызван Лебедевым к прямому проводу. Не давая мне никаких объяснений, ни пояснений случившегося, не информируя меня нисколько об обстановке, генерал Лебедев задал мне категорический вопрос о признании моем адмирала Колчака Верховным правителем, а на мое замечание, что прежде я должен получить исчерпывающую информацию и быть ознакомлен хотя бы в общих чертах с намерениями и линией поведения нового правительства, генерал Лебедев прервал разговор и отошел от аппарата. Через два дня после этого я получил текст приказа № 61, которым я объявлялся изменником, отрешался от всех занимаемых должностей и предавался военному суду. Мне инкриминировали разрыв связи между чехами, находившимися в Западной Сибири и во Владивостоке, задержку боевого снаряжения и вооружения, идущего с востока на Сибирский фронт, и, наконец, бунт против существовавшего в стране государственного строя.

Из всех предъявленных мне обвинений только первое имело некоторые основания, так как я, действительно, запретил чехам сноситься шифром и пользоваться прямым проводом, вследствие того что они передавали своим шифром депеши для большевиков их представителю в Пекине Виленскому и для командования красным Амурским фронтом через Харбин.

Что касается задержки военных грузов для Омска, то таковой не только никогда не было, но, наоборот, я бронепоездами проталкивал их из Харбина до станции Мысовая Кругобайкальской железной дороги.

Не чувствуя за собой никакой вины, я считал крайне несправедливым такое незаслуженное оскорбление, и моим первым решением было уйти в Монголию, в Ургу, оставив за себя заместителя в Чите и взяв с собою только кадровые части своего Особого маньчжурского отряда. В качестве временного, до последующего назначения Омском, своего заместителя я решил оставить генерал-лейтенанта Д.Ф. Семенова, как старшего по службе военачальника в частях моих войск. О своем решении я донес в Омск, прося распоряжений генералу Семенову. На следующий же день после того, как о принятом мною решении были осведомлены командиры частей, я получил ходатайства почти от всех офицеров корпуса о зачислении их в состав О. М. О., мотивированные тем обстоятельством, что в отношении приказа № 61 они считали себя вполне солидарными со мной. Тогда же я получил достоверные сведения, что 4-й сибирский корпус в Иркутске под командой генерал-майора Волкова должен начать карательную экспедицию против меня. По наведенным справкам, это был тот самый Волков, который принял участие в перевороте и за которого я так решительно заступился перед Верховным правителем, спасая его и его компаньонов от военного суда. Как оказалось, весь вопрос с преданием суду виновников переворота явился простой инсценировкой, о чем я не был своевременно поставлен в известность, благодаря неудовлетворительной службе связи в штабе Верховного правителя или вследствие того, что высшие чины Ставки мне не доверяли и потому не сочли нужным поставить меня в известность о намеченном перевороте и последующих мерах.

Трудно сказать, чем в данном случае руководствовалась Ставка, тем более что моя политическая благонадежность как будто была вне всяких сомнений. В результате получился резкий конфликт между Читой и Омском, в котором я не мог признать себя ни в какой степени виновным, так как я совершенно не был в курсе омских настроений и политической обстановки. Генерал Лебедев вместо того, чтобы правильно осветить мне происшедший переворот и причины, вызвавшие вручение власти именно адмиралу Колчаку, что я вправе был ожидать от него, явился главным инициатором конфликта и наиболее активным моим противником в Омске. Я никогда раньше не встречался с генералом Лебедевым, и потому мне было совершенно непонятно стремление его поссорить меня с Верховным правителем. С его стороны было сделано все, чтобы держать меня в полном неведении о причинах, вызвавших переворот в Омске, и мое мнение, что адмиралу при его данных трудно будет справиться с предстоящей ему задачей, было им истолковано как акт государственной измены и бунт против существовавшей в стране власти, власти, которая сама только что народилась путем бунта группы молодых офицеров против Директории.

Узнав, что части 4-го корпуса уже получили приказ о погрузке, я решил вызвать к прямому проводу генерала Волкова и путем непосредственных переговоров с ним выяснить создавшуюся обстановку. Волков подтвердил, что он, действительно, имеет приказ о движении на восток и, как солдат, намерен беспрекословно исполнить волю Верховного правителя. На это я заявил Волкову, что мною отдано категорическое приказание своим частям ни при каких обстоятельствах не вступать в бой с частями 4-го корпуса и не препятствовать их продвижению в Забайкалье. Я также осведомил генерала Волкова, что намерен ожидать его прибытия в Чите, и предупредил его, что лучшим выходом из положения будет, если он возбудит перед Верховным правителем ходатайство о приостановке движения частей 4-го корпуса, ввиду того что я не собираюсь не подчиняться власти и готов уйти в Монголию, если являюсь неугодным ей. Кроме того, я указал генералу Волкову, что имею основание полагать: 1) что союзники ни в коем случае не допустят каких-либо столкновений на линии железной дороги и 2) что части 4-го корпуса не исполнят приказа о выступлении против меня, так как из Иркутска в Читу ежедневно прибывает большое количество офицеров, которые просят о назначении их в части моего Особого маньчжурского отряда. Я предупредил Волкова, что в конце концов дело может кончиться полной дискредитацией власти, что мы оба обязаны предотвратить в столь ответственный момент хотя бы в интересах сохранения дисциплины в рядах возрождаемой национальной армии.

Волков мне ответил, что он ничего не будет докладывать Верховному правителю, находя, что не его дело вмешиваться в область политики, а лишь исполнит имеющийся у него приказ. Меня возмутило столь глубокое непонимание обстановки, и я резко ответил Волкову, что считал его более умным человеком, чем он оказался. На этом переговоры, конечно, были прерваны.

Как я и предполагал, из карательной экспедиции не вышло ровно ничего. Помимо того что я был осведомлен о представлении, которое на этот счет было сделано представителями союзного командования в Омске, на погрузку в назначенное время явилась одна учебная команда какого-то полка, весь же корпус в целом отказался идти драться с моими частями, ссылаясь на негодность частей к походу и отсутствие офицерского состава. В это время полковник Тирбах, вступивший после меня в командование О. М. О., формировал при штабе отряда уже 2-ю офицерскую роту, ввиду переизбытка офицеров и невозможности всем им предоставить командные должности соответственно их чинов и опыта.

В результате, благодаря тупому, до преступности, отношению к делу генерала Волкова, получился, как я и предвидел, большой конфуз для Омска, и ввиду провала вооруженной экспедиции штабом 4-го корпуса в Читу была командирована делегация в составе войскового старшины Красильникова, есаула Катанаева и Ген. штаба капитана Бурова. Делегация была принята мною тотчас по ее прибытии в Читу, и я ознакомил членов ее с истинным положением дела. Они были весьма односторонне информированы Ставкой Верховного правителя и искренне считали меня виновным во всех тех обвинениях, какие возводил на меня приказ № 61. Красильников и Катанаев являлись главными участниками Омского переворота, и они посвятили меня в ту обстановку, которая предшествовала перевороту и которая вынесла адмирала Колчака на роль вождя и руководителя Белого движения во всероссийском масштабе. Как и можно было предполагать, англо-французские симпатии и связи адмирала сыграли в этом решающую роль, и мои собеседники были очень разочарованы, когда я высказал им свое мнение о наших союзниках и о той ориентации, которой следовало придерживаться в интересах нашей страны и ее освобождения от большевиков.

После приказа № 61 я, естественно, не мог оставаться на моем посту, ибо оценка моей деятельности как первого, поднявшего знамя борьбы с Коминтерном, была квалифицирована как измена, и мне было поставлено в вину, что я решительно восстал против своеволия чехов на русских железных дорогах, запретив им бесконтрольно пользоваться телеграфными проводами и имуществом, на которое они привыкли смотреть как на свою собственность. Своим преследованием безобразий, творимых чехами, я восстановил против себя социалистов-революционеров, тесно связанных с чешским центром в Сибири, и ту часть омского генералитета, которая старательно заискивала перед иностранным командованием и чехами. С другой стороны, я не мог немедленно привести в исполнение свое решение об уходе в Монголию, так как японское командование решительно воспротивилось этому моему намерению, находя, что осуществление его поставило бы всю Забайкальскую область и линию железной дороги под удар со стороны Амурской области. В результате всего этого я был вынужден временно остаться в Чите, ожидая прибытия специальной следственной комиссии, о назначении которой я просил Омск немедленно после того, как конфликт разразился.

Комиссия под председательством генерал-лейтенанта Катанаева и в составе пяти членов военных и гражданских юристов, в числе коих был и военный юрист генерал-майор Нотабеков, прибыла в Читу и немедленно приступила к работе. Ей была предоставлена полная возможность знакомиться со всеми делами всех без исключения учреждений и частей. После тщательного расследования комиссия установила, что военные грузы не только никогда не задерживались мною, но экстренными мерами, вне всякой очереди проталкивались по Забайкальской жел. дороге до станции Мысовая. Некоторая задержка происходила вследствие того, что на КВЖД не хватало вагонов и агенты заготовительных органов Омска допускали злоупотребления, уступая предоставленные им вагоны за соответствующее вознаграждение частным предпринимателям, которые везли в Сибирь самые разнообразные товары с чисто спекулятивными целями. В Омске ряд высших чинов Управления военных сообщений был предан суду за спекуляцию вагонами, и суд вынес обвиняемым очень суровый приговор, смягченный адмиралом. Комиссия генерал-лейтенанта Катанаева открыла также, что распоряжением иркутского губернатора Дунина-Яковлева, который, как я указал выше, будучи социалистом-революционером, находился в непримиримой оппозиции правительству и втихомолку сотрудничал с красными партизанами, часть вооружения и снаряжения снималась на станции Иннокентьевская якобы для нужд местного Иркутского гарнизона. Для меня, однако, не было секретом, что все задержанное имущество направлялось не в Иркутск, а в партизанские отряды Щетинкина, Калашникова и др. Почти все вооружение и обмундирование, шедшее из Америки, не без ведома генерала Гревса, ярого противника Омского правительства, передавалось из Иркутска красным партизанам. Дело являлось настолько безобразным с точки зрения морали и элементарной порядочности американских представителей в Сибири, что министр иностранных дел Омского правительства Сукин, являясь большим американофилом, с трудом смог замять начавшийся было разгораться скандал.

Комиссия в результате тщательного исследования всего следственного материала пришла к заключению, что все обвинения, предъявленные мне, не имели под собой никаких оснований и приказ № 61 в лучшем случае являлся печальной ошибкой введенного в заблуждение Верховного правителя.

В это время левыми социалистами-революционерами было произведено покушение на меня, и я был довольно тяжело ранен. Верховный правитель, осведомившись о моем ранении и о результатах следствия, не только отменил приказ № 61 и восстановил меня во всех правах, но вскоре же произвел меня в чин генерал-майора и назначил командующим войсками Читинского военного округа. В октябре месяце 1919 года последовало назначение меня военным губернатором Забайкальской области и помощником Главнокомандующего вооруженными силами Дальнего Востока и Иркутского военного округа, каковым являлся генерал Розанов, имевший свою главную квартиру во Владивостоке.

О том, что конфликт мой с Омском был вызван недоразумением и, главным образом, интригами ген. Лебедева, говорит и сам адмирал в показаниях своих, данных им чрезвычайной следственной комиссии в Иркутске. Привожу выдержки из этих показаний в той их части, которые касаются меня (Центроархив. Допрос Колчака. Стенографическая запись. Государственное издательство. Ленинград. 1925 г. Допрос 6 февраля 1920 г., стр. 194, 195, 196).

«...Вслед за тем вечером, в то время когда мы потребовали прямой провод во Владивосток для переговоров с Ноксом, мне доложили, что прямого провода нет, что Чита прервала сообщение. Я предложил начальнику Штаба выяснить этот вопрос. На это мне ответили СОВЕРШЕННО НЕОПРЕДЕЛЕННО, ГОВОРИЛИ, ЧТО НИКАКОГО ПЕРЕРЫВА НЕТ, А ВСЕ-ТАКИ МЫ НЕ МОЖЕМ ПОЛУЧИТЬ ВЛАДИВОСТОК; было ясно (?), что перерыв находится в Чите».

«...Затем я получил известие, которое ПОТОМ ОКАЗАЛОСЬ НЕДОРАЗУМЕНИЕМ, но тогда на меня произвело впечатление чрезвычайно серьезное: это была первая угроза транспорту с оружием, обувью и т. д., задержанному где-то на Заб. ж. д. Впоследствии оказалось, что это было не предумышленной задержкой, а задержкой благодаря непорядкам на линии; мне же доложили это так, что я поставил это в связь с перерывом сообщения и решил, что дело становится очень серьезным, что Семенов уже задерживает не только связь, но задерживает доставку запасов».

На вопрос одного из членов чрезвычайной следственной комиссии (Алексеевского): «А вашего приказа о лишении

Семенова должности вы не отменяли?» — адмирал Колчак ответил: «Нет, не отменял; я отменил его после следственной комиссии, когда Катанаев вернулся и, проведя расследование, сказал, что ФАКТА И НАМЕРЕНИЯ со стороны Семенова прервать связь и ничего не доставлять на фронт НЕ БЫЛО и что все это было помимо него».

После ознакомления с результатами работы следственной комиссии и моими докладами о положении на Дальнем Востоке адмирал убедился в полной вздорности всех возводимых на меня обвинений в нарушении связи, нежелании подчиняться и в стремлении к полной изоляции Дальнего Востока от Омска. Он понял, что все эти обвинения — результат интриг честолюбцев, считавших себя более достойными тех постов, кои занимались мною. Поэтому после ликвидации конфликта адмирал довольно часто вызывал меня к прямому проводу и спрашивал моего мнения по поводу тех или иных намеченных мероприятий. Первый вызов последовал в начале июня 1919 года, когда мне было предложено высказать свое мнение по целому ряду вопросов в связи с движением на Пермь генерала Гайды. Позднее адмирал просил меня воздействовать на братьев Пепеляевых, вставших на путь сибирского сепаратизма после того, как армия генерала Пепеляева была отведена в тыл и расположена в районе Томска и ст. Тайга. По этому случаю мною были посланы телеграммы премьер-министру Пепеляеву и его брату, генерал-лейтенанту Пепеляеву, о необходимости теснейшего объединения всех противобольшевистских сил вокруг Верховного правителя и сохранения в интересах родины единого идеологического фронта. Вскоре же по поручению Верховного правителя мною был представлен ему план дальнейшей борьбы с большевиками.

В основу этого плана мною были положены, главным образом, соображения и данные о настроениях народных масс и их отношение к нам и преследуемым нами целям. Результаты данных, представленных Верховному правителю, были весьма неутешительны для нас: народ слепо верил обещаниям большевиков и стремился к миру во что бы то ни стало. Безответственная агитация социалистов и их обещания переустройства мира вызывали раздражение против белых, которых считали единственным препятствием на путях ко всеобщему умиротворению и работе по проведению необходимых и благодетельных реформ. Мы, не желая обманывать народ, не могли обещать ему тех благ, на которые не скупились наши противники, и народ верил не нам, а им, и потому нас не поддерживал и считал за смутьянов, преследовавших свои эгоистические цели.

Кроме того, я считал, что план наступления Сибирской армии своим правым флангом на соединение с англичанами на севере был неудачен, вследствие дикости и малой населенности театра предстоящих военных действий. Слабо развитые пути сообщения не могли способствовать установлению связи и правильному снабжению частей этого фронта. Редкость населения не давала возможности рассчитывать на получение сколько-нибудь значительного контингента пополнения и на возможность получения питания армии хотя бы отчасти местными средствами. С другой стороны, имело бы полное оправдание с точки зрения стратегии и политики продвижение Сибирской армии в Поволжье. Продвигаясь в этом направлении, она достигла бы соединения с юго-западной армией генерала Деникина, отбрасывая красных на север, к фабрично-заводскому району, и лишая их возможности использования хлебных запасов южной России. Таким образом, мы приобретали большие возможности, особенно в том случае, если бы одновременно с наступлением соединенных Сибирской и Добровольческой армий с севера повели бы согласованное наступление на Петроград—Москву войска Северного фронта генерала Юденича и англичане из Архангельска. Правда, при осуществлении этого плана противник имел более короткие операционные линии и находился в непосредственной близости от своих баз, что давало ему возможность действовать короткими ударами по всем направлениям, но, с другой стороны, я не сомневался в том, что моральное значение того стратегического окружения большевиков, которое достигалось при реализации моего плана, должно было в сильной степени повлиять на красных и заставить их или стремиться к прорыву в Туркестан, или готовиться к капитуляции в Москве.

Я не скрыл также перед Верховным правителем, что считаю крупной ошибкой политики его правительства уклончивое отношение его к вопросу о признании вновь образовавшихся вдоль западной границы России буферных государств. Я считал, что признание независимости Польши, Финляндии, Литвы, Эстонии и Латвии и заключение с ними направленных против большевиков соглашений должно было быть первой задачей Омского правительства в области иностранных дел, но, к сожалению, в то время я не пользовался настолько сильным влиянием, чтобы убедить адмирала в правоте своих взглядов. Тем не менее я высказал свое мнение по этому вопросу Верховному правителю.

Мой план, представленный Верховному правителю в октябре 1919 года, заключал в себе мотивированный проект изменения всей системы нашей борьбы с большевиками. Я предлагал, учитывая неблагоприятное в отношении нас настроение в стране, дать населению возможность изжить большевизм естественным путем, испытав его на собственном опыте. Я настаивал на немедленном признании новообразовавшихся на западе государств и на заключении с ними договоров для совместной борьбы с большевиками; на отводе частей Сибирского фронта на линию Енисея и демобилизации ненадежных частей; на необходимости надежными частями занять линию КВЖД и крупные административные центры в тылу, чтобы прочно обеспечить наши сообщения с заграницей, которая снабжала нас всем необходимым для борьбы; на переносе правительственного центра в Иркутск или в Читу и на необходимости решительной чистки правительственного аппарата от вредных элементов, окопавшихся на теплых местах в тылу. После того как все это будет исполнено, я предлагал начать подготовку для одновременного наступления с четырех окраин России к ее центру, приурочив таковое к весне 1921 года и использовав оставшееся время для надлежащей подготовки частей.

Глава 5

ПАДЕНИЕ ОМСКА

Последний разговор с адмиралом. Задержание поезда Верховного правителя. Экспедиция генерала Скипетрова в Иркутск. Столкновение с чехами. Указ о передаче власти. Выдача адмирала красным. Сибирская армия. Роль чехов. Грабеж и дезорганизация. Захват золотого запаса. Роль союзников. Отход армии на восток. Армия в Забайкалье. Интриги старшего командного состава. Генерал Сахаров и генерал Войцеховский. Вредное влияние генерала Дитерихса. Роль генерала Лохвицкого и его отставка. Генерал Вержбицкий. Переговоры об образовании буфера. Прорыв фронта. Оставление мною Читы.

По поводу представленного мною Верховному правителю плана изменения тактики борьбы с большевизмом я имел длинную беседу по прямому проводу с адмиралом, который отстаивал важность наступления именно правым флангом Сибирской армии и объяснил мне причины, почему он не счел возможным согласиться с моим мнением, изложенным в плане.

Адмирал Колчак не разделял безнадежности моего взгляда на настроение широких масс населения и считал, что оно будет изменяться в нашу пользу по мере продвижения вперед Сибирской армии. Кроме того, адмирал полагался на полную и исчерпывающую поддержку Сибирской армии союзниками, не допуская мысли о том, что их многократные заверения и обещания об этом не будут выполнены. И лишь после провала наступательных операций армии и пышного расцвета иностранных интриг в связи с версальскими переговорами адмирал убедился в правильности моей точки зрения, о чем известил меня в очередном разговоре по прямому проводу со станции Татарская.

В это время Омск уже был оставлен. Неудачи на фронте генерала Деникина и разгром конницы генерала Маркова на юге дали возможность красным произвести давление всеми своими силами на фронте сибирских армий, вследствие чего они должны были отойти назад и Омск был эвакуирован правительством.

183

Прибыв на станцию Татарская, адмирал вызвал меня к прямому проводу и приказал в срочном порядке представить ему свои соображения о возможности практического осуществления мероприятий, предусмотренных моим планом, подготовив свой доклад ко времени прибытия Ставки в Иркутск. Одновременно сообщая мне о состоявшемся назначении моем на пост Главнокомандующего вооруженными силами Дальнего Востока и Иркутского военного округа, адмирал предупредил меня о возможности передачи мне всей полноты государственной власти в Восточной Сибири и на Д. В., ибо он предвидел неизбежность общего крушения национального движения в силу отсутствия согласованности боевых действий на разных фронтах, а также в результате вмешательства политических факторов в дело помощи, оказываемой нам союзниками. Предвидя неизбежность крушения, адмирал предполагал, как можно было понять из этого последнего моего разговора с ним, выехать за границу для переговоров с иностранными политическими деятелями, с целью склонить в пользу возобновления борьбы с красными в более широких масштабах.

Хотя наш разговор велся по изолированному проводу, тем не менее он стал известен социалистам и чехам, полагаю, через агентов Дунина-Яковлева, который все еще пребывал в должности иркутского губернатора и вел двойную политику, будучи тесно связан с красными партизанами.

Предвидя возможность каких-нибудь затруднений в дальнейшем продвижении поезда Верховного правителя на восток, я предлагал адмиралу бросить поезд и двигаться на лошадях в Урянхай, куда я вышлю надежный отряд монгол и казаков, под охраной которого Верховный правитель мог бы выйти снова на линию железной дороги восточнее Байкала. К сожалению, адмирал отклонил мое предложение, заверив меня, что, находясь под защитой пяти иностранных флагов, он рассчитывает в скором времени встретиться со мною в Чите.

Некоторое время спустя я получил телеграмму о том, что чехи не пропускают поезд Верховного правителя и последний просит меня воздействовать на них и на генерала Жанена в нужном направлении. По получении такого сообщения я немедленно приказал генерал-майору Скипетрову с тремя бронепоездами, Монголо-бурятским конным и Маньчжурским стрелковым полками двинуться навстречу поезду адмирала и, приняв его под свою охрану, следовать в Забайкалье, до пункта по указанию адмирала.

К ночи 31 декабря 1919 года отряд генерала Скипетрова сосредоточился на ст. Михалево, что в 30 верстах от Иркутска. К этому времени предместья города Иркутска (Звездочка и Глазково на левом берегу Ангары и Знаменское — за р. Ушаковка) находились в руках войск образовавшегося в Иркутске эсеровского «Политического Центра». Войсками этими командовал капитан Калашников. В самом городе Иркутске еще держались юнкера, сотня иркутских казаков и добровольцы из офицеров и солдат. Что касается станции Иркутск, то она находилась в руках чехов. На ст. Иркутск стоял поезд главнокомандующего союзными войсками французского генерала Жанена.

Ранним утром 1 января 1920 года авангард Скипетрова подошел к Иркутску, имея намерение с налета захватить станцию. Однако чехи предательски пустили на наш головной бронепоезд паровоз. Произошло столкновение, в результате коего у броневика оказался испорченным паровоз и разбита передняя артиллерийская площадка. Ж. д. полотно также оказалось поврежденным и загроможденным двумя паровозами и разбитой платформой. Пришлось остановиться около входных стрелок на станцию и выгружать части из эшелонов.

Несмотря на эту непредвиденную задержку, части генерала Скипетрова начали успешно занимать предместья Звездочку и Глазково, тесня калашниковцев к реке Иркут. Переправиться на правую сторону Ангары не было возможности, ибо Ангара еще не встала, а понтонный мост был разведен, так что связи между вокзалом и городом не было.

Только из Михалева удалось переправить в с. Листвиничное роту маньчжурцев, которая из Листвиничного на автомобилях была переброшена в Иркутск.

В разгар боя на левом берегу Ангары, когда части Скипетрова уже заняли всю Звездочку, в дело неожиданно вмешались чехи. Ссылаясь на приказание Жанена, они потребовали у генерала Скипетрова немедленно прекратить бой и отвести войска на ст. Байкал, грозя в противном случае применить вооруженную силу. В подтверждение своей угрозы чехи выдвинули против наших частей свой бронепоезд «Орлик», который по своему вооружению и оборудованию был сильнее наших трех броневиков, вместе взятых.

Ввиду невозможности связаться с городом и малочисленности нашего отряда, генералу Скипетрову ничего не оставалось, как отвести части сначала на ст. Михалево, а потом и на ст. Байкал.

Отступление наших частей на левом берегу Ангары произвело самое тягостное впечатление на гарнизон Иркутска, который тоже отступил на Лиственичное, а потом переправился на ст. Михалево.

8 января, на второй день праздника Рождества Христова, части генерала Скипетрова были предательски разоружены чехами на ст. Байкал. До какой степени нападение чехов на наши части было предательским, показывает тот факт, что представители чешского командования за два часа до нападения были с визитом у генерала Скипетрова и заверяли его в своей лояльности.

Конечно, генерал Скипетров никак не мог предполагать такого вероломства со стороны «братьев чехов» и не принял надлежащих мер предосторожности. Нападение на наши эшелоны чехи совершили в 12 часов дня, когда солдаты обедали.

Я был в курсе всех событий под Иркутском, но не был в состоянии предпринять что-нибудь против чехов, ввиду того что штабом генерала Жанена было доведено до моего сведения, что, если я допущу перерыв железнодорожного сообщения и доведу дело до вооруженного столкновения с чехами, союзники будут действовать против меня единым фронтом. Несмотря на это, я все же привел в боевую готовность все силы Читинского гарнизона и предъявил чешскому командованию требование о пропуске на восток поезда Верховного правителя и об освобождении захваченных чехами офицеров и солдат отряда генерала Скипетрова. Не имея возможности оказать давление на чехов на линии дороги, я взял под угрозу обстрела поезд командующего чешскими войсками генерала Сырового, но, к сожалению, мог добиться только частичного успеха — освобождения чинов отряда Скипетрова. Несмотря на то что представители японского командования в Иркутске предлагали генералу Жанену взять на себя охрану поезда адмирала Колчака и гарантировали безопасность его как в самом Иркутске, так и в пути следования его на восток, Жанен предпочел предать адмирала в руки красных.

Как известно, Жанен и чехи сбросили маски еще в Нижнеудинске, когда адмиралу было предложено перейти из его поезда в вагон с чешской охраной. В Нижнеудинске адмирал отчетливо понял, что он предан теми, кому он верил, что представитель «благородной и благодарной Франции» генерал Жанен и командующий чешскими войсками Сыровой решили взять на себя роль коллективного Иуды.

Между прочим, в Чите генералу Сыровому русские офицеры вручили под расписку 30 серебряных двугривенных — символическую плату за предательство.

Чувствуя, что надежды на благополучный проезд на восток нет никакой, адмирал Колчак 4 января 1920 года в гор. Нижнеудинске подписал указ о передаче мне всей полноты верховной власти на территории российской восточной окраины.

Верховный правитель был расстрелян вместе со своим премьер-министром Пепеляевым в Иркутске 7 февраля 1920 года. На первый взгляд покажется странным, почему глава национальной власти, боровшийся так упорно против Советов, не был даже увезен для суда в красную столицу и с ним расправились втихомолку, как будто опасаясь, что не успеют сделать этого, если будут откладывать исполнение приговора до суда. Как будто его пленение и суд над ним даже не интересовали тех, кто еще недавно с трепетом произносил имя адмирала. Ответ на это недоумение весьма прост. В это самое время Сибирская армия подходила с запада к Иркутску. Большевики не имели сил оказать ей сопротивление и опасались возможности освобождения Верховного правителя из красного плена, что неминуемо произошло бы, если бы армия атаковала Иркутск. К несчастью, этого не случилось, хотя в случае атаки города серьезного сопротивления там оказано быть не могло. Иркутская революционная власть уже готовилась к эвакуации города, но судьба, или ошибка каппелевского командования, заставила армию обойти Иркутск стороной, оставив Верховного правителя в руках красных палачей.

Каким же образом могло случиться, что Верховный правитель, находившийся под защитой союзных флагов, был выдан красным?

Дело в том, что в этот период времени, по признанию самого командующего чешскими войсками генерала Сырового, дисциплина в чешских полках была настолько расшатана, что командование с трудом сдерживало части. Грабеж мирного населения и государственных учреждений по пути следования чехов достиг степеней совершенно невероятных. Награбленное имущество в воинских эшелонах доставлялось в Харбин, где продавалось совершенно открыто чехами, снявшими для этой цели здание местного цирка и устроившими из него магазин, в котором продавались вывезенные из Сибири предметы домашнего обихода, как-то: самовары, швейные машины, иконы, серебряная посуда, экипажи, земледельческие орудия, даже слитки меди и машины, вывезенные с заводов Урала.

Помимо открытого грабежа, организованного, как видно из предыдущего изложения, на широких, чисто коммерческих началах, чехи, пользуясь безнаказанностью, в громадном количестве выпускали на рынок фальшивые сибирские деньги, печатая их в своих эшелонах. Чешское командование не могло или не хотело бороться с этим злом, и подобное попустительство влияло самым развращающим образом на дисциплину в полках чешских войск. Что же удивительного в том, что, получив в свою власть состав Верховного правителя, в котором, кроме вагонов Ставки, находился весь золотой запас Российского государства, чехи быстро пришли к соглашению с красными и продали им Верховного правителя за наличный расчет в золоте? Сопоставляя данные о количестве золота, отправленного из Омска, с количеством принятого большевиками от чехов в Иркутске, мы можем восстановить более или менее точную сумму, в которую был оценен адмирал Колчак. Оставшийся у красных генерал Болдырев в своих записках указывает, что чехами в Иркутске было сдано красным всего 250 миллионов золотых рублей, тогда как, по сведениям лиц, сопровождавших этот литерный поезд, количество отправленного из Омска золотого запаса превышало эту сумму более чем в два раза.

Изменивши своему императору в период Великой войны, сотнями тысяч сдаваясь в плен, чехи вторично показали себя предателями, на этот раз изменив общеславянскому делу, предав красным национальную Россию и ее вождя — покойного адмирала Колчака.

Интересно отметить, что на мои решительные протесты против повального грабежа, который учинили чехи в Сибири, я долгое время спустя получил от союзного командования пояснение, что в его задачи не входит забота об охране интересов населения от кого бы то ни было, а оно стремится лишь к возможно скорейшей эвакуации чешских войск из Сибири, чтобы этим закончить свою миссию по интервенции в Сибирь.

Роковая ошибка Верховного правителя, оторвавшегося от армии и вверившего свою жизнь союзному командованию, а также крупные неудачи на фронте повели к тому, что Сибирская армия, потерявшая связь с центром управления национальным движением и предоставленная самой себе, утратила силу сопротивляемости и не видела перед собой каких-либо возможностей к дальнейшему противодействию поступательному движению красных и восстановлению утраченного положения. Ею овладело стремление на восток, где дальневосточная армия продолжала борьбу с красными на Амурском фронте и где частям сибирских войск представлялась возможность отдохнуть, переформироваться и вновь вступить в борьбу. Вся армия неудержимо стремилась на восток во что бы то ни стало, пробиваясь силой в местах, где красные партизаны преграждали ей путь.

В конце января 1920 года в Чите начали циркулировать слухи о движении армии генерала Каппеля к Байкалу. Высланная на Байкал разведка подтвердила факт перехода расстроенных частей Сибирской армии по льду через Байкал. Армия дошла до Забайкалья в совершенно расстроенном в материальном отношении состоянии, но сохранившей свою боеспособность и стремление к продолжению борьбы. Однако продолжительный и тяжелый по своим условиям зимний поход через всю Сибирь, сопровождаемый чуть ли не ежедневными столкновениями с многочисленными партиями красных партизан, не мог не отразиться на этой армии в смысле внешней дисциплины.

Все же должно сказать, что солдатская масса и командный состав ее, в общем, представляли собою великолепный материал, который мог бы быть использован для организации образцовых частей национальной армии. Только что проделав легендарный по тяжести условий зимний поход через всю Сибирь, армия очистилась от всего слабого, непригодного, отпавшего от нее в пути. В Забайкалье пришли люди наиболее крепкие физически и наиболее стойкие в идеологическом отношении. С такой армией можно было не бояться никаких лишений, ибо все лишения она уже испытала, и никакой пропаганды большевиков. Нужен был только вождь, чтобы привести ее в порядок. Но такого вождя не было. Генерал Каппель не вынес тяжести похода, в котором он показывал пример доблести и самопожертвования, и скончался от тяжелой болезни почти накануне прибытия армии в Забайкалье. С его смертью не осталось никого, кто бы мог объединить армию и подчинить ее своему авторитету и власти. Утрата генерала Каппеля была тяжелым ударом для всего национального движения. Он пользовался заслуженной популярностью во всех слоях армии и силой своего авторитета сдерживал разношерстный и разнообразно мыслящий командный состав армии.

Общая численность пришедшей из Сибири армии достигала 11 тысяч бойцов, находившихся в строю, и примерно такого же числа больных тифом в различных его формах и стадиях. Эта незначительная по численности группа войск изображала из себя три армии, кои путем больших усилий мне удалось свести в два корпуса.

Сразу же после этой реформы против меня началась кампания со стороны высшего генералитета армии.

Покойный генерал-лейтенант Дитерихс, генерал-майор Акинтиевский, генерал-майор Пучков, генерал-майор Сукин стояли во главе этой кампании, направленной как против меня, так и против порядков, заведенных в Чите. Особенно искусным в области закулисной борьбы оказался Сукин, который пустил в обращение мнение, что, приняв после покойного адмирала руководство национальным движением, я взялся не за свое дело, не будучи офицером Генерального штаба и не имея специальной подготовки для общественно-политической деятельности. Когда я узнал, где находился источник этих разговоров, я вызвал к себе генерала Сукина и спросил его, насколько справедливы дошедшие до меня разговоры и почему он, офицер Генерального штаба, занимается безответственной интригой и разложением армии, вместо того чтобы приложить свой опыт и знание к делу национального возрождения родины. В ответ генерал-майор Сукин решительно опроверг свое участие в кампании, поднятой против меня, и просил дать ему возможность быть полезным общему делу на соответствующем его подготовке посту. Он был зачислен в мой штаб на должность генерал-квартирмейстера, но оставался в этой должности недолго и не проявил себя в ней абсолютно ничем.

Генерального штаба генерал-лейтенант Сахаров, бывший командующий фронтом в Западной Сибири, предупреждал меня о всех трудностях, ожидавших меня при попытках поднять дисциплину и реорганизовать пришедшие с запада части. По чувству долга он старался помочь мне правильно ориентироваться в хаосе настроений и политических течений, существовавших в армии, но, к сожалению, помощь его не могла быть продолжительной, так как он вскоре выехал в Европу.

Генерал-лейтенант Войцеховский привел армию в Читу, заменив скончавшегося в походе генерала Каппеля. Генерал Войцеховский не особенно стремился привести в порядок подчиненную ему армию, так как в то время он уже решил перейти на службу в чешскую армию и вследствие этого был мало заинтересован в исходе борьбы с красными в Сибири.

Войцеховский безусловно обладал всеми качествами выдающегося военачальника, и при желании он мог бы крепко держать армию в своих руках, но вскоре он вышел в отставку и выехал на службу в Чехословакию, где, кажется, ныне занимает крупный пост.

Прощаясь со мной перед отъездом, Войцеховский подробно изложил мне причины волнений среди части командного состава пришедших частей Сибирской армии.

Как на главнейшую он указал на вредную работу небольшой группы лиц из высшего командования армии, агитировавших за непризнание указа Верховного правителя о передаче мне власти.

Войцеховского также пытались втянуть в эту кампанию, но он от участия в ней уклонился самым категорическим образом.

После отъезда генерала Войцеховского на пост командующего армией мною был назначен генерал-лейтенант Лохвицкий, взявший начальником штаба к себе генерала Акинтиевского. Новый командующий армией быстро подпал под влияние группы генералов-оппозиционеров и повел политику отчуждения меня от моих коренных частей, составлявших 1-й корпус Д. В. армии, под командой генерал-лейтенанта Д.Ф. Семенова, и Азиатскую конную дивизию генерала, барона Унгерна. Для достижения поставленных им себе целей генерал Лохвицкий предложил мне ввести некоторые части Сибирской армии в состав 1-го корпуса. Я не только согласился с этим, включив все пришедшие с запада казачьи части в состав 1-го корпуса, но пошел еще дальше, влив остатки 1-й кавалерийской дивизии в состав моей Маньчжурской дивизии (О. М. О.) и назначив начальником этой дивизии генерал-лейтенанта Кислицина, пришедшего в Читу с частями Сибирской армии.

Вскоре после этого генерал Лохвицкий потребовал от меня удаления из армии генерала, барона Унгерна, поставив вопрос так: или он, Лохвицкий, или барон. Я предложил Лохвицкому поехать в отпуск и сдать армию командиру 2-го корпуса генерал-лейтенанту Вержбицкому.

Генерал Вержбицкий не принял решительных мер против интриганов, и искусственно раздуваемая в армии рознь между «каппелевцами» и «семеновцами» не прекратилась и при нем.

После эвакуации японских войск из Забайкалья моя ставка была перенесена в Даурию. В Чите оставался штаб армии во главе с генералом Вержбицким, который принимал участие в переговорах, ведшихся в то время между независимыми правительствами Верхнеудинска, Читы и Владивостока. Переговоры эти велись по инициативе Народных собраний каждой области и касались образования самостоятельного буржуазно-демократического буфера на дальневосточной окраине, совершенно независимого от советской России.

По настойчивому приглашению командующего армией генерала Вержбицкого я в конце октября 1920 года отправился в Читу на совещание по вопросу о дальнейших переговорах с Верхнеудинском. Я прибыл туда в броневом поезде и оставался в Чите в нем же. Ночью я был разбужен начальником гарнизона Читы генералом Бангерским, который сообщил мне, что красные внезапно напали на железнодорожную линию в районе станции Карымская, захватили эту станцию и основательно разрушили пути и довольно значительный мост через реку Ингоду около этой станции. Броневые поезда и части Маньчжурской дивизии были срочно брошены в прорыв и вели бой с превосходными силами красных.

Вслед за тем я получил донесение от своей контрразведки, что член Народного собрания Забайкальской области Виноградов с согласия штаба армии ведет переговоры с правительством Верхнеудинска о капитуляции армии, одним из условий которой являлся мой арест и выдача красным.

Видя, что я не имею возможности рассчитывать на штаб армии и части 2-го и 3-го корпусов, и не имея около себя никаких коренных своих частей, кроме бронепоезда, совершенно бесполезного при создавшейся обстановке, я был вынужден вылететь на аэроплане в Даурию, где меня ожидали части 1-го корпуса генерал-лейтенанта Мациевского, заменившего в должности командира корпуса генерал-лейтенанта Д.Ф. Семенова.

Аэроплан с пилотом полковником Кочуриным был неисправен, и в течение всего полета, продолжавшегося 2 часа 15 минут, механик у меня в ногах паял бензиновый бак.

Глава 6
ПОЛОЖЕНИЕ В ЗАБАЙКАЛЬЕ

Значение армии в государстве. Организация армии и управление ею. Вовлечение армии в политику. Политические партии и эволюция их. Вождизм. Партийная диктатура. Мое решение уйти в Монголию. Соглашение с монголами. Переговоры с китайскими монархическими кругами. Международный фронт борьбы с коммунизмом. Обстановка в Забайкалье. Образование кадра Монгольской армии. Финансовая подготовка монгольской экспедиции. Трудность подготовки движения. Первые успехи Унгерна. Недоразумения между ним и монголами. Противодействие красных. Сосредоточение частей 1-го корпуса в Маньчжурии. Вынужденное изменение плана.

Аппаратом, регулирующим функции государственного организма, всегда является армия. Только правильно созданный аппарат армии может охранить базу государственного строительства как от внутренних, так и от внешних потрясений. Но сила военной организации заключается в ее дисциплине, поэтому, если армия спаяна единой волей командования и цементирована твердой дисциплиной, государство может спокойно существовать и развиваться.

Всегда и везде армия, какова бы она ни была — республиканская, монархическая или даже коммунистическая, — должна управляться единой волей. Это — общеизвестная истина, и коллективная система управления армией нигде не имела успеха. Когда большевикам понадобилось развалить старую Российскую армию, они пропагандировали коллективное управление ею, но, как только им удалось захватить власть и пришлось думать о защите ее, принципы коллективности и ставка на «сознательность» солдатской массы были немедленно сданы в архив.

Наряду с тем, нет более опасного шага, как вовлечение армии в политическую борьбу и возникновение партийности в ее рядах. В настоящее время многие считают, что армия должна знать, за что она борется. Но армия всегда защищает Родину, Нацию и Религию. Разве могут существовать стимулы, более побудительные для проявления жертвенности и героизма со стороны правильно воспитанной армии? Наивно думать, что программа какой-нибудь политической партии может быть более ценной, чем указанные лозунги для любящих свое отечество офицеров и солдат. Я полагаю, что политические рецепты различных партий годны лишь для политиканов, делающих профессию из политических интриг и подсиживаний, но не для защитников родины и своего народа, и среди последних не должно быть места для людей, кои ловко подтасованные политические лозунги, с подпирающей их политической программой, будут считать более сильным побудительным средством для армии бороться за родину и нацию, чем долг всех граждан перед своим отечеством и своим народом.

Наблюдения за эволюцией каждой политической партии, имеющей в основе своей зародыш государственности, показывают, что такие партии после прихода их к власти неизбежно обращаются к национальному объединению во имя общего блага за счет чистоты и неприкосновенности своих партийных программ. Разительный пример в этом отношении представляет собою развитие фашизма в Италии, который ныне перестал быть самодовлеющим фактором государственной жизни страны, растворившись во всей совокупности интересов государства. Нельзя, конечно, отрицать того обстоятельства, что фашизм, как доктрина, близкая национальному бытию итальянского народа, содействовал Муссолини в деле объединения им нации, сыграв в нем тактическую роль. Но специфическая роль фашизма была закончена одновременно с захватом столицы Муссолини, и дальше на сцену выступили уже общегосударственные интересы. И мы видим, что достижения Муссолини неоспоримо велики именно потому, что фашизм не стремился подчинить интересы нации политической программе, а сам растворился в нации. И теперь уже не важно, останется в будущем Италия фашистской или нет. Не менее значительна роль Гитлера в политической жизни Германии, но и в этом случае мы видим на первом плане личность вождя, которому верят массы, а национал-социалистическая доктрина как таковая явилась лишь тактическим приемом политики Гитлера, тем более что в данном случае все стремление нации было направлено на освобождение страны от унижения и гнета Версальского договора.

Все это возможно при наличии во главе движения такой сильной личности, которая смогла бы силой своего влияния заставить массы поверить себе и могла повести их за собой. Если же такой силы и такого влияния на массы в наличии не будет, то и какая-либо партийная программа помочь не в состоянии, тем более что о ценности такой программы надлежит судить лишь после того, как ее принципы оправдают себя, будучи приложены к практической жизни. В противном случае неизбежно полное разочарование в партии, в ее способности быть полезной стране и народу. Русский народ в свое время поверил партии и пошел за ней, ожидая от нее осуществления обещанных мероприятий и улучшений. И поддержка народа была столь сильна, что небольшая в численном отношении партия большевиков поборола в конце концов все препятствия, стоявшие на ее пути к власти. Ленин, руководивший партией в первые дни ее диктатуры, правильно учитывал роль партии в государственном строительстве, и потому он не колебался изменять и совершенно выбрасывать те пункты партийной программы, которые, как выяснила практика, оказались нежизненными или неприспособленными к характеру и интересам русского народа. После смерти Ленина партия подпала под исключительное влияние нового диктатора Сталина, который чистоту догмы социалистического устройства общества ставит превыше всего. И после первых же опытов насильственного внедрения этих догматов в обыденную жизнь народа партия потеряла доверие страны, ее пребывание у власти стало возможно лишь при наличии чудовищного полицейского нажима на народ, но теперь уже становится ясным, что никакой полицейский нажим, никакой террор не спасет партию от гибели и возмездия обманутого народа. И все новые обещания, всякий новый обман советской Конституции теперь уже никого не смогут заставить поверить большевикам.

Но в дни Ленина большевики еще не успели показать свою полную несостоятельность и народ верил им больше, чем нам. Сочувствие населения было на стороне красных, нас, белых, поддерживала лишь сравнительно небольшая группа интеллигенции в городах и казачество. Международная обстановка с окончанием войны также изменилась не в нашу пользу, причем эта эволюция шла очень быстрым темпом. Некоторые иностранные державы, в частности Франция, уже в 1919 году вступили в сношения с большевиками, ведя секретные переговоры о ликвидации национального движения в России. По данным, имевшимся у меня в распоряжении, поборниками подобного направления курса политики Франции были ее представители в Сибири, высокий комиссар, граф Мартель и командующий союзными войсками в Сибири генерал Жанен. Их отношение к адмиралу Колчаку и отношение Франции к генералу

197

Врангелю достаточно показательны, чтобы требовалось еще искать каких-то дополнительных доказательств в подтверждение их враждебных чувств к национальной России.

Фактическая обстановка после падения Омска и разгрома Сибирской армии, как внешняя, лишившая меня возможности иметь необходимое для борьбы снабжение, так и внутренняя, не оставляли никаких иллюзий в отношении возможности продолжения борьбы в Забайкалье. Необходимо было решить, что делать: или продолжать сопротивление наступавшим красным в Забайкалье, или искать новую базу.

Все наличные данные и обстоятельства были мною тщательно взвешены и привели меня к решению уйти в Монголию, в Ургу, где я имел уже достигнутое взаимопонимание с правительством Богдо-Хутухты, несмотря на все препятствия, которые чинились мне при этом представителями старой дипломатии, оставшимися на местах прежней своей службы и пользовавшимися еще некоторым влиянием в силу прежнего своего служебного положения. Беспристрастно говоря, мне пришлось, ведя борьбу с большевиками, с неменьшим упорством бороться с представителями отжившей российской бюрократии, как в лице старых администраторов, так и в лице большинства наших дипломатических представителей за границей. Как те, так и другие решительно отметали революцию, которая их ничему не научила, и являлись апологетами чистой реставрации старого строя, не допуская никаких отклонений от его принципов даже в период революционной борьбы с Коминтерном. Характерным показателем, подтверждающим правильность высказанного, могут служить советские журналы «Новый Восток», статья «Японский империализм», «Тихий Океан» за 1934 год, № 2, и книга «Атаман Семенов и Монголия», в которых фигурируют документальные данные, добытые из захваченного большевиками архива Омского правительства, о доносах на меня в Омск, с усилиями очернить мои действия и придать им характер полной безответственности.

Мое решение перенести борьбу с большевиками на территорию Монголии подкреплялось еще тем обстоятельством, что с эвакуацией чехов из Сибири материальная помощь национальному движению была полностью прекращена, а передача чехами российского золотого запаса большевикам ставила это движение в совершенно безвыходное в смысле его финансирования положение. Кроме того, у себя в тылу я имел опасного врага в лице китайского империализма, возросшего в Маньчжурии под эгидой маршала Чжан Цзолиня. Для противодействия его политике в Маньчжурии мне пришлось вступить в особые отношения с некоторыми из подчиненных ему генералов, среди которых я нашел горячих сторонников моей идеологии в вопросах борьбы с коммунизмом и реставрации монархического строя в Китае. Уже тогда, в 1919—1920 годах, многие из передовых маньчжур понимали, что восстановление императорской власти в Китае является единственной возможностью благополучно ликвидировать тот хаос, который когда-то заварил д-р Сунь Ятсен и с которым сами китайцы до сего времени не могут ничего поделать. Между тем коммунисты, всегда стремящиеся использовать противоречия буржуазного строя в интересах мировой революции, не преминули извлечь для себя все возможное из китайской неразберихи, и три принципа д-ра Суня, ярко окрашенные в красный цвет, были использованы ими для пропаганды революционных идей китайским политическим деятелям и массам населения.

Идея организации борьбы с коммунизмом в международном масштабе явилась у меня с первых же шагов моей деятельности на политическом поприще и была вызвана действиями самих большевиков, которые, едва захватив власть на Дальнем Востоке и в Сибири, сейчас же привлекли военнопленных и китайцев в ряды Красной армии, создавая из них так называемые «интернациональные» части.

Для противодействия красной пропаганде в Китае я задумал привлечь к делу борьбы с Коминтерном представителей китайской общественности, и лучшие генералы армии Чжан Цзолиня примкнули к проектируемому мною плану. Первым, поддержавшим мою идею объединенной борьбы России и Китая против Коминтерна, был светлой памяти покойный ныне генерал Чжан Куйу, который был умерщвлен впоследствии Чжан Цзолинем. К нам примкнул и генерал Гын Юйтин, также казненный в Мукдене. Наиболее длительное и активное содействие мне в борьбе с красным злом было оказано генералом Чжан Хайпыном, ныне маршалом Маньчжурской империи.

Помимо военных, мне удалось заручиться содействием и сочувствием многих общественных деятелей, ныне занимающих выдающиеся посты в молодой Маньчжурской империи. К числу этих лиц относятся: г. Ло Чжуюй, г. Тоин, г. Се Чжеши и знаменитый ученый г. Кан Ювей. Содействие и расположение перечисленных лиц укрепляло меня в неизбежности конечного торжества Белой идеи, тем более что, несмотря на все препоны, которые ставились мне на пути привлечения монгол к общему фронту борьбы с Коминтерном, мне все же удалось вполне договориться с ними при содействии М.А. Шадрина, бывшего переводчика штаба Заамурского военного округа. Знаток монгольского и китайского языков, М.А. Шадрин проявил много энергии и труда по организации монгольского съезда в Чите, на котором были решены первостепенной важности вопросы координированных действий наших против красных.

Итак, невозможность продолжать борьбу на родине, вследствие отсутствия поддержки со стороны уставшего от войны населения, вследствие прекращения возможности иметь нужные для борьбы ресурсы, наконец, вследствие необеспеченности коммуникации по КВЖД, поставила меня перед необходимостью перемещения базы борьбы с Коминтерном с российской территории в Монголию.

Кадр монгольской армии в Забайкалье мною уже был создан и состоял из азиатского корпуса под командой генерал-лейтенанта, барона Унгерна. Был также заготовлен некоторый запас вооружения для развертывания новых формирований в Монголии. Все работы по подготовке азиатского корпуса к походу в Монголию пришлось держать в строгой тайне, и о задуманном мною плане знал ограниченный и особо доверенный круг лиц.

Идею этого движения полностью разделял духовный глава Внутренней Монголии Богдо Наинчи Хутухта, который агитировал среди монгол за поддержку моего плана. Впоследствии китайцы жестоко отплатили ему за эту поддержку: будучи обманным образом завлечен китайцами к себе, он был расстрелян ими без всякого суда. В осуществлении моего плана близкое участие принимал и представитель княжества Хамба, который одновременно являлся и посланцем ко мне далай-ламы; а с многими прочими представителями теократической власти в Монголии, Тибете и Синцзяне было достигнуто взаимное понимание.

Самое трудное было обеспечение финансовой базы похода и существования корпуса в Монголии в первое время, до занятия им Калгана. С занятием этого пункта монголами мы включили в наше движение крупные китайские группировки, имевшие своей целью реставрацию монархического строя в Китае. Монголия же должна была приобрести полную политическую самостоятельность и искать союза с Китайской империей для совместной с нами борьбы с Коминтерном. В финансовом отношении азиатский корпус был снабжен, конечно, недостаточно, но я не мог отпустить в распоряжение барона Унгерна более 7 миллионов золотых рублей.

Обстановка последних дней моего пребывания в Забайкалье была настолько тяжела, что предполагаемое движение азиатского корпуса необходимо было тщательно скрывать не только от красных, но и от штаба армии. Тем не менее удалось сделать все, что было возможно, при ограниченных наших ресурсах и при тех труднопреодолимых пространствах, которые отделяли нас от руководящих центров ламаистских владык, с сохранением полной тайны. В интересах той же маскировки истинных целей движения, после выхода последних частей корпуса из пограничного района Акша-Кыра я объявил о бунте азиатского конного корпуса, командир которого, генерал-лейтенант, барон

Унгерн вышел из подчинения командованию армии и самовольно увел корпус в неизвестном направлении.

В самом начале движения барон Унгерн имел успех и быстро занял столицу Северной Монголии — Ургу. Однако с занятием Урги и установлением непосредственной связи с правительством хутухты начались недоразумения между монголами и бароном, которые были вызваны диктаторскими тенденциями последнего. Такое явление вполне могло иметь место, так как прибывший в мае 1921 года из Урги князь Цебен жаловался мне, что барон Унгерн совершенно не желает придерживаться вековых традиций монгольского правящего класса, игнорируя их со свойственной ему прямолинейностью. С этим надо было серьезно считаться, но особой угрозы факт этот пока не представлял, так как азиатский корпус фактически был предназначен к роли авангарда моего движения, ибо вслед за ним должен был выступить я с остальными кадровыми частями Дальневосточной армии.

Красная Москва забила тревогу. Подготовляя движение в Азию для революционизации ее путем овладения Монголией и Синцзяном, красные должны были приложить все старания к полной ликвидации частей барона Унгерна, и потому ими были приняты в этом направлении все меры подкупа и провокации, помимо отправки навстречу барону крупных частей Красной армии. Движение барона Унгерна не встретило сочувствия также со стороны политических представителей иностранных держав в Китае, Монголии и Синцзяне, которые не понимали агрессивных планов Коминтерна в отношении материка Азии и рассматривали поход барона Унгерна с точки зрения чистой авантюры.

После выступления азиатского корпуса и занятия им Урги я стал подготовляться к походу вслед за ним. Для этого необходимо было по возможности безболезненно вывести из боя части 1-го корпуса генерала Мациевского, который составляли казачьи полки и полки моего старого Особого маньчжурского отряда. Постепенно я начал стягивать их к границам Маньчжурии, чтобы впоследствии их можно было легко перебросить в район Хайлара, где к ним должны были присоединиться китайские части генерала Чжан Куйу для того, чтобы совместно двигаться на Ургу. Одновременно части Сибирской армии должны были быть эвакуированы в Приморье. К 20 ноября я должен был вывести армию на маньчжурскую территорию и надолго проститься с родным мне Забайкальем.

Однако в последний момент обстановка сложилась так, что мне внезапно пришлось изменить свой план.

Я вынужден был отказаться от намерения идти в Монголию и принял решение перебросить свою ставку и всю армию целиком в Приморье.

В Приморье, как я точно знал, находилось на складах свыше 60 тысяч винтовок с большим количеством патронов к ним, а также предметы воинского снаряжения и обмундирования. Все это могло быть использовано для нужд Дальневосточной армии.

Приняв это решение, я должен был немедленно известить барона Унгерна и генерала Чжан Куйу об изменении принятого нами плана и о внесении вытекающих из этого коррективов в выполнение намеченных операций. Кроме того, я инструктировал барона, каким образом ему следовало поддерживать добрые отношения с монголами, чтобы не оттолкнуть их от себя и тем не провалить всей намеченной кампании.

Конечно, если бы я предполагал, что мне с кадровыми частями 1-го корпуса не удастся последовать в Монголию немедленно вслед за азиатским корпусом, я учел бы особенности характера барона Унгерна, прямолинейность и непосредственность которого затрудняли установление надлежащих взаимоотношений с монгольскими вождями. Может быть, пришлось бы выбрать другое лицо для возглавления экспедиции, но, считая корпус Унгерна лишь авангардом своих сил, я не придавал особого значения этим качествам, рассчитывая, что руководство экспедицией и сношения с монголами будут находиться в моих руках и что я сумею надлежащим образом оказывать влияние на Романа Федоровича. Теперь же, с изменением плана, приходилось ограничиться лишь письменными указаниями ему, и я весьма опасался, что это могло оказаться недостаточным. Поэтому я командировал несколько своих офицеров к барону и сам предполагал вернуться к проведению в жизнь своего плана так скоро, как только обстоятельства это позволят. Я был уверен в том, что нам не придется долго задержаться в Приморье, ибо политика Японии в то время была уже ясна и можно было с уверенностью предполагать, что она выведет свои войска из пределов российской восточной окраины прежде, чем нам удастся закрепить свое положение в Приморском крае.

Исходя из изложенных соображений, я приказал забайкальским частям корпуса генерала Мациевского оставаться пока в Хайларе, за исключением одной бригады, которая должна была быть переброшенной вместе с остальными частями корпуса в Приморье, что было согласовано с генералом Чжан Куйу, с которым в то время должен был считаться сам глава трех восточных провинций маршал Чжан Цзолинь.

Сам же я принял решение по прибытии в Приморье немедленно совершить переворот во Владивостоке, удалив оттуда так называемое Земское правительство (Антонова), ради сохранения находившихся в городе ценностей и обращения их на нужды продолжения борьбы с Коминтерном. Заручившись содействием некоторых китайских военачальников в Северной Маньчжурии, я получил уверенность в том, что мне удастся, раньше чем экспедиционные силы Японии оставят русскую территорию, эвакуировать все ценное из Приморья в Хайлар. Кроме того, я предполагал, что амурские и уссурийские казаки уйдут вместе со мной и добровольцами Дальневосточной армии из Приморья.

Имея влиятельных сторонников в Мукдене, Пекине и Халхе, можно было снова попытаться осуществить план движения от Хайлара на Ургу.

Глава 7

ОТХОД АРМИИ В ПРИМОРЬЕ

Выход частей армии в Маньчжурию. Неудачи Белого движения и их причины. Мой отъезд в Гродеково. Подготовка переворота в Приморье. Прибытие во Владивосток. Отказ штаба армии от подчинения мне. Срыв намеченного плана. Вынужденный мой отъезд в Порт-Артур. Разработка нового плана движения. Инструкция барону Унгерну. Двуличие Меркуловых. Легкомыслие генерала Савельева. Мой отъезд во Владивосток. Попытка арестовать меня. Противодействие моей высадке на берег. Протест консульского корпуса и мой ответ на него. Переговоры и разрыв с Меркуловыми.

К 20 ноября 1920 года все части Дальневосточной армии под моим личным руководством были выведены с территории Забайкалья в Маньчжурию. Таким образом, первый период нашей трехлетней борьбы с Коминтерном был закончен и принес нам крушение наших надежд и уничтожение национальной государственности на территории Сибири и Забайкалья.

Причины, кои привели к столь печальным результатам национальные группировки, сложны и многообразны. Большую роль в наших неудачах сыграла неискренность союзников, некоторые из которых, как, например, американцы и французы, определенно играли на два фронта.

Надо сказать, что, в то время как белые вожди не старались заинтересовать иностранные державы в помощи нам, большевики не скупились на обещания всевозможных выгод за прекращение интервенции и признание советской власти.

Категорический отказ правительства Юга России признать лимитрофы оттолкнул от белых эти новые государства и покровительствующие им державы.

Нами в этом случае не было проявлено достаточно гибкости, мы еще не уяснили себе послевоенного принципа дипломатии: «обещать еще не значит исполнять». Мы были слишком прямолинейны и излишне искренни и откровенны.

Русские националисты не имели должного единства и раздирались партийностью и разными оттенками политических взглядов и подходов к одним и тем же целям и задачам.

В белом стане не было выработано единой, четкой идеологии, не было выброшено лозунга, который в то время мог бы привлечь к нам симпатии крестьянских и рабочих масс.

В своих декларациях белые правительства подчеркивали, что им чужды реставрационные замыслы, но о будущем устройстве Российского государства говорили в весьма неопределенных тонах, что давало повод правым элементам укорять белых в «левизне», а левым — в реакционности.

Крестьянство ждало от белых немедленной земельной реформы, но она откладывалась до окончания Гражданской войны, что дало большевикам отличную почву для агитации и запугивания крестьян возвращением помещиков.

В то время как мы говорили населению только об обязанностях, большевики твердили ему о правах — на землю, на фабрики, на заводы и на все, что составляло достояние имущих классов.

Еще не в достаточной мере испытавшее, во что претворяются все большевистские посулы, крестьянство и особенно рабочие в подавляющем большинстве пошли за красными, отшатнувшись от нас.

Нам приходилось опираться только на офицерство, на казаков и на часть городской интеллигенции.

Что касается буржуазии, то она проявила весьма мало жертвенности и больше зарабатывала на Белых армиях, чем помогала им, хотя казалось бы, что именно она больше всего должна была оказывать нам содействие.

Гражданская война в России дала много Пожарских, но очень мало Мининых.

К этому еще нужно добавить, что большинство бойцов Белых армий провело на фронте Великой войны свыше трех лет, после чего без всякого перерыва им пришлось принять участие в Гражданской войне, еще более жестокой и тяжелой, чем та, с которой они только что вернулись. Это, конечно, тоже оказало свое влияние на исход Белой борьбы.

Эвакуация из Забайкалья была проведена планомерно и спокойно. Красные держались пассивно и частей, выходящих из боя, не преследовали. В Маньчжурии были сосредоточены достаточные запасы продовольствия. Штаб армии был снабжен мною деньгами в золоте на весьма крупную сумму. Эти деньги предназначались мною за перевозку частей армии по КВЖД, а также для распределения между обществами взаимопомощи чинов армии. Это были последние денежные ресурсы, находившиеся в моем распоряжении.

24 ноября я отбыл через Харбин на Гродеково. 27 ноября я туда прибыл, испытав в пути некоторые неприятности, особенно в Харбине, где вооруженная команда китайских солдат пыталась проникнуть ко мне в вагон, не объясняя целей, с какими была предпринята эта попытка. К приезду моему в Гродеково там находилась незадолго до этого сформированная генерал-майором Н.И. Савельевым Уссурийская казачья бригада.

В Гродекове мне пришлось пробыть около недели, ожидая предоставления мне возможности переехать во Владивосток, где я намеревался осуществить задуманный переворот, который тем временем подготовлялся путем соответствующей обработки общественного мнения города. За эту неделю я имел возможность убедиться в том, что настроение уссурийских казаков было направлено вполне определенно против красных; это обстоятельство укрепляло меня в уверенности, что план переворота во Владивостоке является вполне осуществимым и для пользы дела необходимым. Я поручил генералу Савельеву продолжать подготовку к одновременному перевороту в Никольск-Уссурийском и Владивостоке и 5 декабря, с соблюдением полного секрета, выехал во Владивосток. По прибытии я был встречен представителем японского командования, охраной которого я был огражден от всякого рода случайностей, которые были бы неизбежны, если бы красные узнали о моем прибытии в город. Спустя несколько часов после прибытия в город мне было предложено переместиться на японское судно, стоявшее в то время пришвартованным к гавани порта. Но мое пребывание на нем, так же как и в самом городе, оказалось, однако, весьма кратковременным, и я вынужден был отказаться от немедленной реализации намеченной себе программы ввиду событий, происшедших в армии вслед за моим отъездом из Маньчжурии.

Немедленно по прибытии во Владивосток в вагоне я имел встречу с начальником штаба экспедиционных войск генерал-майором Такаянаги. От него я впервые услышал, что давно подготовляемое некоторыми генералами Сибирской армии выступление против меня, как правопреемника власти покойного адмирала Колчака, было осуществлено на станции Маньчжурия после того, как я покинул пределы этой станции. При этом генерал любезно обещал мне немедленно принять меры к детальному осведомлению меня обо всем, происшедшем в армии.

Как оказалось из информации, полученной мною из штаба экспедиционных войск, генерал-лейтенант Вержбицкий, генерал-майор Петров, командиры 2-го и 3-го корпусов генерал-майоры Смолин и Молчанов заявили о своем отказе от дальнейшего подчинения мне как главнокомандующему, о чем, по поручению указанных выше лиц, Генерального штаба полковник Ловцевич сделал официальное заявление начальнику Императорской японской военной миссии в Харбине генерал-майору Хамомоте.

Этим актом открытого неповиновения мне генералы Сибирской армии заставили меня отказаться от попытки произвести немедленный переворот во Владивостоке и воссоздать противокоммунистический фронт в Приморье. Действительно, при создавшихся условиях не могло быть и речи о реализации ранее намеченных шагов, ибо я как главнокомандующий имел бы внутренний фронт против себя после переброски частей армии в Приморье. Подобное положение грозило бы неминуемым нарушением порядка в зоне железнодорожной магистрали Пограничная—Владивосток, ответственность за который лежала на командовании японских экспедиционных войск. Таким образом, план образования национальной государственности в Приморье был сорван. Мало того, было затруднено мое дальнейшее пребывание на приморской территории, так как я получил определенный совет покинуть Приморскую область, дабы не служить причиной возможных столкновений между частями армии, причем мне было дано понять довольно ясно, что в случае отказа моего выехать из Приморья верные мне части Дальневосточной армии и их семьи не будут впущены туда из Пограничной, что обрекло бы их на голод и распыление. Хуже всего было то, что я не мог вернуться и к реализации моего первоначального плана Монгольского похода, ибо части 1-го корпуса, предназначенные к участию в экспедиции, находились уже на станции Пограничная и вернуть их обратно в Хайлар не представлялось возможным из-за отсутствия средств (все перевозки по КВЖД совершались за наличный расчет в золоте) и невозможности вновь их вооружить, так как при переходе границы все наше оружие было сдано китайцам.

В этих обстоятельствах, чтобы не создавать излишних затруднений для частей, оставшихся мне верными, я решил выехать из пределов Приморья в Порт-Артур для продолжения своей работы в прежнем направлении непримиримой борьбы с коммунизмом.

Уговорившись с генералом Савельевым о приеме и размещении им для отдыха и пополнения верных мне частей армии на территории Уссурийского казачьего войска, я со своим штабом 5 декабря оставил Владивосток и выехал на Гензан-Сеул. 9 декабря прибыл в Порт-Артур. Немедленно же были восстановлены нити связи моей с оставленной территорией России и Монголии, и я возобновил свою организационную работу по подготовке выступления предстоящей весной 1921 года.

План этого движения был основан на одновременном выступлении на востоке и на западе. Под моим личным руководством должно было осуществиться занятие Владивостока и вообще Приморья; а генерал-лейтенант, барон Унгерн должен был начать движение из Урги на запад, если первая и основная его задача — диверсия на Калган — по каким-либо причинам не была бы поддержана теми китайскими кругами, с коими нами был установлен контакт. Но барон Унгерн получил сведения о том, что красная конница, сосредоточенная у Троицкосавска, готова якобы перейти на сторону белых, и потому, отказавшись от диверсии на Калган и вопреки полученным от меня инструкциям, со всем своим корпусом выступил на запад, полагая, что переворот во Владивостоке и восстановление национального фронта в Приморье отвлекут внимание красных от Монгольского направления и дадут ему возможность выйти на коммуникационную линию красных в самом чувствительном, Байкальском, ее районе.

Пребывание мое в Порт-Артуре продолжалось с 7 декабря по 26 мая 1921 года. Время это было потрачено на преодоление всяких препятствий к намеченному плану — перевороту в Приморье, причем я с грустью вспоминаю, что многие мои агенты на местах не только не оказали мне какой-либо помощи в этом деле, но своим образом действий портили его и восстанавливали против него представителей иностранного командования, еще оставшегося на российской территории. Некоторые из моих сотрудников работали совершенно секретно, но часть из них во главе с братьями Меркуловыми работали больше в своих личных интересах, создавая себе популярность и подготовляя почву для переворота в свою пользу. Тем не менее наружно они были вполне лояльны к принятым на себя обязательствам, и мною были переданы им значительные суммы денег для подготовки общественного мнения и на тайную переброску во Владивосток назначенных для производства переворота частей со станции Гродеково.

В мае месяце Владивосток был подготовлен к перевороту. Нужные части войск постепенно были сосредоточены из Гродекова во Владивосток, что удалось сделать совершенно незаметно.

Когда уже все было готово к перевороту, я внезапно получил телеграмму, подписанную Меркуловыми, которой они пытались убедить меня отказаться от поездки во Владивосток и от возобновления борьбы с красными, вследствие несвоевременности моего нового появления на политической сцене. Они мотивировали свой совет мне неприемлемостью меня для части армии и общественности, которая выдвигает в качестве национального правительства Приморья их самих, братьев Меркуловых. Это превращение из положения моих доверенных агентов в моих опекунов и конкурентов было совершенно неожиданно и малопонятно, суля новые испытания и новые потрясения делу продолжения вооруженной борьбы с Коминтерном. Несмотря на то что предательство Меркуловых этой телеграммой было явно обнаружено, я все же счел нужным срочно проверить свои выводы и приказал генералу Савельеву выяснить роль Меркуловых и общее положение дел в Приморье. Савельев немедленно донес, что Меркуловы заверили его в своей лояльности ко мне, что части армии ждут моего приезда и что дальнейшее откладывание переворота, к которому все готово, может погубить все дело. Это донесение, как вскоре выяснилось, было, выражаясь мягко, весьма легкомысленно и совершенно не проверено. В действительности дело обстояло так. Меркуловы уверяли Савельева в преданности мне, чтобы обеспечить себе поддержку гродековской группы, которая согласилась принять активное участие в перевороте лишь в том случае, если он должен был быть совершен в мою пользу. С другой стороны, Меркуловы вели закулисную работу среди владивостокской общественности и каппелевцев, добиваясь популярности в этих кругах, чтобы после совершения переворота выдвинуться самим, выставив меня совершенно неприемлемым на посту Главнокомандующего и Главы правительства для большинства населения, армии и, самое главное, для японского командования в Приморье. Эта часть работы Меркуловых для генерала Савельева осталась совершенно неизвестной, хотя он должен был бы ее обнаружить.

Мне же роль Меркуловых стала совершенно ясной после того, как я обратился к японскому командованию с просьбой предоставить мне возможность выехать во Владивосток и получил отказ, со ссылкой именно на мою неприемлемость для армии и общественности. Это обстоятельство затруднило также для меня возможность зафрахтовать пароход, а каждый день опоздания осложнял обстановку. В конце концов, все же удалось зафрахтовать небольшой пароход «Киодо-Мару», на котором я и выехал в Приморье. В пути поднялся сильнейший шторм, и более суток «Киодо-Мару», стремясь вперед, тщетно боролся с волнами вблизи Фузана. Когда буря стихла, мы увидели, что за прошедшие 26 часов не смогли сделать и 10 миль. Фузан был виден слева от нас так же, как и сутки назад.

Тем временем переворот во Владивостоке был совершен частями гродековских войск, под командой доблестного полковника Буйвида (Валериана). Но благодаря малой распорядительности генерала Савельева и ближайших его помощников генерала Глебова и генерала Нечаева, возглавлявших войска гродековской группы, они не смогли подчинить себе обстановку, и переворот был использован нашими противниками. Во главе правительства стали братья Меркуловы, которые приложили все старания к тому, чтобы помешать мне создать противосоветский фронт в Приморье.

В то время, находясь на «Киодо-Мару», мы ничего не знали ни о совершившемся перевороте, ни о захвате власти Меркуловыми. 30 мая 1921 года, как только забрезжил свет наступавшего утра, я и все чины моего штаба, сопровождавшие меня, были уже на палубе парохода. Во мгле утреннего тумана вырисовывались очертания берегов родной земли. Проведя четверо суток в пути и не имея никаких сведений о Владивостоке, я испытывал тревогу о том, чем примет нас родная страна и какие новости ожидают нас на берегу. К нечистоплотности в моральном отношении Меркуловых я был подготовлен, и эта уверенность не оставляла во мне сомнения в неизбежности разного рода неприятностей, ожидавших меня во Владивостоке.

В двух или трех часах хода от Владивостокского порта мы заметили вышедший в море небольшой пароход, оказавшийся крейсером береговой охраны «Лейтенант Дыдымов», на борту которого видны были люди в количестве 150—200 человек. Пароход стал давать нам какие-то непонятные сигналы и, взяв направление на «Киодо-Мару», быстро пошел на сближение с нами. Наблюдая за «Дыдымовым», мы заметили на нем какое-то замешательство; оркестр то начинал играть, то срывал. Звуки Атаманского марша мешались и заглушались звуками какого-то другого марша. Все это заставляло меня быть настороже, ибо, если бы «Лейтенант Дыдымов» шел встречать меня с чинами моего конвоя, они не имели бы колебаний, какой при этом надлежит играть марш.

Имея в виду наличие какой-то ловушки, я приказал сигналами вызвать на «Киодо-Мару» начальника находящейся на «Дыдымове» воинской части. Последовал ответ, что меня приглашают пересесть на «Дыдымова», дабы во главе высланного мне навстречу почетного караула прибыть во Владивосток, где меня ожидают армия и население. Я категорически потребовал от начальника караула, чтобы он явился ко мне на «Киодо-Мару». Когда это приказание не было исполнено, я окончательно убедился в том, что мне следует быть осторожным и не доверять экипажу «Дыдымова». По прибытии во Владивосток я узнал, что этот «почетный караул» выслал за мной военный министр вновь образовавшегося правительства Н.Д. Меркулов. Караул состоял из чинов 2-го корпуса и возглавлялся полковником фон Вахом, который должен был заманить меня на «Дыдымова» и там арестовать.

Вблизи Русского острова мы были встречены катером с чинами моего личного конвоя под командой полковника Буйвида и прочими руководителями произведенного переворота. Выслушав их доклад, я выяснил, что Меркуловы, захватив власть в городе, объявили себя правительством и заявили о прекращении вооруженной борьбы с большевиками и о решении правительства заняться устройством мирной жизни приморской окраины. Что касается меня, то мое желание продолжать вооруженную борьбу с красными было выставлено как преступное стремление к пролитию братской крови, и новое правительство декларировало, что оно будет всеми мерами противодействовать моей высадке на берег. Такова была обстановка, встретившая меня во Владивостоке. Я решил остановиться на рейде и, обдумав создавшееся положение, поискать путей к выполнению моего плана, связанного с намеченными шагами барона Унгерна в Халхе.

Около 10 часов утра «Киодо-Мару» вошел на рейд Владивостока. Берег был усыпан народом, среди которого выделялось особенно большое количество солдат. Не успел наш корабль бросить якорь, как к нему подошел катер под французским флагом. Был дан трап. На катере прибыл один из чинов французского консульства, имевший поручение вручить мне пакет от имени консульского корпуса Владивостока. Передав пакет дежурному офицеру, посланец уехал; я его не видел.

Вскрыв пакет, я обнаружил в нем постановление консульского корпуса, которым я предупреждался не высаживаться на территорию города Владивостока, во избежание могущих быть на почве враждебного отношения ко мне правительства и населения беспорядков. Меня не могло не возмутить столь бесцеремонное вмешательство дипломатов в вопросы наших внутренних взаимоотношений, и я послал с ответом консульскому корпусу начальника иностранного отдела своей личной канцелярии г. К.В. Лучича. Ответ был средактирован в форме запроса, адресованного консульскому корпусу Владивостока, о том, не находят ли господа консулы, что я, как Главнокомандующий Российской армией, имею право предложить им покинуть российскую территорию, и не находят ли они, что их письмо ко мне, как к главе российской национальной власти, является не чем иным, как вмешательством во внутренние политические дела России. Инцидент был исчерпан на том, что я получил извинение от старшины консульского корпуса, который объяснил причины выступления консулов против меня неправильной информацией правительства и его просьбами воздействовать на меня в смысле отказа от высадки на берег.

Мое пребывание на владивостокском рейде вызвало посещение меня большим количеством делегаций от разных групп населения и политических организаций. Все они выражали негодование образом действий Меркуловых, находя их преступными перед делом борьбы с Коминтерном. Конечно, я ни минуты не обольщал себя надеждой, что мне удастся заставить Меркуловых уйти без того, чтобы не пришлось вступить в вооруженный конфликт с поддерживающими их частями армии, чего я совершенно не допускал, и все делегации, посетившие меня, расценивались мною лишь как фактор, подтверждающий лживость Меркуловых о неприемлемости меня для большинства населения Приморья. Тем не менее надо было искать какой-то выход из созданного Меркуловыми тупика. Я срочно отправил к генералу, барону Унгерну монгольского князя Цебена с указанием о прекращении движения на запад и о необходимости связаться с генералом Чжан Куйу и монголами Внутренней Монголии, имея в виду выработанный нами план совместных с китайскими монархистами действий. К несчастью, к этому времени азиатский корпус уже начал операции в направлении Байкала, на Мысовск, и вернуть его не представлялось возможным. Не имея еще донесений об этом движении барона Унгерна, я, обдумав положение, пришел к выводу, что при создавшихся условиях наилучшим выходом будет попытка моя уговорить Меркуловых остаться, если они так этого хотят, заниматься домашними приморскими делами, а мне не мешать идти на Хабаровск. Это мое решение было доведено до сведения Меркуловых, которые выразили желание вступить в переговоры со мною, на что я охотно согласился, выставив условием, что при ведении этих переговоров никто из иностранцев присутствовать не будет и решение всех вопросов должно зависеть от нас, без всякого вмешательства со стороны.

Первая встреча с Н.Д. Меркуловым произошла на борту парохода «Киодо-Мару». Я откровенно высказал Меркулову свой взгляд на него и на допущенный им и его братом образ действий, который, по моему глубокому убеждению, ведет к гибели и их самих, и все национальное дело, и спросил, сознают ли они, какая ответственность лежит на них и какую неприглядную роль играют они во всем этом деле. Н.Д. Меркулов мне заявил, что он сам и их правительство смотрят на положение вещей так же, как и я, но что якобы они получили предложение от некоторых политических группировок в Японии отмежеваться от меня, после чего им будет дан заем в 12 миллионов иен, а если понадобится, то и вооруженная поддержка. Насколько это было правдой — я не знаю, но реальные факты того времени решительно исключали возможность предполагать, что могли найтись какие-либо группировки, которые взяли бы на себя поддержку меркуловского правительства, хотя бы даже при условии полного моего отстранения от него. Лицо, якобы делавшее это предложение, в то время замещало должность официального драгомана русского языка при штабе экспедиционных войск, а потому едва ли оно могло быть облечено столь важной дипломатической миссией со стороны правительственных кругов, с одной стороны, и вряд ли могло согласиться выступить по поручению частных группировок, с другой.

3 июня 1921 года я получил письмо от начальника военной миссии во Владивостоке полковника Гоми, в котором он выражал свое удивление, почему я настроен против возглавляемой им миссии, что выразилось в моем протесте против участия представителя миссии в·переговорах между мною и Меркуловыми. Далее в своем письме полковник Гоми пояснил мне, что его единственным желанием является урегулирование вопроса с продовольствием беженцев в Никольск-Уссурийском и Гродекове и снабжение частей армии в этих районах, поскольку как те, так и другие, голодали. Я ответил полковнику Гоми, что тут, по-видимому, произошло какое-то досадное недоразумение, так как я не только никог-

да не протестовал против его участия в моих переговорах с правительством Меркуловых по этому вопросу, но даже уже обращался к нему с просьбой дать провиант и фураж для частей войск гродековской группы, ввиду того что Меркуловы отказались снабжать их, ссылаясь на то, что будто бы полковник Гоми не дает согласия на пропуск продовольствия в Гродеково.

По выяснении дела оказалось, что Меркуловы извратили смысл моего протеста против участия кого-либо из иностранцев в наших политических переговорах, касавшихся внутренних российских дел, и распространили этот протест и на чисто технический вопрос снабжения голодающих беженцев, создавая, таким образом, умышленную путаницу и оппозицию мне со стороны всех, кого только можно было вовлечь в ряды ее.

В тот же день вечером я приехал на «Дыдымов». Там я нашел уже ожидавшими меня полковника Гоми, С.Д. Меркулова с двумя секретарями и еще несколько лиц. Я предложил начать заседание. На этот раз разбирались лишь вопросы о снабжении продовольствием как гродековской группы войск, так и частей, находившихся под командой генерала Вержбицкого во Владивостоке и других пунктах Приморья, на одинаковых условиях. Теоретически вопрос был разрешен удовлетворительно, что не помешало Н.Д. Меркулову на другой же день не подчиниться этому решению и отказать генералу Глебову и генералу Савельеву в выдаче необходимых продуктов из интендантских складов.

4 июня состоялось мое совещание с С.Д. Меркуловым на борту «Киодо-Мару», на котором мы решили обсудить политическое положение и найти обоюдно приемлемый выход из создавшегося тупика. Совещание это окончилось новым обострением наших взаимоотношений, ввиду того что С.Д. Меркулов продолжал настаивать на прекращении мною борьбы с большевиками, заявляя, что если я отстранюсь от активной деятельности, то и красные не смогут, при наличии иностранных штыков, уничтожить его правительство. В свою очередь, я пытался уверить Меркулова, что,

во-первых, никакого займа от Японии в 12 миллионов иен он не получит, во-вторых, большевики никогда не согласятся на сохранение в Приморье какой-то меркуловской вотчины и, в-третьих, прежде чем последний солдат иностранной армии покинет Приморье, возглавляемое им правительство перестанет существовать. Главное же, на что я упирал, это тяжесть ответственности, которую взял на себя Меркулов, помешав мне и армии выполнить свой долг перед родиной, продолжая вооруженную борьбу с Коминтерном до конца.

На это С.Д. Меркулов мне ответил, что перст Божий указал на него, как на избранника, и Он, Всемогущий, поможет ему выйти из создавшегося положения. Этот «мистический» ответ и тупое упорство, с которым мой собеседник шёл против логики и фактов, вывели меня из терпения настолько, что я не сдержался и сказал Меркулову, что сильно сомневаюсь, чтобы у Господа Бога нашлось время и желание заниматься братьями Меркуловыми.

На этом наше свидание закончилось. С.Д. Меркулов немедленно уехал с «Киодо-Мару», и больше я с ним не виделся.

Глава 8

ПРИМОРСКИЕ СОБЫТИЯ

Мирное строительство приморской государственности. Противодействие моему походу на Хабаровск. Лента телеграфных переговоров с красными партизанами. Необходимость моего личного появления в Гродекове. Подготовка тайной высадки. Путешествие на катере от Океанской до Надеждинской. Присоединение к Забайкальской каз. бригаде. Переодевание. Ночёвка и встреча с хунхузами. Прибытие в Никольск-Уссурийский. Смотр частям гарнизона. Первые впечатления в Гродекове. Столкновение отряда генерала Малакена с частями 3-го корпуса. Убийство полковника Глазкова.

Положение создалось весьма трудное. С одной стороны, я не имел никаких надежд убедить Меркуловых согласиться на мой поход на Хабаровск, с другой — мне совершенно не хотелось решаться на новый переворот во Владивостоке, ибо это повлекло бы за собой братское кровопролитие.

Я все же решил двинуть верные мне части на Хабаровск, в районе которого в то время не было сколько-нибудь крупных красных частей. Было, правда, на линии Никольск-Уссурийский—Хабаровск довольно много красных партизанских отрядов, но все они были весьма малочисленны по своему составу и плохо вооружены.

Тут мне совершенно неожиданно пришлось столкнуться с непонятным противодействием со стороны военного командования моему походу. Моя разведка и агенты из штаба армии донесли мне, что генерал Вержбицкий принял твердое решение оказать вооруженное сопротивление частям гродековской группы войск при попытке их выйти с места своего расквартирования в каком бы то ни было направлении.

Казалось бы, что движение моих войск в сторону Хабаровска никому, кроме красных, не угрожало, несмотря на это, противодействие мне в этом зашло очень далеко.

С главного Владивостокского телеграфа мне была доставлена лента разговора по прямому проводу между генералами Вержбицким и Смолиным. Содержание этого разговора приводится в приложении к настоящей книге, а также и протокол заседания Президиума чрезвычайной сессии Несоц. Съезда, посвященный этому вопросу.

Из этого разговора по прямому проводу видно, куда могут завести людей зависть, больное честолюбие и интриги.

Должен оговориться, что к этим интригам строевой состав «каппелевской» армии — ни офицеры, ни тем более солдаты — никакого отношения не имели. Интриговала небольшая численно группа «штабных», которых судьба щедро одарила тщеславием и коварством, в явный ущерб понятию о воинской дисциплине и знанию своего долга перед родиной.

Все эти препятствия я решил преодолеть, лично явившись в Гродеково и приняв командование над квартировавшими там частями, тем более что мне было известно, что по распоряжению правительства части Маньчжурской дивизии (О. М. О.) и Забайкальской бригады, переброшенные во Владивосток для совершения переворота, должны были в скором времени отправиться назад в Гродеково. Если бы мне удалось сломить упорство братьев Меркуловых и получить возможность беспрепятственного движения на Хабаровск, я решил попытаться использовать свои связи в окружении маршала Чжан Цзолиня и добиться его согласия на пропуск моих частей в Монголию.

Однако для того, чтобы привести этот план в исполнение, мне нужно было обмануть бдительность агентов правительства Меркулова, денно и нощно наблюдавших за тем, что делается на «Киодо-Мару», и озаботиться тем, чтобы момент моего отъезда с корабля не стал бы им известен. Я был осведомлен о том, что при моей попытке к высадке береговая охрана имела распоряжение стрелять по мне. Но еще мало было незаметно выбраться с парохода: дорога из Владивостока находилась под сильным наблюдением, и, таким образом, даже благополучно высадившись на сушу, не представлялось возможности выбраться из города незаметно. Решено было нанять катер и ночью, подведя его к «Киодо-Мару», пересесть на него и двигаться по направлению к железнодорожной станции Надеждинская, на берегу Амурского залива, верстах в 60—70 от Владивостока. На берегу залива, около Надеждинской, меня должен был ожидать конный взвод забайкальских казаков с заводными лошадьми для меня. Как я уже упомянул, гродековские войска получили распоряжение вернуться из Владивостока на отведенные им квартиры, и время моего предположенного прибытия на станцию Надеждинская было согласовано как раз с моментом прохождения Забайкальской бригады из Владивостока в Никольск-Уссурийский. Дальше было решено действовать сообразно с обстановкой, ибо трудно было предусмотреть все те препятствия, какие могли встретиться нам на пути.

Аренда подходящего катера и подготовка тайного моего выезда на нем были возложены на доблестного и верного офицера-серба капитана М.А. Авдаловича. Это поручение было выполнить очень трудно, ибо первые же попытки найти подходящий катер обнаружили, что по распоряжению правительства все катера и моторные лодки были угнаны на станцию Океанская в 17 верстах от Владивостока. К тому же план использования катера пришлось изменить, так как «Киодо-Мару» стоял на рейде и находился под неусыпным наблюдением с берега. Всякая попытка катера подойти к нему обратила бы на себя внимание и безусловно возбудила бы подозрение в заинтересованных лицах. Тогда решили зафрахтовать один из катеров на Океанской, якобы для прогулки офицеров в обществе дам, обставив каюту катера подходящим образом, т. е. накрыв стол, поставив цветы и погрузив на катер все нужное для пикника. 8 июня катер был подготовлен, и мы приступили к выполнению своего плана. В этот день я устроил вечерний прием на борту «Киодо-Мару», пригласив на него своих друзей — русских и японцев.

С борта к борту парохода приставали китайские лодки, подвозившие продукты, а к вечеру — лодки, привозившие и отвозившие гостей. Таким образом, наблюдатели были подготовлены к тому, чтобы не обращать исключительного внимания на частый подход лодок к пароходу. Часов около одиннадцати ночи с одной из таких лодок к берегу направились я, генерал Савельев, два японца и два моих адъютанта. Оставшемуся на борту парохода адмиралу Безуару я дал инструкцию немедленно поднять трап и больше с парохода до утра никого не отпускать, дабы никто не мог сообщить на берег о моем исчезновении. Выгрузившись на берег и симулируя пьяную компанию, мы отправились к зданию Морского штаба, где нас ожидали заранее приготовленные автомобили. В эту ночь, кроме правительственных патрулей, выставленных для наблюдения за «Киодо-Мару», наши мелкие патрули ходили в порту и по всей Светланской улице и должны были вмешаться в случае моего задержания в пределах города. Однако мы вполне благополучно добрались до машин, причем на мне поверх формы был надет серый пыльник без погон и соломенная шляпа. Усевшись в автомобиль, мы также беспрепятственно и благополучно доехали до станции Океанская, где пересели в катер, в командование которым вступил капитан 2-го ранга Чухнин. Быстро снявшись с якоря, мы двинулись в путь, в направлении станции Надеждинская.

Погода нам не благоприятствовала. Поднялся сильный шторм, и, хотя в заливе он был неопасен, неприятно было, что мы сильно запаздывали, имея в виду, что казачий разъезд уже дожидался нас на побережье. В результате опоздания нас застиг отлив в виду берега, что поставило нас в невозможность подойти к нему на близкое расстояние. Пришлось сигнализировать на один из маяков, чтобы нам подали лодку, хотя это грозило известной опасностью, так как за истекшую ночь оповещение о моем исчезновении и аресте могло быть уже разослано повсюду. Тем не менее другого выхода не оставалось. На наши сигналы с маяка пришла лодка, которую мы забрали, оставив маячных сторожей на катере. На лодке пришлось идти не менее полутора-двух верст. Вдали на возвышении у берега был виден казачий разъезд в полтора десятка коней. Выйдя на берег, я надел на себя форменную фуражку вместо шляпы и, сняв пыльник, был снова в форме. Поздоровавшись с казаками, я, не теряя времени, двинулся догонять Забайкальскую казачью бригаду, которая, как было согласовано раньше, как раз в это время проходила район станции Надеждинской, по пути из Владивостока в Никольск-Уссурийский. От начальника разъезда я узнал, что о моем исчезновении с «Киодо-Мару» уже стало известно и военные власти, предполагая, что я постараюсь присоединиться к своим забайкальцам, распорядились произвести обыск в бригаде и, если я буду обнаружен в ее рядах, подвергнуть меня аресту, применив силу в случае, если я окажу сопротивление. Бригада, входившая в состав Гродековской группы войск, была почти не вооружена; даже винтовки имелись далеко не у всех, не говоря уже о пулеметах и артиллерии. Не желая почти невооруженную бригаду подвергать возможности боевого столкновения из-за меня, я решил отделиться от нее и, взяв с собою трех казаков, двинуться в сопровождении своего адъютанта тропой через горы на деревню Алексеевку. Так я и сделал.

Путь был труден. Но его главная трудность заключалась не столько в неудовлетворительном состоянии дороги, сколько в необходимости перевалить через горный массив, сквозь который вел единственный железнодорожный туннель. Неизбежность прохода этого туннеля была учтена моими противниками, и разведка, высланная от бригады, обнаружила, что на вершине перевала хребта находится целый батальон с пулеметами. До перевала оставалось всего одна-две версты. Нужно было немедленно искать какой-то выход; времени выжидать и раздумывать не было. Присоединившись вновь к бригаде, я пересел на строевую казачью лошадь, надел поверх своей формы грязный пыльник, казачью фуражку и взял через плечо винтовку, как то и полагается рядовому казаку. С моей фуражки была снята офицерская кокарда, и фуражка передана одному из казаков. Я встал правофланговым третьего взвода одной из сотен второго полка, и в колонне по три бригада подошла к туннелю. После некоторых переговоров командира батальона с начальником бригады полковником Сорокиным, который на вопрос — не нахожусь ли я в рядах бригады — ответил решительным отрицанием этого факта, было решено пропустить всю бригаду в колонне по одному, между шеренгами развернутого батальона, для того чтобы каждый казак мог быть проверен. Пока проходили первые ряды, этот своеобразный контроль был очень бдительным, но по мере прохождения головного полка внимание осматривавших постепенно слабело, и у меня явилась уверенность в возможности благополучно пройти через контроль. Не знаю, как вышло, но я, действительно, благополучно прошел в рядах бригады, ничем не обнаружив своего присутствия. Пройдя перевал, бригада постепенно перестраивалась в колонну по три, и вторичное прохождение по ее фронту офицеров батальона оказалось не более успешным для них. Отойдя около 10 верст от заставы, я вновь отделился от бригады и, как предполагал, двинулся через горы тропой прямо на деревню Алексеевку.

Со станции Надеждинская до места ночлега, который застал меня в верстах 14 от Никольск-Уссурийского, я сделал в этот день около 100 верст. Переход был нелегок, особенно со всеми переживаниями и маскарадами. Ночуя в большом селе на берегу реки Суйфуна, в доме для проезжающих, мне пришлось пережить еще нападение на село шайки хунхузов, пришедших за получением выкупа за уведенных в плен сельчан. Мне посчастливилось заманить прибывших в село делегатов хунхузов в дом старосты, после чего я с помощью адъютанта обезоружил и арестовал их. Одного я велел отпустить и, указав ему на лагерь остановившейся невдалеке от села на ночлег казачьей бригады, передал ему, чтобы уведенные сельчане немедленно были возвращены в село без всякого выкупа. Остальные были задержаны в качестве заложников. К утру пленные вернулись по домам, а хунхузы ушли подальше от села.

Рано утром 9 июня за мной приехал в автомобиле начальник Гродековской группы войск генерал Савельев, и я, сопровождаемый им и адъютантом, уже открыто въехал в Никольск. Часть гарнизона Никольск-Уссурийского: Забайкальская казачья дивизия, Отдельная Оренбургская казачья бригада, Сибирская казачья бригада и Стрелковая бригада генерала Осипова — остались верными долгу и стремлению к продолжению борьбы с красными. Эти части восторженно встретили мое прибытие и в тот же день представились мне на смотру, в то время как другая часть гарнизона, во главе с генералом Смолиным, заперлась в казармах, ожидая в городе переворота. В мои планы, однако, не входили никакие перевороты, так как я стремился поскорее начать движение на Амур или добиться пропуска через полосу отчуждения КВЖД в Монголию, чтобы оказать своевременную помощь барону Унгерну. В данный момент я совершенно не имел намерения оспаривать у Меркуловых их власть, так как я совершенно не верил в прочность приморской государственности и мой интерес к Приморью совершенно угас, ввиду невозможности использовать его как базу для нового движения против красных. Насколько дело это было безнадежно, хорошо иллюстрирует следующий мой разговор с одним из крестьян деревни Алексеевки. Я спросил его, как население относится к тому, что делается во Владивостоке, и как он сам смотрит, крепка ли там новая власть. Крестьянин сначала извинился и сказал, что не знает, кто я, но, думая, что я тоже компаньон Меркуловых, он все же ответил на мой вопрос откровенно: «Какая же это власть, когда поломана вся снасть». Фразу эту мой собеседник мне пояснил так: когда все разрушено, бушует беззаконие. Сил у власти никаких нет, все разграблено, и никто в прочность ее не верит. Поэтому что же можно ожидать доброго при этих обстоятельствах.

В тот же день в автомобиле я выехал из Никольск-Уссурийского в Гродеково, где был незабываемо встречен казачьим населением и оставшимися там моими частями.

Однако положение этих частей было весьма тяжелым, гораздо более тяжелым, чем я мог ожидать по докладам генерала Савельева. Оказалось, что отпущенные мною на приобретение оружия 700 тысяч иен были уже израсходованы. Оружие, правда, было заказано, но еще не получено в Гродекове, и войска фактически были почти безоружны. Обмундирование приобретено не было. Довольствие было очень плохое. Вокруг царила глубокая безнадежность и не было выхода и надежд на улучшение положения, потому что ни помощи, ни средств ожидать было неоткуда.

Окончательная вера в возможность дальнейшей активной борьбы с красными при наличии в крае меркуловского правительства была подорвана событиями в Раздольном, где произошло столкновение между оставшимися еще во Владивостоке частями Гродековской группы и войсками 3-го корпуса генерала Молчанова. Это столкновение породило настолько сильное взаимное оскорбление между обеими группами войсковых частей, что только вмешательство японского командования предупредило возникновение новой гражданской войны между так называемыми «семеновцами» и «каппелевцами».

Раздольненские события произошли в День святых апостолов Петра и Павла 12 июля 1921 года и рисуются следующим образом: после моего отъезда из Владивостока там оставались еще части Гродековского гарнизона, состоящие из пешего дивизиона маньчжурцев и части сибирских казаков, под общим командованием генерала Малакена. Неприязненные отношения ко мне со стороны правительства и штаба армии были перенесены и на войска, остававшиеся мне верными, и эти войска терпели всякого рода притеснения со стороны как органов правительства, так и штаба. Дошло до того, что после моего тайного отъезда из Владивостока интендантство штаба армии прекратило им совершенно отпуск всякого продовольствия, что неизбежно повело к возникновению в частях настоящего голода. Получив об этом соответствующее донесение от генерала Малакена, я приказал ему, не входя ни в какие пререкания с правительством, вывести свой отряд из Владивостока и пешим порядком следовать в Гродеково.

Во исполнение полученного приказания, генерал Малакен в ночь на 12 июля вывел свои части из Владивостока, взяв маршрут на Раздольное—Никольск-Уссурийский—Гродеково. В середине дня, подходя к селению Раздольному, отряд генерала Малакена был встречен группой офицеров штаба 3-го корпуса во главе с полк. фон Вахом, которые остановили отряд и предъявили генералу Малакену приказ штаба армии, гласящий следующее: «За неподчинение частей Гродековской группы правительству и самовольный вывод их из Владивостока генералу Малакену предписывается немедленно сдать все казенное вооружение, снаряжение и имущество, распустить офицеров, солдат и казаков на все четыре стороны, а самому явиться в сопровождении конвоя от штаба 3-го корпуса во Владивосток». Это требование было подкреплено выводом навстречу отряду частей 3-го корпуса, которые, несмотря на большой праздник, производили строевое учение перед Раздольным, на пути следования нашего отряда. Генерал Малакен категорически отказался выполнить объявленный ему приказ, вследствие чего возникли пререкания и долгие переговоры с офицерами штаба корпуса, в результате которых генерал Малакен решил обратиться к японскому командованию в Раздольном. Взяв честное слово со своих собеседников, что он не будет арестован ими в пути, генерал Малакен направился к начальнику японского гарнизона Раздольного, которому и изложил все дело. На время отсутствия генерала Малакена заместителем его по командованию отрядом был оставлен полковник Глазков.

Командир японской части, квартировавшей в Раздольном, немедленно отправился на телеграф вести переговоры с Владивостоком и испросить оттуда инструкций. Только к вечеру генерал Малакен был вызван в штаб японского гарнизона, где ему было объявлено, что он со своим отрядом может следовать дальше.

Но как только части отряда, имея впереди сибирских казаков, а за ними обозы, окруженные пешими частями маньчжурцев, втянулись в поселок, они немедленно наткнулись на мост, закиданный проволочными рогатками, и на головную часть отряда набросилась вооруженная группа офицеров и солдат 3-го корпуса во главе с полковником фон Вахом, который лично бросил в казаков ручную гранату. Брошенная фон Вахом граната послужила сигналом к общему столкновению, в результате которого поднялась стрельба из винтовок, полетели гранаты и части отряда начали принимать из походного боевой порядок. Разворачиваться пришлось под огнем, и это послужило к тому, что с первых же выстрелов наши части понесли потери, в том числе доблестного офицера Генерального штаба полковника Глазкова. Полковник Глазков — георгиевский кавалер Великой войны, прибыл в Забайкалье в составе войск Сибирской армии как начальник штаба одной из частей ее. Он остался верным своему долгу и в составе бригады генерала Осипова перешел в распоряжение начальника Гродековской группы войск. В этом столкновении он был тяжело ранен из окна дома берданочной пулей и скончался, не приходя в сознание, в самом начале столкновения. Как только части отряда развернулись, они отогнали фон Ваха и его группу от моста и залегли, ведя перестрелку с ними. Около 8 часов вечера в дело вмешались части японского гарнизона. Взвилась тревожная ракета, заиграли пехотные рожки, и части японских войск выдвинулись с противоположного конца поселка в нашу сторону. Начальник гарнизона, вызвав к себе начальников обеих сторон, приказал прекратить стрельбу, отвести солдат фон Ваха в их казармы и приступил к разбору инцидента. После долгого разбирательства было установлено, что части 3-го корпуса являются ответственными в происшедшем столкновении, напав на отряд генерала Малакена и открыв по нему стрельбу без всякого повода с его стороны. В результате расследования генерал Малакен получил предложение перевести свой отряд в западную часть поселка и оставаться там, пока путь его дальнейшего следования не будет согласован в соответствующих инстанциях. В Раздольном отряду пришлось задержаться еще на два дня, и только 14 июля ночью он получил разрешение следовать дальше, но был предупрежден, что штаб армии настойчиво требует выполнения своего распоряжения о роспуске отряда и аресте генерала Малакена, поэтому следует быть осторожным, чтобы не нарваться на вооруженное столкновение.

Из Раздольного, везя с собою четырех убитых и семерых раненых, отряд беспрепятственно дошел до Никольск-Уссурийского, где присоединился к Забайкальской казачьей дивизии и после необходимого отдыха продолжал свой поход в Гродеково.

Это происшествие произвело очень тяжелое впечатление на всю Гродековскую группу войск, и в частности на меня самого.

Убийство полковника Глазкова, героя Великой и Гражданской войны, популярного и любимого в войсках, убийство, совершенное своими же белыми собратьями по оружию, это бессмысленное убийство тяжелым камнем давило душу.

Обидно было сознавать, что взаимные распри в нашей среде способствуют успеху красных и сводят на нет всю борьбу с ними.

В верхах армии интрига свила себе прочное гнездо, по-
литиканство превалировало над всем, ему приносилась в
жертву даже боеспособность армии.

Переговоры с анучинскими партизанами об уничтожении
Гродековской группы войск, нападение на отряд генерала
Малакена, прекращение посылки продовольствия в Гродеково и обречение верных мне войск на голод — все это было
предпринято с единственной целью — заставить меня уйти
с политической арены, дабы братья Меркуловы могли строить мирную жизнь приморского буфера в наивной надежде, что красная Москва будет спокойно взирать на это.

Глава 9
КОНЕЦ БЕЛОГО ПРИМОРЬЯ

*Полная безнадежность положения. Задержка продовольствия и голод.
Совещание начальников частей. Неудачи Унгерна. Мое решение.
Отъезд из Приморья. Неопределенность дальнейших моих планов.
Гензан. Сеул. Обед у генерала Ооба. Япония. Сердечное отношение
ко мне японских офицеров. Возобновление партизанского движения
в Приморье. Хабаровский поход. Воевода Дитерихс и его Земская
рать. Эвакуация Приморья. Подготовка эвакуации Гродековской
группы на Сахалин. Областники. Отход частей армии в Корею и
Шанхай. Увлечение партийностью. Роль ее в государственном
аппарате.*

При создавшейся обстановке полной безнадежности
положения я не имел возможности предпринять что-либо
существенное для дела дальнейшей борьбы с большевиками. К тому же Меркуловы, прозевавшие мою высадку с
«Киодо-Мару» и приезд в Гродеково, решили принять все
меры к тому, чтобы выжить меня оттуда. Продовольствие,
закупленное мною на последние средства, было задержано
в Харбине и могло быть пропущено в Гродеково только
после моего отъезда оттуда. В Японии в то время пришли
к власти сторонники мирного сотрудничества с Советами,
и, конечно, они не могли поддерживать меня, поскольку я

являлся выразителем идеи продолжения вооруженной борьбы с красными. Экспедиция в Сибирь закончилась, хотя в Приморье еще оставались японские войска, поддерживающие порядок на железной дороге. На Гродеково был сделан сильный нажим в том направлении, чтобы заставить войска признать власть правительства и подчиниться ему, отказавшись от подчинения мне. Настал голод, в буквальном смысле этого слова, который продолжался две недели. Смягчить положение недоедающих войсковых частей и беженцев я мог только тем, что сам начал питаться из общего котла болтушкой из серой муки с кукурузой. Но эта мера давала, может быть, некоторое моральное удовлетворение, но реальной пользы ни делу, ни людям не приносила.

Видя, что при создавшихся условиях я не могу побороть Меркуловых и примкнувших к ним противников вооруженной борьбы с красными и что положение становится совершенно невозможным, я решил собрать начальников всех частей, входивших в состав Гродековской группы войск, с тем чтобы обсудить положение и найти приемлемый выход из него. В середине июля месяца такое совещание было созвано и на нем собрались все начальники верных мне частей, из района Гродеково и Никольск-Уссурийского. Я изложил фактическую обстановку и предложил высказаться всем присутствовавшим. Самым младшим из командиров был начальник моего личного конвоя полковник Буйвид, которому и предоставлено было первому высказать свой взгляд и настроения вверенной ему части. Затем последовательно высказались по старшинству все прочие командиры. Мнение почти всех начальников частей сходилось на том, что политика правительства, раздольнинские события и недоедание последнего времени ослабили в людях бодрость и стремление к продолжению борьбы. Все хотят отдыха прежде всего, и потому надежность частей должна быть взята под сомнение. Предположенный мною поход на запад через Маньчжурию в Халху, по предстоящим трудностям его, совершенно не давал шансов на благополучный исход, так как неразумно было вести всю эту массу плохо одетых и почти невооруженных людей: первое же сопротивление китайцев на нашем пути привело бы к сдаче наиболее слабых духом и дезорганизации остальных. Таково было единодушное мнение командиров частей. Не теряя еще надежды найти какой-нибудь выход, я предложил начальникам частей обсудить вопрос, нельзя ли привлечь к выполнению плана только добровольцев, вызвав таковых из всех частей. Результаты были до поразительности неутешительны. По докладу начальников частей, не было надежды на то, что в частях найдется достаточное число людей, готовых пойти на полную неизвестность и риск вооруженных столкновений не только с красными, но, возможно, и с китайцами.

Принимая во внимание, что к этому времени я получил сведения, что движение барона Унгерна к Мысовску потерпело неудачу и положение в Халхе складывалось не в нашу пользу, я решил, что дальнейшее мое упорство не может привести ни к чему, и потому вступил в переговоры с меркуловским правительством и японским командованием о ликвидации создавшегося положения и о готовности моей обсудить всякое предложение, которое будет мне сделано.

Для ведения переговоров во Владивосток был послан генерал-лейтенант Иванов-Ринов, исполнявший должность начальника моего штаба в Гродекове. Переговоры необходимо было вести в спешном порядке, ибо в Гродекове был форменный голод, поэтому я инструктировал генерала Иванова-Ринова ни в коем случае не затягивать дела. Переговоры закончились переводом частей войск Гродековской группы на общее довольствие с беженцами за счет складов продовольствия во Владивостоке, на чем настояло японское командование. Но это обусловливалось непременным и немедленным моим выездом из пределов Приморья за границу. Мне пришлось подчиниться этому условию, ибо я не видел иного выхода, чтобы обеспечить свои части продовольствием и прекратить голод, царивший в Гродекове.

Отъезд мой из Гродекова осуществился 14 сентября 1921 года. В этот день была закончена моя вооруженная борьба с большевиками на родной земле; прервано дело, начатое мною примерно в то же самое время года в Верхнеудинске в 1917 году. Говорить о моих переживаниях не стоит, они должны быть понятны каждому, кто пережил крушение своих планов и мечты и кто относится к судьбам своей родины и к счастью и благополучию родного народа не безразлично.

Выезжая из Приморья, я не имел определенного пункта назначения, где предполагал бы остановиться на более или менее продолжительное время. Ближайшим местом остановки я наметил Шанхай, куда и направился через Гензан—Сеул—Японию. В Японии мне необходимо было повидаться с некоторыми друзьями из военного мира, но я не мог оставаться там на сколько-нибудь продолжительный срок времени, так как власти отказали мне в предоставлении права жительства не только на островах или в Корее, но и на территории японских концессий в Китае.

Во Владивостоке на пароход приехал проводить меня Главнокомандующий японскими экспедиционными войсками генерал Точибана, обратившийся ко мне с трогательными словами напутственного приветствия и сочувствия. Нужно было знать дух и высокую порядочность носителей заветов самураизма, к каковым принадлежал генерал Точибана, чтобы понять глубокую скорбь и искреннее сочувствие его ко мне, как к человеку, подвергшемуся изгнанию только за то, что он стремился вести борьбу с коммунизмом до конца. Этих моментов я никогда не забуду, как не забуду рыцарского благородства военной среды Японии, с каковым отнеслись ко мне ее представители в дни крушения моей идеи и неудач на путях политической борьбы с мировым злом — коммунизмом. Независимо от изменившегося курса политики японского правительства, в то время стоявшего у власти, среди военных я встретил ту опору, которую мне могли предоставить только глубоко искренние друзья.

Гензан явился первым этапом эмигрантского периода существования как для меня, так год спустя и для всей почти российской дальневосточной эмиграции. Этот небольшой корейский порт, лежащий в глубине залива Броутона, вошел в историю дальневосточной эмиграции как первый иностранный пункт, в котором Российская национальная армия впервые выступила на трудовом фронте борьбы за право существования и за кусок хлеба насущного.

С пристани Гензана я поехал прямо на станцию, где был составлен поезд из двух классных вагонов. В этом поезде, вечером на другой день, я прибыл в Сеул в сопровождении нескольких офицеров из штаба армии. По прибытии в Сеул меня немедленно проводили в резиденцию генерал-губернатора Кореи генерала Ооба, бывшего в дни интервенции начальником 3-й дивизии в Чите. Во дворце генерал-губернатора я встретил весьма радушный и почетный прием. Особенно тронуло меня то обстоятельство, что к обеду генерал Ооба надел на себя имевшиеся у него русские ордена. Такое отношение ко мне показывало, что, несмотря ни на что, военная среда Японии не изменила своего доброго отношения ко мне и отчетливо понимала все то зло, которое несет с собой в мир коммунизм и попытки дипломатов сговориться с его носителями.

Через два дня я впервые увидел Японию. Приблизительное понятие о ней я имел по рассказам и литературе, и общее впечатление, создавшееся у меня об этой своеобразной стране, было правильно, но тем не менее меня весьма поразили общее благоустройство жизни, чистота и тщательность обработки миниатюрных, на наш взгляд, пашен. Особенно сильное впечатление на меня, привыкшего к просторам родного Забайкалья, произвела перенаселенность страны и непрерывно следующие одно за другим селения и города с большим количеством громадных фабричных сооружений и корпусов. В Японии я пробыл недолго, тем не менее мне удалось повидаться со всеми друзьями, собравшимися со всей Японии встретить меня.

В Кобе я впервые в своей жизни надел штатский костюм, который сшил мне местный портной. Это были подготовительные шаги к новым условиям эмигрантского существования, волею судьбы длящегося и по настоящий день.

24 сентября я оставил Японию и выехал в Шанхай, где мне пришлось пережить массу мытарств, вследствие чего я вскоре вынужден был покинуть его и перейти на нелегальное существование в Китае. В Приморье же, после эвакуации экспедиционных войск европейских держав и САСШ, Япония оставила свои войска еще около года. Точно такой же срок просуществовала и приморская национальная государственность, руководимая братьями Меркуловыми, которых летом 1922 года сменил генерал Дитерихс.

Братья Меркуловы объявили мой отъезд из Приморья как необходимое условие для сохранения Приморского района от посягательств красной Москвы, ввиду моей непримиримости в вопросе прекращения гражданской войны. С моим отъездом с территории русского Дальнего Востока правительство якобы получило гарантию сохранения национальной государственности на этом последнем клочке русской земли. Объяснение было весьма наивно, и вряд ли ему кто-либо серьезно верил. Не прошло много времени, как партизаны Анучинского района, те самые, с которыми велись переговоры о выдаче меня и уничтожении Гродековской группы войск, начали проявлять активность и этим заставили правительство серьезно задуматься о судьбе своего положения в будущем.

По мере эвакуации японских войск из Приморья росла активность Красной армии, приведшая, в конце концов, военное командование к необходимости взяться за оружие.

При этом самым печальным было то, что, несмотря на грозившую извне опасность, высшие чины приморской армии продолжали вести чудовищные интриги, разлагая этим войсковые части. Из-за политических комбинаций, в которых деятельное участие принимал штаб армии, не было времени подготовить армию к новой кампании. Полагаясь на русское «авось», начали наконец лихорадочно готовиться к возобновлению вооруженной борьбы с красными. Бои в Хабаровском направлении носили серьезный характер.

Войска проявили исключительную храбрость, и успех первое время был на стороне белых. Был взят Хабаровск, но после этого начались неудачи, и армия, понеся громадные потери убитыми, ранеными и, главное, обмороженными, вынуждена была отойти в район Никольска. Между прочим, даже красные отдали должное доблести войск во время хабаровского похода. В изданной красным Генеральным штабом книге «Хабаровская операция» говорится, что бой под Ином по своему упорству вполне может быть приравнен к боям Великой войны.

После неудачи хабаровского похода наметился явный раскол между командованием приморской армии и правительством братьев Меркуловых.

Правительство обвиняло командование в недостаточной продуманности военных операций, а командование бросало упрек братьям Меркуловым в том, что армия плохо снабжалась: во время лютых морозов в армию вместо катанок доставляли резиновые галоши.

Кто был прав и кто виноват — судить, конечно, трудно, но большое число обмороженных говорит как будто за то, что упреки военного командования имели под собой много оснований.

В результате вражды верхов приморской армии к правительству 31 мая 1922 года во Владивостоке произошел новый «переворот». Утром этого числа граждане Владивостока из громадных афиш, расклеенных по всему городу, осведомились, что «преступная власть братьев Меркуловых свергнута».

Однако это свержение власти было только на бумаге: Меркуловы засели в бест под охрану морских стрелков адмирала Старка, имевшего свой взгляд и на правительство, и на военное командование. В городе получилось двоевластие, вернее всего, безвластие. Но присутствие японских экспедиционных войск позволило сохранить в городе порядок.

Ежедневно перед домом, в котором засели Меркуловы, собиралась громадная толпа народа и со вниманием слушала, как Н.Д. Меркулов «крыл» с балкона штаб армии. Как известно, Н.Д. Меркулов до занятия поста военного министра был командиром речного парохода, поэтому понятно, что его «словесность» доставляла невзыскательным слушателям громадное удовольствие.

Этот бесплатный владивостокский балаган продолжался с месяц. Наконец, вершители судеб Приморья пришли к заключению, что нужно «призвание варягов». Бросились в Харбин к Н.Л. Гондатти, но тот благоразумно уклонился от сомнительной чести сотрудничать с братьями Меркуловыми. Генерал Дитерихс оказался менее щепетильным и более сговорчивым. Он вскоре приехал во Владивосток и принял на себя звание «Правителя Приамурского земского края и воеводы земской рати».

Как человек военный, генерал Дитерихс принялся прежде всего за реорганизацию армии. Армию он назвал «Земскою ратью», полки — дружинами. На этом реорганизация и была закончена. Надо сказать, что существенной пользы она не принесла: дружины были так же малочисленны и плохо вооружены, как и прежние полки. Новые наименования воинских частей вызывали недоумение и у офицеров, и у солдат. Повышенная религиозность генерала Дитерихса давала пищу многим кривотолкам в армейской среде. Генерала, заглазно конечно, титуловали не иначе как «Ваше Преосвященство».

Выезжая из Приморья, я предложил должность начальника Гродековской группы войск генералу Малакену. Однако последний, переживший столкновение в Раздольном и испытавший на себе всю неприязненность отношения к нам командования армии, отказался от моего предложения, и потому я оставил своим заместителем генерал-лейтенанта Глебова.

Узнав о реформах в армии генерала Дитерихса, я учел неизбежную близость грядущей эвакуации и потому предпринял через своих друзей в Японии хлопоты о разрешении эвакуации армии на остров Сахалин. Японское командование прекрасно учитывало, что оставление солдат и беженцев на произвол красных грозит им поголовным расстрелом, и потому выразило свое согласие на содействие эвакуации остатков белых армий на Сахалин. Вследствие изложенных обстоятельств, я командировал своего адъютанта войскового старшину Клока во Владивосток для связи и информации генерала Глебова.

Но и в этом случае нас преследовала какая-то фатальная неудача. Мой совет об эвакуации на Сахалин не был выполнен ввиду того, что генерал Глебов дал себя увлечь организации сибирских областников, организации, оказавшейся дутой, введшей в заблуждение не только генерала Глебова, но и меня. Политические дельцы, создавшие эту организацию, убедили генерала Глебова в своих связях с антибольшевистскими организациями в советской Сибири, вследствие чего он и отказался от предоставленной ему возможности своевременно эвакуировать свою группу. Я не обвиняю в этом генерала Глебова, потому что сам вначале верил серьезности областников и мое доверие они использовали так умело, что я с большим трудом впоследствии освободился от их неимоверной липкости. Идея областничества была хороша в свое время и когда во главе ее стояли серьезные люди, представлявшие действительное общественное мнение сибиряков. В уродливом же преломлении приморской действительности эта идея переродилась в чистую авантюру весьма невысокой марки, в которой коренные сибиряки не принимали никакого участия.

В хаосе возникших в Приморье партий, программ и течений погибла идея вооруженной борьбы с большевиками. Остатки армий вместо Сахалина ушли в Корею и были выгружены в знакомом мне порту Гензан. Там беженцам были предоставлены местными властями работы, но червь интриги и разложения не позволил использовать эту возможность для сохранения какой бы то ни было организации в частях армии. Генерал Глебов, несмотря на мои указания задержаться в Гензане, в конце концов, вышел оттуда и на нескольких судах направился в Шанхай, послав мне лирическую телеграмму: «Впереди одни просторы моря, мы без пристанища, жду указаний в Фузане».

По прибытии в Шанхай корабли постепенно были ликвидированы, так же как и оружие, привезенное с собою; люди распылились, и армия фактически перестала существовать.

На этом и закончился первый период борьбы русских националистов с властью Коминтерна, скрывшегося в России под вывеской анонимного СССР и продолжающего и поныне развивать свою разрушительную деятельность, благодаря попустительству иностранных правительств.

Подводя итоги этой эпохи, я вижу главную причину нашей фатальной неудачи в увлечении российской общественности партийными лозунгами и политической борьбой, начало которого следует отнести к предреволюционному периоду 1904—1905 и последующих годов. Политика революционного Временного правительства 1917 года создала такие условия, при которых вхождение в какую-либо партию являлось почти обязательным для каждого человека. Это был период, когда политические партии творили историю страны и принадлежность к партии была безусловно обязательна для всех, кто желал иметь какое-нибудь дело с властью. Увлечение партийностью доходило до того, что интересы партии ставились выше интересов страны и партии вмешивались во все распоряжения министров, командированных ими в правительство и обязанных согласовывать каждый свой шаг с пославшей их политической группой. Общеизвестен факт, что на одном из заседаний Временного правительства 1917 года Верховный главнокомандующий генерал Корнилов получил предупреждение от Савинкова быть осторожным в своем докладе правительству и не сообщать ничего секретного, ибо в правительстве заседали партийные дельцы, которые в интересах своей партии могли разгласить военные тайны государства и довести их до сведения правительств воюющих с Россией держав. И это было в тот период, когда власть еще не принадлежала большевикам и когда правительство считало себя национальным и готовилось довести войну до победного конца. Эти факты красочно свидетельствуют о том, что поборники партийности глубоко заблуждаются, не подозревая, что их деятельность может быть полезна лишь планам Коминтерна. Легче разрушить здание, выбивая из него целые стены партийных звеньев, чем разбирать его по кирпичам, обрабатывая каждого отдельного человека. Существование политических партий в стране свидетельствует о наличии в ней глубоких разногласий и раздоров между различными слоями населения, подтачивает устои национального единения и расшатывает фундамент государственности. В правильно организованном государстве появление партийности в самом аппарате государственного управления является немыслимым, ибо это означает подчинение интересов общегосударственных, национальных, узким интересам партийных группировок. Такие группировки могут иметь свои клубы, свою организацию и проповедовать свои идеи без всяких попыток вмешательства в государственную жизнь страны. Интересы государства должны почитаться превыше всего, а потому поползновение нарушить их должно быть караемо, как тягчайшее государственное преступление, независимо от степени принесенного вреда. По существу, какова бы ни была партийная программа, она не может внести что-либо новое в принципы, заложенные в основу государственности, — право на труд, уважение к собственности, свободу совести, собраний, слова и т. п. История развития политических партий показывает, что зачастую они руководятся кучкой дельцов, стремящихся подчинить интересы государства и нации своим личным интересам.

Как бы ни была в большинстве случаев совершенна и тщательно разработана программа партии, она всегда несет в основе своей идею защиты интересов одного какого-либо класса за счет или не считаясь с интересами всего населения страны. Усиление в стране партийности углубляет классовую рознь и в конце концов отравляет национальное сознание народа. Ни одна партия не ставила и не ставит своей задачей жертвенное служение государству, даже до самоуничтожения, ибо если бы такое сознание проникло к какую-либо партийную организацию, то самый факт уклонения ее с узкопартийного пути на путь общенационального надклассового служения родине дал бы основание говорить уже об единой государственной программе, уничтожающей борьбу классов путем справедливого регулирования их взаимоотношений. Это уже не будет программа партии как таковой; это будет, скорее, основой социальных взаимоотношений на принципах сотрудничества всей нации, защищающей в равной мере все слои населения.

Мы, россияне, должны помнить, что особенности нашего отечества, как в отношении этнографическом, так равно и в географическом, создают для нас необходимость совершенно отличной от прочих государств внутренней структуры, особенно в настоящее время, когда страна уже 20 лет испытывает на себе тяжесть партийной диктатуры, жертвующей всем во имя интересов партии.

Увлечение партийной борьбой погубило нашу родину, и я твердо убежден, что теперь, наученный горьким опытом, народ наш не пойдет ни на какие партийные посулы.

Лично я всегда придерживался таких взглядов, и, будучи вынужденным силою обстоятельств, изложенных выше, в сентябре месяце 1921 года временно прервать начатую мною активную борьбу с красными и выехать с родной земли, я решил использовать свой вынужденный отдых для подготовки себя к жертвенному служению родине в сотрудничестве со всем народом ее, не допуская себя к ограничению какими-либо политическими программами и рамками.

Глава 10
ПЕРВОНАЧАЛЬНЫЕ ЗАТРУДНЕНИЯ В ЭМИГРАЦИИ

Прибытие в Шанхай. Отрицательное отношение ко мне иностранных консулов. Покушение Нахабова. Переезд в Тяньцзин. Решение выехать на Запад. Поездка в Америку. В Канаде. Радушный прием в Ванкувере. В Вашингтоне. Прибытие в Нью-Йорк. Судебный иск «Юровета» и др. Неприличная травля американских газет. Истин-

ная подоплека судебных претензий. Пристрастность суда и замена судей. Возникновение уголовного преследования. Ложная присяга генерала Гревса. Ликвидация процесса. Возвращение в Канаду. Обратно на Восток.

С прибытием моим в Шанхай начался период эмигрантского существования, длящийся с конца сентября 1921 года и поныне. Пока нет возможности более или менее точно предугадать продолжительность нашего изгнания, но события последних лет и те сдвиги, которые за 17 лет, проведенных нами на чужбине, произошли на родной земле, приблизили нас вплотную к рубежу новых событий, с которыми несомненно связано наше возвращение на родину.

События эти, по всей видимости, выльются в формы сначала скрытой, а потом и открытой борьбы с Коминтерном тех государств, которые политически прозрели настолько, что увидели истинную сущность коммунизма и его пагубное влияние на мир и благоденствие всего мира. Население России, конечно, не останется инертным при этих обстоятельствах и использует все возможности к тому, чтобы сбросить ненавистный режим, доведший его до глубокой нищеты и полного порабощения.

Прибыв в Шанхай, я остановился в «Барлингтон-отеле» на Бабблинг-Вэлл-роуд, где пробыл около двух недель, а потом перебрался на французскую концессию, сняв небольшую квартиру в наиболее тихом районе ее, по рю Обserватуар. Но в Шанхае мне пришлось прожить лишь до 4 ноября 1921 года, после чего я должен был перейти на нелегальное положение и выехать на север Китая.

Причиной этого была работа советских агентов, которые начали преследовать меня с первого же дня прибытия моего в Шанхай.

Некий Нахабов произвел покушение на мою жизнь и был арестован французской полицией. Нахабов сознался в организации покушения на убийство меня, но французские власти все же нашли, что факт покушения не доказан, и потому освободили Нахабова. Последний не скрывал намерения повторить покушение.

Французский муниципалитет донес шанхайскому консульскому корпусу, что мое пребывание в Шанхае грозит нарушением порядка и спокойствия на концессии и что французская полиция не может гарантировать мою безопасность.

Консульский корпус имел по этому поводу специальное совещание, в результате коего мне было предложено покинуть пределы иностранных концессий в Шанхае.

Я не мог переехать в китайский Шанхай, так как китайцы искали случая свести со мной счеты за действия барона Унгерна в Монголии.

Враждебное отношение ко мне шанхайского консульского корпуса я объясняю тем, что в свое время я резко выступил против генерала Жанена, вызвав его на дуэль в дни предательства им адмирала Колчака. Кроме того, я еще в Забайкалье требовал учреждения междусоюзной комиссии для фиксирования всех ценностей и разного рода частного имущества, награбленного чехами в Сибири и вывезенного ими в Чехию. Тогда мне было отвечено союзным командованием, что в его задачу совершенно не входит охрана русского имущества и оно стремится лишь к скорейшей эвакуации чехов из пределов Сибири.

Сыграло тут роль и то, что шанхайские консулы считали Белое движение законченным, и поэтому они уже искали возможностей связаться с советскими представителями, которых было достаточно в Шанхае. Конечно, всяческое ущемление меня было весьма приятно большевикам и большевиствующим.

Будучи вынужденным покинуть Шанхай, я направился в Тяньцзин, где воспользовался содействием подполковника Компатанжелло, офицера Итальянского батальона в Сибири, который после эвакуации батальона остался служить у меня в армии. Благодаря этому содействию через несколько дней после прибытия в Тяньцзин я познакомился с одним из деятелей монархических кругов Китая, г. Лю, по приглашению которого провел несколько дней в его доме на итальянской концессии. Но оттуда, по требованию итальянского посольства, я был вынужден уйти, чтобы не ставить гостеприимного хозяина в ложное положение перед властями концессии, хотя г. Лю предлагал мне кров и приют у себя на неопределенно долгое время.

Выхода не было. Агенты большевиков следили за мной и открывали властям мое убежище, где бы я ни находил его. При содействии того же Компатанжелло я поселился в одной итальянской семье, но долго скрываться в Тяньцзине было трудно и бесцельно, и я стал принимать меры к получению разрешения на въезд в какую-либо из европейских стран.

Через одно лицо, сочувствовавшее моему делу борьбы с коммунизмом и моему тогдашнему затруднительному положению, мне удалось добиться получения разрешения на въезд с семьей во Францию от президента Р. Пуанкаре. Спустя два месяца после того, как я начал хлопотать об этом, французское посольство в Токио получило телеграмму президента с указанием — оказать полное содействие моей поездке во Францию.

Телеграмма эта вызвала переполох среди ретивых советских агентов, которые видели в моей поездке во Францию и в высоком покровительстве ее президента не что иное, как предварительное соглашение о предъявлении мною на шедшей в это время в Генуе конференции каких-то документов, могущих дискредитировать советское правительство. Впоследствии это предположение принесло мне немало хлопот во время пребывания моего в САСШ.

После телеграммы президента Франции я был разыскан французским консульством, которое предложило мне всякое содействие к выезду из Китая и к въезду в пределы Франции. Не прошло и двух недель, как все визы были готовы, и в конце февраля 1922 года я выехал в Шанхай с тем, чтобы застать там океанский пароход «Императрица России», с которым я и отплыл через Канаду в Европу.

Через 10 дней пути я прибыл в Ванкувер. Здесь, на борту парохода, произошел инцидент с агентами комиссариата иммиграции в САСШ, которые потребовали от меня сдачи револьвера, хотя и не имели права делать это. При содействии властей Ванкувера револьвер мне быстро вернули и даже принесли извинения.

В Канаде я встретил хороший прием и доброе к себе отношение. Страна произвела на меня чарующее впечатление как своей природой, так и народом, в высшей степени гостеприимным. Здесь я встретился с полковником Вортом, бывшим начальником великобританской военной миссии при моем штабе в Чите. Мое пребывание в Ванкувере ознаменовалось банкетами, устроенными губернатором, городским клубом и некоторыми частными лицами. Мне особенно приятно было встретить теплое отношение со стороны представителей военных властей Великобритании, из которых особенно выделялся генерал Леки, бывавший в России, которую он вспоминал с особенным чувством любви и симпатии.

Природа Канады напоминала мне родную Сибирь: те же просторы, чередующиеся с девственными лесами, представляющими собою и разнообразие пород, и нетронутость богатств края.

Благодаря упомянутой выше бестактности представителя иммиграционного комиссариата САСШ, некоего Зубрека, который вопреки правил пытался отобрать у меня револьвер, я решил было совершенно не заезжать в Соединенные Штаты, но настоятельные приглашения с родины Линкольна от Калифорнийского университета, наконец, от комиссара иммиграционного бюро в Вашингтоне, а также советы моих новых друзей в Ванкувере заставили меня изменить принятое уже решение ехать в Европу через Галифакс и включить в маршрут САСШ. Я наметил поездку через Нью-Йорк, где рассчитывал сесть на французский пароход, предварительно попутно заехав в Вашингтон.

САСШ произвели на меня совершенно иное впечатление, чем Канада. Характер городов носил отпечаток спешки и однотипности в постройках, без всякой художественности в их архитектуре. Однако величественность техники поражала во всем, даже после поверхностного знакомства со страной.

Остановившись на два дня в Чикаго, я прибыл в Вашингтон, где на станции был встречен чиновником министерства иностранных дел, который проводил меня в отель. На следующий день я нанес визит последнему российскому послу в САСШ А.А. Бахметьеву и с ним вместе посетил некоторых сановников Вашингтона. Здесь мне совершенно случайно удалось выяснить близость сенаторов Франса и Бора к представителю Советов Сквирскому. Приемом в Вашингтоне я был чрезвычайно доволен и был рад узнать, что руководители политики САСШ вполне ясно представляли себе сущность большевистской власти в России и выражали уверенность, что правительство САСШ никогда не признает Советов.

Первый же шаг, сделанный мною на территории штата Нью-Йорк, принес мне массу огорчений. Впрочем, их можно было бы избежать, если бы я был осведомлен обо всем заранее, потому что еще во время пребывания моего в Ванкувере представители «Юровета» (Южно-Русское общество внешней торговли) пытались вчинить мне иск за реквизированную на законном основании распоряжением начальника Азиатской конной дивизии в 1919 году в Даурии пушнину, проданную им с аукциона. На такого рода претензию великобританский суд не только ответил отказом, но и пригрозил истцам, что им придется нести ответственность по обвинению в шантаже. Такое заявление суда подействовало самым успокоительным образом на темных дельцов с их иском. К сожалению, судебные власти Канады не поставили меня в известность о попытках предъявить мне этот иск. Если бы я был осведомлен о том, что шайка шантажистов имеет от нью-йоркского суда ордер на мой арест, я предпочел бы не ехать в Нью-Йорк, чтобы избегнуть связанных с судом неприятностей. На сущности этого процесса я остановлюсь ниже.

Едва только поезд успел остановиться на Пенсильванском вокзале, ко мне подошел какой-то странный тип, всем своим видом показывавший, что он чего-то опасается и держится нарочито настороже. Отрекомендовавшись местным шерифом, он предъявил мне ордер на мой арест и предложил немедленно следовать за ним. Я категорически отказался разговаривать с ним на вокзале и предложил поехать в отель «Вальдорф Астория». Шериф и его спутники, коих было до десяти человек, шумливо, наперебой начали протестовать против моего предложения, но тем не менее мне удалось настоять на своем. По прибытии в отель я, при любезном содействии господина М.Е. Айвазова, сопровождавшего меня в моей поездке по САСШ от самого Ванкувера, временно устранил вопрос о судебном процессе, и мой арест получил, таким образом, отсрочку. Безусловно, мне удалось достичь этого исключительно благодаря М.Е. Айвазову, русскому эмигранту, давно приехавшему в Америку искать счастья и нашедшему его благодаря неустанным трудам и неисчерпаемой энергии. В 1922 году он был одним из самых богатых жителей Ванкувера.

Припоминая события, я прихожу к заключению, что в то время мне много помогла травля, поднятая против меня частью нью-йоркской прессы. В своем увлечении пропагандой против меня она дошла до таких геркулесовых столбов глупости и явной лжи, что результат получился для инициаторов поднятой кампании довольно неожиданный. Читателям преподносилась такая махровая нелепость, что ни один здравомыслящий человек не мог отнестись к ней серьезно. Ни репортеры, ни редакторы газет, по-видимому, совершенно не считались ни с здравым смыслом, ни с географией России, печатая явный абсурд. Одна из газет в статье под заголовком «Приехал мясник» писала буквально следующее: «...Атаман Семенов задался целью уничтожить в России женщин и детей, и он собственноручно расстреливал их сотнями тысяч. Например, когда Семенов отправлялся из Москвы в Забайкалье, он весь свой путь увешал трупами. В одной Чите он своими руками расстрелял свыше 74 тысяч женщин и детей...» Подобные перлы досужей фантазии были способны свести с ума человека со слабыми нервами, попавшего в обстановку этой фабрикации беспросветной лжи. Мне много пришлось видеть в жизни. Приходилось слышать и безудержную ложь из уст большевистских агитаторов еще на Германском фронте, но ничего подобного нью-йоркским врунам я даже представить себе не мог. Удивительно ли, что у шерифа могло создаться впечатление, что ему предстоит иметь дело с самым отчаянным головорезом и что я, «в силу привычки», могу при своем аресте расправиться и с ним. Опасение этой расправы, по-видимому, влияло на настроение шерифа, который, подходя ко мне, не скрывал всей гаммы чувств борьбы долга с личным самосохранением.

В Нью-Йорке мне пришлось остаться в продолжение двух с половиной месяцев, ибо начался судебный процесс по делу «Юровета», к которому присоединилось еще 21 дело по искам фирм, даже не имевших никаких интересов в Сибири, а работавших лишь в Харбине. В процессе рассмотрения их претензий выяснилось, что все эти фирмы действовали по указке советского представителя Сквирского, объединявшегося в едином фронте против меня с сенаторами Бором и Франсом.

Эти «волонтеры» армии Коминтерна, затевая процессы с фантастическими исками против меня, имели своей главной целью во что бы то ни стало задержать мой отъезд в Европу, ибо покровительство, которое мне оказал президент Франции г. Пуанкаре, истолковывалось ими как готовящееся мое выступление на Генуэзской конференции с разоблачениями планов Коминтерна. Наиболее активным сотрудником Сквирского в его интриге против меня оказался генерал Гревс, который после прекращения гражданского процесса выступил с ложными показаниями под присягой, как свидетель в уголовном обвинении меня сенатором Бором в расстреле в Забайкалье американских солдат в период союзнической интервенции в Сибирь.

В первые же дни процесса выяснилось, что мои адвокаты оказались подкупленными противниками, и были поэтому заменены адвокатами Кларком, Прентисом, Рулстоном, которые и вели мою защиту во все время продолжения процесса.

Кларк, Прентис и Рулстон взялись защищать меня, когда процесс уже начался. Самое же возникновение его после разоблачения первых моих защитников застало меня без всякой защиты. Будучи знаком с юриспруденцией в объеме лишь программы военных училищ, я все же не мог не обратить внимания на одно обстоятельство, которое казалось мне весьма странным: каким образом суд штата Нью-Йорк мог брать на себя рассмотрение деяний, совершенных на чужой территории, и возлагать на меня ответственность за эти деяния лишь как на главу местной власти, не предъявляя мне никаких персональных обвинений ни в гражданском, ни в уголовном процессе. Я заявил свой протест судье Когану и потребовал пояснения, на каком основании суд требует возврата денег, которые я никогда ни от фирмы «Юровет», ни от других участников исков не получал. Судья отклонил мой протест, и я апеллировал в федеральный суд в Вашингтон, откуда на следующий же день пришло разъяснение, подтверждавшее мою правоту, с предложением процесс прекратить. Однако нью-йоркский суд с таковым разъяснением не согласился, процесс прекращен не был, и дело получило лишь несколько иное направление. Судья Коган был заменен другим лицом. Гражданский процесс закончился полным моим торжеством, и подлинное постановление суда до сего времени хранится в моих личных делах.

Едва только выяснилось, что гражданский процесс должен закончиться в мою пользу, на сцену выступил сенатор Бор, потребовавший назначения сенаторской комиссии для расследования причин расстрела нескольких американских солдат в Забайкалье по моему приказу во время интервенции.

Комиссия эта была назначена, и в ней выступил со своими показаниями генерал Гревс, который, несмотря на то что давал показания под присягой, допустил в них явное и грубое искажение истины, превзошедшее в своей несуразности даже фантастические измышления некоторых нью-йоркских газет.

Гревс заявил, что я не только никогда не был сотрудником адмирала Колчака, но выступал против него вооруженной силой, держа фронт в тылу территории, подчиненной правительству адмирала. Дальше Гревс заявил, что покойный адмирал Колчак никогда не передавал мне всю полноту власти на территории российской восточной окраины и что расстрелы американских солдат в Забайкалье производились неоднократно, причем безо всякого повода, по наущению японского командования.

Я легко опроверг все инсинуации Гревса и доказал их лживость, что вызвало резкое выступление некоторых видных офицеров американской армии. Одним из таких офицеров, доведших свой протест до логического конца, был полковник Макроски, который не остановился перед уходом в отставку в виде протеста против дальнейшего пребывания генерала Гревса в рядах армии.

После скандального выступления генерала Гревса я обратился к комиссии с запросом, как господа сенаторы рассматривают солдат американской армии, дезертировавших из своих полков и присоединившихся к Красной армии в Сибири? Считают ли они их преступниками и дезертирами или рассматривают их как чинов армии, выступавших с оружием в руках против национальной Российской армии. В первом случае, на основании каких законов вменяется мне в вину наказание по суду преступников и дезертиров, захваченных с оружием в руках во время боя, в числе прочих пленных красноармейцев, а во втором случае, — чем господа сенаторы объяснят вооруженное выступление чинов американской армии, командированных в Сибирь для поддержки национальных сил России, против этих самых сил на стороне Красного интернационала.

Фактически этим и закончилось все дело. Ответа на свой запрос я никогда не получил, и вскоре по просьбе одного из высших учреждений САСШ я согласился прекратить дело, созданное совместными усилиями Бора, Франса и Сквирского, и одновременно решил покинуть пределы САСШ.

На обратном пути из Штатов, на границе Канады, я был встречен почетным караулом канадских войск и оставался до выезда из Канады гостеприимно принятым как властями страны, так и ее жителями. Я никогда не забуду джентльменского отношения к себе со стороны генерала Нокса, майора Аткинсона и других офицеров великобританской армии, которые без всякой просьбы с моей стороны сочли долгом реагировать на допущенную в САСШ травлю против меня, послав свои протесты в сенат САСШ.

Между прочим, это последнее обстоятельство дало повод сенатору Бору подчеркнуть свое обвинение меня в соучастии в действиях, направленных против американских войск в Сибири не только совместно с японскими войсками, но и великобританскими.

По прибытии в Канаду я вновь имел удовольствие воспользоваться радушным гостеприимством М.Е. Айвазова и многих других видных горожан Ванкувера и Торонто.

Денежные мои дела после судебных расходов и продолжительной остановки в Нью-Йорке были настолько плачевны, что я не имел возможности думать о дальнейшей поездке во Францию и был вынужден вернуться на Дальний Восток, несмотря на все трудности, которые снова ожидали меня там.

18 июня 1922 года я оставил Ванкувер, возвращаясь в Китай. 28 июня прибыл в Иокогаму и, несмотря на все усилия моих добрых друзей, не мог получить разрешение на высадку на берег. Поэтому мне пришлось продолжать свой путь на том же пароходе до Нагасаки, где, по настоянию медицинской комиссии, удалось, наконец, получить разрешение на помещение в один из местных госпиталей, в котором я провел три недели, отдыхая от своей поездки в Америку.

Глава 11
ВОЗВРАЩЕНИЕ НА ВОСТОК

Прибытие в Китай. Новое покушение в Тяньцзине. Враждебное отношение ко мне китайских властей. Переезд в Цинанфу. Убежище в Ляошане. Переезд в Циндао. Разрешение въезда в Японию. Условия въезда. Нагасаки. Первые годы жизни в Японии. Смена министерства

и облегчение условий моей жизни. Характерные особенности стра-
ны и нации Ямато. Попытки революционизации Японии. Разруши-
тельная деятельность Коминтерна в Китае. Возобновление моих
политических связей. История взаимоотношений с Чжан Цзолинем
и его преемниками. Обращение к Сун Чуанфану и Чан Кайши. Ми-
ровая обстановка и успехи Коминтерна. Пути советской полити-
ки. Ценность советских обязательств и истинных намерений
Коминтерна.

Моим японским друзьям так и не удалось исхлопотать
мне право жительства в Японии, и я вынужден был вернуться в Китай, не имея и там права на легальное существование. Господин Сео Эйтаро повсюду сопровождал меня, и ему
пришлось пережить массу беспокойных дней в течение долгого времени, что было особенно хлопотливо, ввиду постоянного преследования меня агентами большевиков.

В Тяньцзин я вернулся в конце июля 1922 года и неле-
гально остановился в «Токио-отеле», где в первых числах августа мне пришлось снова пережить покушение на мою
жизнь. На этот раз было совершено открытое нападение
на отель. Благодаря своевременно принятым мною и г. Сео
мерам нам удалось удачно вызвать наряд консульской полиции и задержать пять человек, вооруженных гранатами
и револьверами. В числе задержанных оказались трое русских, из них один некто Силинский, явный большевик,
один кореец из числа прислуги отеля, взятый нападавши-
ми насильно, чтобы указать мой номер, и один американ-
ский гражданин из того сорта русских революционеров,
которые эмигрировали в свое время в САСШ, спасаясь от
воинской повинности. Целью нападения на гостиницу было
убийство меня, как это выяснилось из показаний корейца,
данных им при допросе в полиции. Тем не менее все аре-
стованные, кроме корейца — японского подданного, были
вскоре освобождены консулами и открыто высказывали
намерение повторить покушение в ближайшем будущем.

В силу создавшейся обстановки, по настойчивым напоми-
наниям консулов, мне пришлось снова готовиться к выезду
из Тяньцзина. У меня не было определенного пункта, куда

бы я мог поехать, так как китайские власти связывали мое имя с вновь возникшим в Монголии движением за независимость и, считая меня ответственным за него, ожидали только подходящего случая для моего ареста.

Разрабатывая в свое время план объединенной борьбы с коммунизмом, я указывал маршалу Чжан Цзолиню на необходимость использования стремления монголов к независимости в наших интересах, чтобы не толкнуть их в объятия агентов красной Москвы. Мой план в китайском правительстве, за исключением некоторых монархических кругов, был встречен холодно, так как Пекин рассматривал этот вопрос исключительно с точки зрения сохранения своего суверенитета, и за этим просмотрел интригу Коминтерна, который, уничтожив сопротивление Белых армий в Сибири и на Дальнем Востоке, немедленно наложил свою руку на Внешнюю Монголию, захватив Халху и вовлекши ее в орбиту своего исключительного влияния. Монголия оказалась для Китая все равно потерянной, и ответственность за это ныне возлагалась на меня, ибо ближайшим поводом к вводу красных войск в Халху послужила борьба с Унгерном и ликвидация его движения на Байкале.

Так или иначе, но я не мог появиться на китайской территории, так же как не мог оставаться и на концессиях. Выхода как будто не было, но его надо было найти во что бы то ни стало. В конце августа я, в сопровождении неизменного господина Сео, покинул Тяньцзин, направляясь пока в Цинанфу. Там предстояло решить вопрос о дальнейшем направлении. На следующий же день после нашего прибытия в Цинанфу в японский отель, в котором мы остановились, явились двое подозрительных лиц, в одном из которых мы тотчас узнали того Силинского, который принимал участие в нападении на «Токио-отель» в Тяньцзине. Таким образом, обстановка осложнилась еще тем, что наше местопребывание было быстро обнаружено и теперь предстояло не только найти убежище, но и обмануть бдительность наблюдателей и скрыться от них так, чтобы они не могли найти нас снова.

Обсудив положение, мы решили ввести в заблуждение наших противников тем, что, сев в поезд, идущий в Циндао, и взяв билеты до этого пункта, вылезти из поезда, не доезжая Циндао, и пешком отправиться в Ляошань. Предварительно мы заручились содействием одного голландца, г. П. Р., который оказал мне большую услугу, устроив разрешение владельца одной из вилл на Ляошане, германского подданного, поместиться в его даче, которая в это время года обычно пустовала. Господин Сео должен был отправиться в Циндао, там явиться к генерал-губернатору генералу Юхи и сообщить ему мое местопребывание.

Рано утром я и г. П. Р., не доезжая двух станций до Циндао, покинули поезд. Нам удалось исполнить это совершенно незаметно для наших преследователей, ибо они наблюдали за Сео, который гулял по поезду и часто посещал вагон-ресторан, в то время как я не покидал своего купе. На той станции, где нам предстояло вылезти, Сео снова увел наших преследователей, а мы тем временем незаметно отстали от поезда и пешком направились в горы. Пройдя около 30 километров, мы к вечеру прибыли на место назначения, где меня ожидал китаец-повар и где я оставался в течение недели под видом друга хозяина. Г. П. Р. на другое утро уехал в Циндао.

За неделю, что я прожил на этой даче, меня чуть не каждый вечер посещали главари шайки хунхузов, сконцентрировавшиеся в районе Ляошаня. В это время в их рядах уже находились специальные агенты — пропагандисты, подготовленные в Москве и командированные в Китай для выполнения заданий и поручений Коминтерна. Я с интересом беседовал с ними и узнал много нового в смысле планов и размаха работы Коминтерна в Китае.

Генерал Юхи, осведомленный г. Сео о моем пребывании в Ляошане, направил ко мне офицера жандармерии майора Ф. с несколькими солдатами, чтобы передать мне, что генерал-губернатор, не имея возможности дать официальное разрешение на мое местопребывание в Циндао, приглашает меня приехать в город неофициально, ставя при этом условием днем не выходить из квартиры. Это условие я пунктуально выполнял в течение приблизительно месяца своей жизни в Циндао.

Но обстоятельства продолжали преследовать меня: как раз в этот период времени Япония приступила к передаче Циндао Китаю, вследствие чего мне снова пришлось думать об убежище для себя. После больших усилий моих друзей в Японии я получил, наконец, разрешение на проживание там и должен был законспирированно выехать на «Киу-Сиу».

Условия, на которых мне разрешалось жить в Японии, заключались в том, что я должен был совершенно отказаться от политической деятельности и не имел права выезда из Японии. Если бы я выехал оттуда, то выданное мне разрешение было бы аннулировано и я лишался права убежища в Стране восходящего солнца. Мне было также предложено избрать себе какой-нибудь псевдоним, чтобы не привлекать к себе внимания своим слишком известным на Востоке именем.

Прибыв в Японию под фамилией Эрдени — это часть моего монгольского титула, — я быстро был разоблачен журналистами, многие из которых знали меня лично. Уже в Моджи от всей конспирации не осталось ничего, и я прескверно себя чувствовал. Только сознание отсутствия какой-либо вины с моей стороны в нарушении одного из поставленных мне условий несколько успокаивало меня. Пробыв несколько часов в управлении морской полиции в Моджи, я с первым отходившим экспрессом выехал в Нагасаки, где остановился в отеле «Дю Джапан», по древности, пожалуй, равном самому городу.

Город производил впечатление овеянного вековым спокойствием и тишиной. Часто на улицах его не было даже признаков наличия живых людей, те же, которые встречались, были особенно любезны и добродушны. Эта новая обстановка настолько мне понравилась, что я с первых же дней своей жизни в городе сильно привязался к нему, тем более что в городе повсюду еще были заметны следы пребывания там нашего флота, который проводил зимние месяцы в гавани Нагасаки, уходя из замерзающих портов нашего Дальнего Востока.

Здесь я впервые испытал землетрясение, и довольно ощутительное, во время которого было разрушено до двух тысяч домов.

Подобное землетрясение случилось в Японии при первом его посещении русскими моряками и подробно описано Гончаровым в его «Фрегате «Паллада». Мне не пришлось пережить величайшее землетрясение 1923 года, когда были разрушены Токио и Иокогама, что, однако, не помешало советской дальневосточной прессе широко оповестить свою публику о моей гибели в Иокогаме.

Первые два года пребывания в Японии, т. е. до падения кабинета Хара, я был лишен права передвижения по стране и должен был безвыездно находиться в Нагасаки, ввиду того что советские представители усиленно протестовали и против моего пребывания в Японии, и против той деятельности, которую я якобы проводил в нем. Меня эти протесты ставили в весьма неловкое положение, так как я решительно никакой политической работы не вел и, несмотря на это, должен был неоднократно доказывать властям, что я веду жизнь частного обывателя, не больше.

После трагической смерти премьера Хара и последовавшей за ней сменой кабинета я получил возможность свободного передвижения по всей стране и сейчас же воспользовался этим, чтобы посетить моих старых друзей в Токио. Поездки по Японии дали мне возможность ближе ознакомиться со страной и получить правильное представление о народе, его быте и высоких душевных качествах японцев. Нужно хорошо познать нацию, чтобы иметь возможность должным образом оценивать ее. В характере японского народа, независимо от классов и состояния, много прирожденного благородства и порядочности. Дух рыцарства свойствен нации Ямато, и этот дух культивируется в каждом японце с ранних лет.

К сожалению, многие русские и иностранцы, побывав в Японии, мало вникают в сущность этой старейшей по своей цивилизации страны, в то же время такой молодой по времени усвоения ею технической культуры Запада. Мудрыми руководителями периода реформ великого императора Мейдзи предусмотрена была полезность усвоения иностранной техники при бережном сохранении сокровищницы высокой национальной духовной культуры. Я уверен, что классовые потрясения еще долго не коснутся японского народа, если и в дальнейшем руководители государственного корабля страны Ямато не сойдут с пути, предуказанного Великим реформатором. Нельзя, правда, отрицать того, что антигосударственная бацилла коммунизма проникла и в Японию, но это не будет иметь актуального значения до тех пор, пока интеллигенция и армия не окажутся зараженными ею.

И несмотря на то, что Коминтерн уже давно работает по революционизированию Японии, все его надежды на успех в этом направлении — тщетны. Уверенность большевиков, что им удастся разложить японский народ и толкнуть его на путь революции (см. «Коммунистический Интернационал», декабрь 1935 г.; «Большевик», № 2 за 1937 г.; «Тихий океан», № 4 за 1936 г.), — миф, такой же необоснованный, каким оказалась уверенность Москвы в успехе того конфликта между Японией и Китаем, который был вызван Советами, долго и упорно обрабатывавшими Китай и убедившими его в своей помощи, для чего постоянно создавались всевозможные инциденты на границах СССР с Монголией и Кореей, демонстрировавшие якобы советское презрение к мощи Японии и, в конце концов, вдохновившие Китай на безнадежную и безумную борьбу с Японией.

Эта борьба была нужна Коминтерну, так как еще в 1923—1924 годах, по ходу деятельности агентов коммунистической Москвы на Востоке, было ясно, что очередная ставка на революцию в Азии делается здесь, в Китае, путем соответствующей обработки народных масс его. Сравнительно хорошо зная психологию масс вообще, а китайцев в частности, я пришел к убеждению, что красные стремятся к вовлечению Китая в Советский Союз для того, чтобы расширить революционное движение за пределами России. После того как Монголия и Южный Китай были вовлечены в орбиту исключительного влияния Советов, я пришел к убеждению, что настало время, когда необходимо было отказаться от своей пассивности и принять то или иное участие в противокоммунистической деятельности в Китае, как в стране, непосредственно соприкасающейся с моей родиной. Праздность, которой я был обречен в продолжение своей жизни в Японии, начала тяготить меня, особенно в отношении невозможности предпринять что-либо против все усиливавшегося на Востоке влияния красных. Русский человек, любящий свою родину и желающий ей добра, в этом вопросе нейтральным быть не может и не должен. Если он не коммунист, он должен быть активным антикоммунистом и не имеет права относиться безразлично к попыткам Коминтерна укрепить свое положение. Всякая неопределенность в этом отношении является недопустимой, и потому, как только нетерпимость японского правительства в отношении меня была смягчена с уходом от власти кабинета Хара, я стал искать восстановления прерванных событиями последних лет своих связей в Китае, с тем чтобы начать работу по созданию единого антикоммунистического фронта в Китае, заложив в основу его формирование международного антикоммунистического легиона для противодействия в первую очередь разлагающему влиянию Коминтерна в Китае.

Прежде всего, я обратился к маршалам Чжан Цзолиню в Мукден, Сун Чуанфану в Шанхай и Чан Кайши — в Нанкин.

Первые мои сношения с Чжан Цзолинем начались еще в 1919 году, когда я, с согласия Верховного правителя адмирала Колчака, нанес ему визит в Мукдене. Пробыв у Чжан Цзолиня пять дней, я сделал тогда ему предложение о сформировании конницы из монгол, под опытным руководством инструкторов из казаков, знающих монгольский язык. Старый маршал колебался дать свое согласие, но мне удалось убедить его в пользе сделанного предложения, указав на факты, подтверждавшие рост коммунистических настроений на Востоке и на весь вред этого явления. В конце концов, он выразил принципиальное согласие на выполнение моего плана, осуществить который, однако, было не суждено. В это самое время большевики публично отказались от всяких прав на КВЖД и обратились к китайскому правительству с весьма заманчивыми для него предложениями. Несмотря на всю их эфемерность, китайцы понудили себя дать им веру, и потому наше соглашение с Чжан Цзолинем как-то незаметно было сведено на нет. Как известно, последовавшие события показали полную неискренность большевиков, которые отказались от всех своих обещаний и не остановились перед созданием всем памятного конфликта 1929 года, чтобы иметь основание вынудить от Китая отказ от всяких претензий к Советам, в связи с данными ими и невыполненными обещаниями, что и было достигнуто.

В 1927 году, когда маршал Чжан Цзолинь занял пост Верховного правителя и находился в Пекине, я снова обратился к нему с прежним предложением, несколько видоизменив его. Участие в моих переговорах с маршалом генерала Хорвата несколько затянуло их, а последовавшая вслед за тем катастрофа и гибель старого маршала совсем сняли вопрос с очереди. Преемник Чжан Цзолиня, молодой, как его принято было называть, маршал Чжан Сюелян оказался не тем человеком, который был бы способен широко смотреть на вещи и сохранить в своих руках влияние и власть, доставшиеся ему в наследие от его мудрого отца. Вследствие этих причин, вскоре вся обстановка в период недолгого правления Чжан Сюеляна положила конец всякой возможности создать активный противокоммунистический центр в Маньчжурии.

Глава пяти провинций, маршал Сун Чуанфан, имевший местопребывание в Шанхае, охотно пошел на участие в создании антикоммунистического центра в Китае и даже дал мне разрешение на формирование первых частей международного противобольшевистского легиона на территории, подвластной ему, но его вооруженная борьба с Нанкином, результаты которой складывались в пользу Чан Кайши, не дали возможности реализовать достигнутое соглашение, и последующее затем занятие Шанхая нанкинцами и падение маршала Суна совершенно аннулировали наше соглашение.

В дальнейшем обстановка, с усилением Нанкина, при наличии явной переоценки своих сил маршалом Чан Кайши, настолько изменилась, что вопрос о заинтересованности Китая в общей борьбе с Коминтерном надо было совершенно снять с очереди.

Мир бился в судорогах политических и экономических кризисов, а лица, стоявшие во главе правительств, пытались найти выход в установлении нормальных, с буржуазной точки зрения, взаимоотношений с большевиками, закрывая глаза на то, что именно большевики являются первоисточником всех кризисов, и наивно думая, что соглашение с ними откроет им советские рынки и оживит их торговлю и промышленность. При этом упускали из виду, что голодная и обобранная страна рынком быть не может и покупать что-либо не в состоянии, а заключение всякого рода договоров с Советами усиливает престиж коммунистов и ободряет их в борьбе за конечное торжество мировой революции, оплаченной советскими деньгами и проводимой по советским рецептам.

Приходилось только удивляться той легкости, с какой буржуазные правительства шли на сближение с большевиками, закрывая глаза на советское двуличие и на закулисную работу советских дипломатических и торговых миссий. Кому неизвестно, что внутри страны власти СССР надевают на себя личину ярко националистической политики, призывая народ и армию к защите родной земли от захвата иностранных империалистов, в то время как во внешней политике, в общении с иностранным пролетариатом, официальные и неофициальные представители СССР работают не покладая рук, организуя кадры коммунистов и подготовляя их к свержению существующего режима и захвату власти в свои руки.

Официальная советская дипломатия всегда ратует за сохранение мира, примыкая к пацифистским течениям во всех случаях и странах. В то же время и внутри страны, и в заграничных представительствах СССР ведется лихорадочная подготовка к неизбежному в будущем вмешательству во внутренние дела любой страны, где явится возможность зажечь гражданскую войну. Об этом я писал еще в 1920—1921 годах, доказывая, что разрушительные планы Коминтерна направлены на революционизирование всех стран мира, а посему пресечение этой работы возможно лишь при общей мобилизации против нее всех народов и при изгнании Коминтерна из России, дабы лишить его материальной базы.

Интересно отметить, что ни одно соглашение большевиков с иностранцами и ни один официальный акт, когда-либо подписанный ими, не упоминали в качестве договорившейся стороны Россию, а заключались от имени Союза ССР. Из этого следует, что и значение этих актов будет существовать лишь до тех пор, пока существует союз, автоматически включающий в эти договора все вновь образующиеся советские республики, примыкающие к нему. Это относится, очевидно, и к красной Испании, и к Южному Китаю, и к Внешней Монголии и может быть отнесено и ко всем будущим советским новообразованиям, где бы они ни появились.

Поистине, во всем мире идет революция, которая изменяет не только политические режимы в отдельных странах, но перемещает и самый центр понятия о правде, до сего времени общий и незыблемый для всех стран и народов. Мир попал в полосу общей переоценки ценностей, создавшей такой хаос в, казалось бы, ясных и незыблемых истинах, который может ввергнуть его в пучину невиданных бедствий, если процесс разложения, идущий из красного Кремля, не будет прекращен решительными мерами против Коминтерна.

Включая в тексты своих договоров с большевиками пункты об отказе советского правительства от пропаганды за границей, представители иностранных правительств сознательно закрывают глаза на то, что они будут обмануты; ибо самая сущность коммунизма заключается в стремлении ввести советский режим во всем мире и в подготовке к этому пролетариата. Достаточно указать на один из пунктов Полевого устава Красной армии, который ясно и четко формулирует цели и стремления СССР. В этом параграфе говорится, что РККА является авангардом мировой революции и защитницей революционного движения в странах, угнетаемых буржуазным или капиталистическим режимом. Может ли быть что-нибудь более ясное и четкое в откровенном исповедовании своего символа веры. И можно ли удивляться после этого, что представители советского правительства за границей уже не один раз скандально разоблачались в ведении коммунистической пропаганды, организации коммунистических партий и подрывании основ государств, при правительствах коих они аккредитованы, несмотря на все обязательства и договора, как будто бы гарантировавшие эти последние от всякого вмешательства Советов в их внутреннюю жизнь.

Для меня является совершенно несомненным, что Коминтерн старается и будет стараться везде, где только возможно, провоцировать идею мировой пролетарской революции, избегая во что бы то ни стало открытых вооруженных столкновений своей Рабоче-крестьянской Красной армии с атакованными им странами, действуя по преимуществу революционной силой местного пролетариата и компартий, усиливая их инструкторскими частями регулярной РККА. События в Китае, в Испании и судьба Внешней Монголии подтверждают правильность этого моего заключения, так как такой способ воздействия на противника дает основание правительству СССР формально отводить обвинения во вмешательстве, ссылаясь на то, что воюют не части армии Советского Союза, а революционный пролетариат, против которого СССР не может принять каких-либо мер и за действия которого не может нести ответственности. Это — приблизительный смысл содержания тех дипломатических нот, кои будут рассылаться красным Кремлем иностранным державам в недалеком будущем и кои заменят собою подобные же по ценности массовые ноты далекого прошлого, в которых правительство Советского Союза усиленно доказывало миру, что оно не имеет ничего общего с Коминтерном и не может контролировать его действий. Формально не будет оснований не принять такой ноты, ибо внешне все будет обстоять вполне благополучно для СССР, приближая катастрофу современной цивилизации, под аккомпанемент красноречия дипломатии капиталистических стран.

Будущий историк, исследуя переживаемую нами эпоху, несомненно, придет к выводу, что виновниками мировых потрясений и кризисов нашего времени в большей степени, чем большевики, являются те, кто поддерживал их, ибо без той широкой материальной и моральной помощи, какую оказали им капиталистические и буржуазные страны, большевики ничего не смогли бы сделать, и даже самый захват ими власти в России был возможен лишь при том содействии, которое они получили от германского правительства.

Глава 12

КОМИНТЕРН И СССР

Положение в России. Иностранная поддержка советской власти. Разлагающая работа Коминтерна за границей. Российская эмиграция. Невозвращенчество. Влияние СССР на Китай. Мировые задачи коммунизма. Науськивание Китая на Японию. Роль буржуазной дипломатии. «Народный фронт». 2-я советская армия Коминтерна. Коммунизация Китая. Борьба с национализмом в СССР. Изменчивость внутренней политики СССР. Неизменность внешней его политики. Троцкизм. Шовинизм и иудофобство. Лига Наций. Колониальный вопрос. Экономическое соперничество и агрессия обойденных держав.

В настоящее время успехи коммунистической пропаганды во всем мире зашли так далеко, что ликвидировать их является задачей весьма трудной. Основным условием для пресечения разрушительной работы Коминтерна является безусловный отказ от принципов, когда-то провозглашенных Ллойд-Джорджем о том, что «торговать можно и с людоедами». Коммерсанты должны твердо усвоить себе, что все ныне от торговли с Советами ими нажитое рано или поздно все равно будет от них отобрано, а сами они если и не съедены, то просто зарыты в яму, как всякая падаль. И все от них отобранное послужит ресурсом для продолжения уничтожения человечества и его культуры в следующей очередной стране. Так было в России, так происходит сейчас в красной Испании, так же будет происходить везде, где красным удастся взять власть в свои руки хотя бы на один день.

Надо надеяться, что судьбе будет угодно выдвинуть хотя бы еще в двух-трех странах своих Муссолини, Гитлеров и Франко. Тогда можно будет надеяться на укрепление единого фронта против растлителей морали и религии, за спасение ценностей культуры от коммунистического вандализма, а также на прекращение политической спекуляции на дипломатических взаимоотношениях держав с СССР. Тогда, может быть, вспомнят и о давно забытой порядочности в международных взаимоотношениях.

Иностранцам необходимо понять, что единственная причина, удерживающая население России и даже Красную армию от национальной революции теперь, после двадцатилетнего коммунистического гнета, заключается в той поддержке финансово-экономической, которую Советы имеют от капиталистических стран мира. Ни для кого не секрет, что только дипломатическое признание державами советского правительства гарантирует последнее от опасности организации национально-революционного движения за пределами Советского Союза, к чему уже давно имеются все возможности. После признания советская пропаганда повсюду ведется даже в усиленном размере, несмотря на все договоры об отказе от нее, так как если раньше, когда правительство красной Москвы не пользовалось признанием за границей, оно, добиваясь этого признания и связанных с ним преимуществ, держало себя весьма осторожно, то после того, когда Советы получили признание почти во всем мире и дипломатическая неприкосновенность служит хорошей ширмой для их представителей, они, укрываясь за последней, широко развернули свою преступную деятельность, результаты которой болезненно ощущаются всем миром.

В настоящее время положение таково, что мир уже разделился на два враждующих лагеря и только потоки крови побежденной стороны смогут залить пламя классовых войн, которые стараниями Коминтерна угрожают каждой стране. Тогда РККА Москвы явится стратегическим резервом всех местных коммунистических армий, готовым поддержать их в нужный момент и в нужном месте, причем во всех случаях содействие этого резерва будет маскироваться флагом той страны, в которую он будет послан.

Я полагаю, что правительства и страны, до сего времени сотрудничающие с правительством СССР, в предвидении страшного будущего, которое готовят для человечества коммунисты, обязаны пересмотреть свои отношения к этим источникам всякого зла и разрушения, чтобы хоть отчасти смягчить свою ответственность перед грядущими поколениями.

Меня всегда удивляло, чем руководствуются иностранцы, закрывая глаза на факты и упорно ожидая от красной Москвы какой-то лояльности и честного сотрудничества. Конечно, возможно, что, не испытав на собственном опыте сущности советской системы, иностранные политики не могут согласиться принять на веру, что Коминтерн представляет собою страшную угрозу всему миру. Тогда придется им убедиться в этом после того, как тяжелая длань Коминтерна подчинит своему влиянию их собственные страны. И для них, и для себя следует пожелать, чтобы до этого не дошло и чтобы миллионы вопиющих фактов заставили, наконец, обратить на себя внимание всех тех, кому народы вверяют свою судьбу.

Разве не поразительный факт, громко и убедительно свидетельствующий против большевиков, — миллионная российская эмиграция, бежавшая за границу от советского рая и продолжающая бежать от него и до сих пор? Разве не поразителен факт, что эта самая эмиграция предпочитает бедствовать в Европе; гибнуть в лесах и болотах Южной Америки; обращаться в промышленных рабов в САСШ, но не допускает и мысли о возврате на родину, пока там существует настоящий порядок? А 5 тысяч невозвращенцев в одной только Европе! Разве это ничего не говорит уму и сердцу иностранных правителей? Разве можно представить себе что-либо подобное тому, что мы наблюдаем в этом поразительном факте: 5 тысяч человек советских чиновников, находившихся на государственной службе и пользовавшихся известным доверием, потому что иначе их не назначили бы на заграничную службу, отказались от возвращения на родину и предпочли неизвестность эмигрантского, в сущности, бесправного существования карьере дипломатов в своей стране.

В этих фактах нельзя не видеть повторения библейской истории исхода евреев из Египта, но то, что происходит сейчас на наших глазах, много трагичнее истории еврейского народа в Египте. Там были жестокие фараоны, бессовестно эксплуатировавшие своих еврейских подданных, но допускавшие с их стороны довольно сильное противодействие, о чем свидетельствует Библия. Здесь — коллективный вампир — Коммунистический интернационал, не признающий никаких географических границ для своих вожделений и никаких прав за своими жертвами. Он стремится подчинить себе все человечество; ему нужна возможность расправы над всеми инакомыслящими; полное уничтожение культуры и захват всех ценностей, накопленных нациями (см. «Коммунистический Интернационал» за декабрь 1935 г., № 33-34).

Несомненно, Китай больше всех иных держав должен был бы знать сущность и истинную природу своего красного соседа, как по отторжению Халхи и Синцзяна и памятному конфликту 1929 года, так, наконец, и по образованию на юге правительства по чисто советскому образцу. Все это, к сожалению, ничему не научило Гоминьдан, который, несомненно, обречен пасть жертвой советской интриги в Китае. Не случись событий 18 сентября 1931 года,

Маньчжурия была бы теперь советской провинцией еще в большей степени, чем ныне Синцзян, ибо железнодорожная магистраль КВЖД, находясь всецело в руках Коминтерна, без малейших препятствий явилась бы базой для разложения Китая в северной и средней его части. Те события в Китае, свидетелями которых мы являемся в настоящее время, есть не что иное, как ликвидация советского влияния на Гоминьдан, и самый размах событий, их масштабы, приближающиеся к масштабам большой международной войны, свидетельствуют о том, насколько глубоко проникло советское влияние в правящие сферы Китая, насколько сильно Коминтерн подчинил их себе.

Сэр Эллиот, в бытность его послом Великобритании в Токио, в разговоре со мною как-то задал мне вопрос, как я смотрю на возможность коммунизации Китая. И когда я высказал мнение, что при существующих условиях считаю успех коммунистической пропаганды в Китае не только возможным, но вполне обеспеченным, он, будучи большим знатоком Китая, высказал свои сомнения в правильности моих выводов. Мы встретились с ним снова спустя два года, когда Блюхер и Бородин развернули флаг Коминтерна на юге Китая, и в эту встречу сэр Эллиот признался, что теперь он должен констатировать безошибочность моего прогноза об успехе коммунистического движения в Китае.

При определении сущности коммунизма и его мировых заданий не следует забывать, что руководители политики красного Кремля, так называемое советское правительство, отнюдь не являются самодовлеющей величиной, проводящей самостоятельную политику в интересах управляемой ими страны. Это, прежде всего, лишь слепые исполнители воли Коминтерна, и его закулисным влиянием объясняется, на мой взгляд, несомненное соучастие международной дипломатии и капитала в поддержке советского строя как разрушительного аппарата, служащего целям подчинения всего мира Коминтерну.

В данный момент ответственные руководители китайской политики напоминают мне наших эмигрантских оборонцев, стремящихся в накоплении сил Коминтерна видеть благо для родины ради защиты ее национальных интересов. Тогда как еле дышащая Россия нуждается лишь в обороне от Коминтерна, а не от кого-либо другого.

Искренность советского правительства в отношении Китая была демонстрирована в период переговоров о переуступке прав на СМЖД, бывшую КВЖД. Как известно, продажа дороги была совершена вопреки неоднократным и настойчивым протестам Китая, на которые красная Москва или не отвечала вовсе, или заверяла Нанкин о своей готовности компенсировать его путем активной поддержки в его борьбе с Японией, к которой Гоминьдан усиленно начал готовиться после маньчжурских событий 1931 года. Продажа дороги нисколько не испортила отношений между Нанкином и Москвой, несмотря на известную маскарадную инсценировку в Суене, проделанную Чжан Сюеляном в отношении Чан Кайши. Вывод из всего сказанного один — СССР спровоцировал Китай на конфликт с Японией, чтобы использовать его в борьбе с так называемой японской экспансией на путях ее континентальной политики. Цели ясны и заключаются в том, чтобы за спиной Китая спрятать свое подлинное лицо и руками китайцев начать неизбежную борьбу против Японии, стоящей на страже защиты востока Азии от полного порабощения его Красным интернационалом. Получается довольно пикантное положение: с одной стороны, Англия и Франция, стремящиеся столкнуть СССР с Японией с тем, чтобы силою советских штыков приостановить укрепление Японии на материке, а с другой — СССР, толкающий Нанкин на конфликт с Японией, с тайной надеждой ослабить последний настолько, чтобы иметь возможность безопасно творить свое злое дело коммунизации Китая и вовлечь его в Союз Советских Республик. К счастью, расчеты СССР в данном случае оказались ошибочными и Япония сама начала борьбу с красным влиянием в Китае, борьбу, которая неминуемо закончится полным изгнанием коммунизма и коммунистов из Китая.

Буржуазная дипломатия не понимает как будто того, что политика СССР не может быть иной, как стремлением всюду создавать конфликты и осложнения, и в данном случае, поддерживая китайцев в их настоящем конфликте с Японией, она работает на советскую Москву, истинного автора и вдохновителя переживаемых нами событий, верного своему принципу сталкивать лбами капиталистические правительства и вести борьбу со своим противником под флагом местных коммунистических и полукоммунистических партий, поддерживая их материальными и боевыми средствами и, в качестве стратегического резерва, своей Рабоче-крестьянской Красной армией.

Нам давно известно создание Коминтерном военных отрядов для действия под флагом так называемого Народного фронта в Маньчжурии и Северном Китае. Этот факт, без сомнения, известен также и политическим деятелям Европы и Америки. На кооперации СССР и других заинтересованных держав в Китае построена тактика народного фронта против Японии.

Интернациональные части, получившие подготовку и вооружение на территории СССР, стянуты ныне к границам Маньчжурской империи и получили вместе с китайской армией Хунчжуна и монгольской народной армией общее руководство штаба ОКДВА. Объединенные единым командованием и единой базой снабжения, эти части составляют как бы 2-ю советскую армию Коминтерна, которая за спиной своей, в качестве резерва, будет иметь Красную армию СССР.

Это настолько ясно, что, если бы дипломатия и главные штабы заинтересованных держав повнимательнее присмотрелись бы к сущности проводимых СССР планов, они неизбежно должны были бы изменить свою тактику, отказавшись от какой бы то ни было кооперации с СССР на Дальнем Востоке, и постарались бы удержать Китай от его бессмысленной и безнадежной борьбы с Японией.

Позиция, занятая Китаем не без подстрекательства закулисных влияний, приведет к полной коммунизации его масс.

Кооперация Китая с Советами усиливает их позицию на Дальнем Востоке и убивает интересы иностранных держав здесь. От этой кооперации выигрывает только СССР, выигрывает не только вследствие вовлечения Китая в эту орбиту своего исключительного влияния, но и вследствие вовлечения единственной опасной для себя силы — Императорской японской армии — в затяжную борьбу с Китаем, отводя тем самым от себя непосредственную угрозу с ее стороны.

Надо отдать должное советской политике: она последовательна в своем стремлении использовать все возможности для приближения мира к социальной катастрофе. В то время как советская дипломатия искусно жонглирует на противоречии международных интересов, сталкивая, по возможности, державы на путях их политики, в вопросах внутренних обладающий поистине диктаторскими правами Сталин постоянно меняет свою генеральную линию, сбивая с толку своих сотрудников и сметая со своего пути всех замешкавшихся и не сумевших молниеносно приспособиться к новым и новым курсам внутренней политики Советов.

Эта политика вообще характеризуется тем, что для достижения поставленных целей считаются допустимыми всякие пути. Поэтому, когда интересы мировой революции, конечной и неизменной цели всей советской политики, потребовали некоторого сближения власти с населением и, главное, армией, правящая партия легко отказалась от одного из основных положений социализма — об отказе пролетариата от чувства любви к родине, и тысячи казненных пропагандистов получили задание подогреть национальные чувства народа и армии и их готовность к защите родины, за одно слово о которой не так давно людей ставили к стенке. Когда же результаты этой кампании оказались настолько сильными и актуальными, что вселили некоторую тревогу в сердца ее авторов, наиболее зараженные националистическим ядом элементы были постепенно выявлены и изъяты из обращения. Тем не менее раз разбуженный национализм оказалось не так легко подавить, и призыв любви к родине нашел настолько сильный отклик в сердцах народа, что явилась настоятельная необходимость во что бы то ни стало скрыть от заграницы противокоммунистические настроения среди народа и Красной армии. Обнаружение такого факта грозило подорвать доверие заграницы к красному Кремлю и лишало его возможности производить эффект бряцанием оружия Красной армии на страх соседям. В поисках выходов из положения была придумана троцкистская оппозиция, и с тех пор все политические процессы в СССР проходят под маркой троцкизма. Фактически никакого троцкизма в СССР нет; нет и не может быть такого влияния Троцкого, которое угрожало бы самому существованию советской системы. Для русского народа Троцкий такой же душегуб, как и Сталин, и Ленин, и Каганович, и все остальные вожди и лидеры. И в борьбе с коммунизмом русский народ, конечно, ставки на Троцкого не сделает. Но троцкизм необходим для объяснения многочисленных процессов всякого рода вредителей и диверсантов, и проводить их в виде коммунистической оппозиции коммунистическому же режиму оказалось благопристойнее, нежели на двадцатом году существования власти расписываться в полной несостоятельности коммунистического перевоспитания народа и в наличии результатов, обратных тому, к чему стремился Коминтерн. Хотя надо сказать, что в полной мере скрыть того, что происходит в СССР, не удалось. Все свидетели единогласно подтверждают, что такого шовинизма, граничащего с прямой ксенофобией, и иудофобства, которые наблюдаются сейчас в России, никогда ранее не проявлялось.

Характерно также то, что, пристегивая имя Троцкого ко всем процессам последнего времени, Коминтерн как бы отвлекает общественное внимание от его разрушительной работы за границей, направленной в конечном итоге к торжеству той же мировой революции и захвату власти коммунистами, выставляя его своим принципиальным противником и заклятым врагом.

Итак, политика Коминтерна, как внешняя, так и внутренняя, направлена на создание всевозможных затруднений везде, куда удалось проникнуть его агентам, во имя конечного торжества коммунизма и захвата власти над народами всего мира. Совершенно естественно, что в этом своем стремлении Коминтерн не мог пройти мимо такого удобного для себя и своих целей учреждения, как Лига Наций, используя ее в качестве бродильного фермента для провоцирования новой мировой войны.

Созданная в результате империалистических агрессивных стремлений Антанты, Лига Наций в полной мере удовлетворила вожделения своих авторов по захвату территорий и всякого рода экономических привилегий. Она принудила державы признать захватнические права победителей, зафиксированные Версальским миром, игнорируя совершенно всякую, даже элементарную, справедливость. В результате она разделила мир на два лагеря: обидчиков и обиженных, и она направила обиженных на путь самостоятельных поисков справедливости. Их национальная гордость была унижена; самолюбие растоптано победителями. Им осталось только внешне смириться и мечтать о реванше, который рано или поздно будет дан.

Коминтерн, конечно, в полной мере учел противоречия интересов держав, и красная Москва вошла в Лигу Наций, используя ее трибуну для искусного углубления раздоров, в надежде довести державы до вооруженного конфликта между собою.

Для достижения этих целей используются все данные, могущие вызвать недовольства обиженных и их стремление к восстановлению справедливости. Даже претензии держав, развивавшихся позже других и потому запоздавших к дележу колониальных владений между европейскими странами, служат предлогом для возбуждения одних стран против других. Это — особенно благоприятная почва для разлагающей работы Коминтерна, потому что, пока существует мир, будут существовать соревнование и конкуренция во всех областях жизни человечества, начиная с коммерции и кончая спортом. Соревнование на первенство в области спорта и на превалирующее положение в экономике всегда служили самыми актуальными двигателями в стремлении наций к улучшению их положения и облегчению путей к мировому господству. Такова природа и не только человечества, но и всего живущего на земле.

Авангарды главных сил грядущего столкновения наций, купцы, уже бьются за рынки, вызывая свои подкрепления в виде таможенных рогаток для конкурирующих с ними стран. Развивая свой успех, силы, берущие верх в этой борьбе, привлекают к ней авторитет власти своей страны, чтобы закрепить достигнутые успехи силою международных соглашений и договоров. Их противники также взывают к помощи правительства, заставляя его вмешаться в борьбу и взять на себя защиту интересов торгового класса своей страны. На сцену выступает дипломатия и высокая политика, и в случае их беспомощности решение вопроса передается силе штыка. Но штык своим бременем одинаково давит и на победителя, и на побежденного.

Те державы, кои в силу своевременно сложившихся благоприятных обстоятельств обеспечили себя и территорией, и колониями, ныне упрекают своих малоземельных соседей, виновных лишь в том, что им негде разместить прирост населения, в алчности, в непомерной агрессии, в стремлении нарушить мир в мире и т. д., забывая, что все эти доводы и упреки совершенно неубедительны, когда на сцену выступает проблема переизбытка населения, которую нужно разрешить во что бы то ни стало.

В этих вопросах нет ни правых, ни виноватых. Одни успели сделать захваты раньше, а другие делают их теперь. Разрешение этого очередного вопроса дня заключается в неизбежности полного переустройства мира. Нужно не социалистическое уравнение, о котором кричат большевики и которое совершенно утопично, а национальное уравнение возможностей. Социальное равенство, конечно относительное, может прийти лишь после умиротворения всех народов мира путем справедливого удовлетворения их насущнейших нужд и стремлений.

Глава 13

ГДЕ ЖЕ ВЫХОД?

Теория социальных учений. Классовая борьба. Демократия и государственность. Опыт российской революции. Диктатура. Партийность. Благо государства. Фашизм и национализм. Форма государственного правления. Парламентаризм и предвыборные злоупотребления. Обязанности граждан перед государством. Особенности Российского государства. Основная идеология российской государственности. Россизм как антипод коммунизма. Идеология и принципы россизма. Заключение.

Теории социальных учений являются большим тормозом на пути установления международного равенства, ибо наличие их и увлечение ими отвлекает внимание творческих сил страны от основной задачи как каждой нации, так и всего человечества, от идеи необходимости установления международного сотрудничества на принципах известной справедливости. Увлечение социальными теориями может дать лишь некоторый шанс на сглаживание заостряющихся углов международных взаимоотношений, иногда вызывающих даже вооруженные конфликты по недостаточным к тому причинам. Несомненно, что, пока мир существует, невозможно абсолютно избежать вооруженных столкновений между нациями, но стремиться к сокращению их является долгом культурного человечества ради его процветания и всемирного благополучия.

Существовавшие и ныне существующие поборники борьбы классов за социальное равенство являются несомненно крайне вредными элементами общества, в силу тех причин, что они направляют его на внутринациональную борьбу, отодвигая идею международного сотрудничества на задний план и даже совершенно затемняя ее. Вся тактика социалистов ведет к раздроблению национальных сил каждой страны, лишая их возможности стать на путь солидаризма единым национальным фронтом. Каждый народ в своей стране вправе и обязан единым стремлением служить прогрессу цивилизации, имея каждый свое место в своем национальном фронте. Каждая нация обязана понять, что теория классовой борьбы направлена к стремлению подготовить конечное торжество Коммунистического интернационала и ее пути враждебны идее нации и идее международной (относительной) солидарности. Отсюда следует, что эти пути ведут человечество к умножению возможностей вооруженных конфликтов в мире. Только заблуждение современных государственных деятелей, руководящих политикой разных стран, могло допустить смешение понятий «демократия» и «бесклассовое общество» и даже отождествление их.

Демократия, в лучшем смысле этого слова, должна пониматься как превалирующая масса каждой нации. Бесклассовое же общество является противоположностью этого понятия, ибо оно прилагается лишь к коммунистическому устройству общества, т. е. служит для обозначения лишь известной группы населения, т. е. партии, а не всей или большинства нации.

Совершенно очевидно, что проводимый социалистами путь устройства общества в более или менее сильно развитой степени имеется уже во всех странах, с той лишь разницей, что демократические правительства осуществляют принципы социализма по мере их целесообразности, создавая под своим контролем учреждения так называемого общественного пользования, к каковым относятся почта, лечебные заведения и пр.; социалисты же стремятся к насильственному отобранию в свою пользу права принудительно переустраивать общественно-социальную жизнь страны, не останавливаясь перед разрушением основ цивилизации как продукта многих веков человеческих достижений. Социалистические теории противоречат целям, преследуемым ими: проповедуя равенство требований, независимо от равенства возможностей, они уничтожают свободу конкуренции и соревнование. При таком положении уничтожается всякий стимул для творческой деятельности, ибо умение и способности уравниваются с бездарностью и ленью. Теория социального равенства, без поправки на особую оценку личных способностей членов общества, при равных для всех возможностях, явится причиной непомерного усиления паразитирующего элемента, которое несомненно приведет общество к краху, если оно будет попустительствовать лени и бездарности. Значит, необходим аппарат принуждения, т. е. та же система, что является общепринятой в настоящее время во всех странах. Спрашивается, чего ради вести борьбу? Ради самой борьбы разве.

Еще более несуразная неувязка в системе и тактике социалистов почти всех оттенков заключается в требовании ими свободы лишь одного класса ценою удушения других. В этом можно усмотреть ничем не прикрытое стремление к власти во что бы то ни стало, а никак не желание переустроить общество на лучших и более справедливых основаниях.

Опыт российской революции показал ценность социалистических теорий в их приложении к жизни. Социалистическое государство, оказывается, представляет собою осуществление в стране дикого произвола узкопартийной диктатуры во имя достижения чисто марксистского устройства общества. Я — не против диктатуры в решительные моменты жизни наций, но никак не могу понять, какие преимущества получила наша родина, сменив самодержавную власть монарха на полный произвол кучки политических проходимцев и международных авантюристов, представляющих собою ядро правящей партии.

Постоянно высказывая свое отрицательное отношение к пользе и необходимости существования политических партий, я высказываю мнение большинства здравомыслящих и политически грамотных людей, которые почему-то это свое мнение держат про себя, предпочитая не делиться им с окружающими. Это мое твердое убеждение, и я считаю, что каждый отдельный, лояльный к интересам своей родины гражданин, так же как и группа таких граждан, имеют в виду своей деятельностью принести максимум пользы родной стране и своему народу. Другого, более возвышенного идеала в жизни нет и не должно быть. Интересы государства в целом должны являться целью стремления каждого лояльного гражданина, а тем более лиц, призванных их блюсти. Понимание своего долга перед государством должно стоять выше понятия о благе партии. Не было и не будет положения, при котором интересы меньшинства, навязывающего свою волю всей массе населения, считались бы нормальными и правильными, за исключением, конечно, Союза ССР.

И на примере СССР мы видим, что такое положение неизбежно вызывает осложнения и борьбу, идущие в ущерб интересам государства, ослабляющие его мощь, международное значение и экономическое благополучие. Необходимо, и это вполне осуществимо, чтобы система государственного управления была построена на основе целесообразности и общей выгоды. Тогда и власть, проводящая политику соблюдения общих интересов, будет популярна или, во всяком случае, при возможных неудовольствиях не будет так остро ненавидима, как мы видим на примере СССР. Никакие эксперименты партийных фантазеров не могут быть допущены в интересах государства, если проведение их в жизнь не дает абсолютной гарантии в их выгодности для страны.

Самое понятие о партии содержит в себе представление о расчленении граждан на группы во имя отстаивания собственных стремлений и интересов, может быть, в ущерб интересам всей страны в целом. Я никак не могу примириться с этим и всегда считал и продолжаю считать, что стремление к торжеству интересов какой-то группы граждан, объединенных общностью политических взглядов, при полном или даже частичном забвении интересов остальных групп населения и всей страны в целом является тяжким преступлением против государства и против родного народа. В конечном итоге это стремление имеет целью свои личные, эгоистические выгоды и в правильно организованном государстве не должно иметь места вовсе.

Понятие о благе государства не должно разбивать его граждан на ряд независимых, зачастую враждебных друг другу группировок. Польза или ущемление общегосударственных интересов — понятия достаточно определенные для того, чтобы не вызвать подчас непримиримых толкований и разделения общества на враждебные и взаимно конкурирующие партии.

Как будто это положение опровергается тем, что Италия, а вслед за ней и Германия пришли к своему национальному возрождению только путем осуществления партийных программ. Это совсем неверно, потому что общеизвестен факт, что как Муссолини, так и Гитлер пришли к власти не революционным путем, а были выдвинуты на свои посты абсолютным большинством наций. При данных условиях разговор о власти партийной совершенно неуместен, потому что, когда нация объединена одним стимулом — выйти на путь своего благополучия, она не является партией, а единым национальным фронтом, базисом государственного благополучия. Недаром Муссолини как-то обмолвился, что фашизм — не для экспорта. Этим он подчеркнул, что фашистская доктрина имеет в основе своей чисто национальное, специфически итальянское движение и может быть свойственна только итальянцам. Принимая, однако, во внимание существующую между различными нациями некоторую общность интересов, несомненно полезно использовать фашизм хотя бы в измененном виде и другим странам, организм которых требует некоторого обновления и укрепляющих средств на пути их нормального развития. Это уже не будет фашизмом как таковым, ибо, перенесенный на чуждую почву, он изменяет свои формы, будучи приспособлен к национальным особенностям заимствующей его нации. Национал-социалистические принципы Германии сегодняшнего дня имеют некоторое сходство с итальянским фашизмом, но лишь только в конечных целях их стремлений, глубоко отличаясь от него как в сути их тактики, так и в основах государственного устройства, которые в корне различны в обеих странах.

Последнее обстоятельство весьма важно усвоить нам, русским, много отдающим энергии и времени спорам о будущем государственном устройстве национальной России. Вопрос о форме строя в основе государственных интересов, в первой стадии ликвидации советского режима по крайней мере, решительно никакого значения не имеет. Как различные виды монархии, так и все виды республики имеют свои достоинства и недостатки. Идейность национально мыслящих людей не должна заключаться в чисто академическом вопросе о форме строя, а должна выражать стремление к национальному возрождению и благополучию своего народа. Необходимо только помнить, что политическая партийность и стремление подвести всех под одну мерку утвержденного партией образца всегда была, есть и будет вредоносной бациллой в здоровом теле всякого государства. Рассадником взращивания этой вредоносной бациллы разложения обычно является парламентаризм, тот парламентаризм, который принят в большинстве так называемых демократических государств и который не узаконил фактическое участие народа в управлении страной через своих выборных представителей, как должно было бы быть, а стал орудием борьбы и противодействия со стороны крайних элементов проведению в жизнь реформ, полезных государству в целях его нормального развития и совершенствования.

Парламентаризм и партийность служили и служат могучим стимулом для политической борьбы не только между различными партиями, входящими в парламент, но и против самой власти. Если учесть обычно ведущуюся предвыборную кампанию с продажей и куплей голосов и подкупом кандидатов, то всякому станет ясно, что система парламентаризма и принятые до сих пор условия существования политических партий в стране служат лишь причиной нарушения спокойствия, иногда даже приводящей к свержению существующего режима и к захвату власти аморальным элементом, которому эта власть нужна исключительно в личных целях и во вред интересам всего остального населения.

Нередко можно видеть теперь, и история также дает немало случаев, когда правительство чужой страны бросает немало денег на проведение предвыборной кампании в другой стране в пользу нужного кандидата для проведения нужных политических мер. Такие методы пропаганды обычно проводятся через партийные аппараты той или другой партии.

История не знает и не будет знать такого положения, когда бы вся масса населения входила в одну какую-либо партию. Масса обычно остается без подлинного представителя ее интересов в государственных учреждениях, ибо она, как правило, не имеет нужных средств для проведения своего кандидата.

Государственное управление страной, в смысле своего морального авторитета, должно уподобляться храму, в котором не может быть места ни личным, ни партийным интересам. Если беспристрастно определить роль и значение любой политической партии в стране, то никто не может отрицать роль всякой партии, как орудия в руках отдельных личностей и групп, но не представляемого ею населения, под вывеской которого партия только проводит своих кандидатов.

Существование политических партий так же нелепо, как узаконенное существование партизанских отрядов в стране для воздействия на правительство ее в известном определенном направлении. Партизаны противодействуют правительству силою оружия, политические партии — силою печатного слова и агитации. В обоих случаях создается развал и беспорядок, в обоих случаях забывается, что правительство существует для поддержания порядка и охраны интересов всего народа, но не для борьбы с ним, исключая, конечно, случаев захвата власти кем-либо явно во вред населению данной страны, как, например, теперь в СССР.

Необходимо найти такую формулу, государственно обязательную для всего населения страны, чтобы, подобно воинской повинности, существовала бы и политическая повинность, могущая создать в стране единую политическую армию, цели которой должны быть направлены на благо всего населения.

Все население страны, независимо от структуры ее государственного устройства, должно осознать общность долга перед родиной и защищать права своего класса или народности в рамках общегосударственных интересов.

Останавливаясь на необходимости правильной оценки положения России как страны с многообразным племенным составом и даже с расово различным населением, нужно признать, что до сих пор существовавшие и зародившиеся вновь политические доктрины — фашизм в Италии и национал-социализм в Германии — не подлежат копировке, ибо в целом ни то ни другое в отношении России неприменимо. Мы можем и должны взять от них лишь то, что полезно, но ни в коем случае не должны слепо подражать иностранным образцам, чтобы не повторять наших ошибок в прошлом.

Фашизм гениально придуман, но только для Италии с ее однообразным, в отношении племенном и расовом, населением. То же можно сказать и про национал-социализм Германии.

Обе системы не отказались отдать дань парламентаризму, ибо без этого, очевидно, они не были бы приемлемы для масс. Но ясно, что, когда народы Германии и Италии оказались слиты своими вождями в единый монолит, партийный режим стал не нужен, и в обеих странах говорят теперь о воле народа, а не о воле партии, как в СССР.

Ведь не случайно Гитлер назвал свое движение «национал-социализмом», а не «фашизмом», и этим его решением, наверное, руководило глубокое понимание психологии своего народа его вождем. В Германии, как нигде, социалистические симпатии сильно развиты среди рабочих, и она, будучи страной фабрично-промышленного характера, представляет собою большую массу организованной рабочей армии, по преимуществу.

Что касается Италии, то это страна крупного землевладения и мелких арендаторов и сельскохозяйственных рабочих; в соответствии с этим, Муссолини повел ее путем несколько отличным от пути Гитлера, и это вполне понятно, так как пути фабричной Германии не могут совпасть с путями землевладельческой Италии.

Россия по природе своей совершенно не подходит ни под трафарет фашистской Италии, ни под мерку национал-социалистической Германии. Россия разноплеменна и расово различна в составе своего населения. В будущем она станет по преимуществу крестьянской страной, т. е. страной мелкого земельного собственника. Индустриальное развитие России, даже в тех гипертрофированных формах, кои приданы ему советским правительством, при нормальных условиях не будет служить в ущерб ее естественному тяготению к земле, как в силу больших земельных запасов, так и в силу психологии народа землероба и скотовода.

Основная идеология новой российской государственности должна сочетать в себе узаконенность расово-племенного объединения всех народов, входящих в состав государства. Все эти народы должны иметь общий источник равных прав и обязанностей, одинаково формулированных для всех составных элементов страны, независимо от их расового или племенного различия.

Россия для молодого поколения должна рассматриваться как университет, включающий в своих стенах всех жаждущих знания, без всяких ограничений. Для старшего поколения она должна являть собою поле деятельности в применении приобретенных знаний как каждой народности у себя дома, на своей территории, так и на общественно-государственных путях деятельности и служения одному и тому же Российскому государству.

Для ясности сознания долга перед общим отечеством — Россией должна быть найдена общая, психологически объединяющая формула, такой и послужит «Россизм» — от слова «Россия». При этом нужно различать значение слов «русский» и «российский». В то время как значение первого относится к чисто племенному порядку, второе слово относится к порядку географическому, территориальному, обозначающему принадлежность к одному и тому же государству, являющемуся союзом народов России под эгидой единой Верховной власти.

Россизм по идее противополагается коммунизму. Все, кто не приемлет коммунизма, кто не является интернационалистом, для кого больно уничтожение священного для каждого российского патриота имени «Россия», должны силою факта принадлежности своей к гражданам Российского государства именоваться «Россистами».

Россизм, в одно и то же время, определяя принадлежность к сынам России, не стирает расовых и племенных граней между ее народами, за коими признает право на национально-культурную и территориальную автономию на принципах хотя бы казачьих самоуправлений, существовавших в дореволюционной России.

Россизм, как государственная доктрина, спаивает и объединяет в себе все автономные части населения России в единое государственное целое, под единой верховной Российской властью.

Россизм обосновывает программу государственного строительства на полном учете исторически-бытовых условий отдельных народностей России, в соответствии с экономическими и социальными отношениями в стране.

Россизм признает права религиозной, личной и идеологической свободы, в соответствии с долгом ненарушения государственных интересов страны ее гражданами.

Россизм признает в неограниченном объеме право частной собственности каждого гражданина, вносящего пропорционально прогрессивные налоги в общегосударственную казну.

Россизм — это формула, определяющая принадлежность человека к Российскому государству, а посему он не может быть отрицаем или не признаваем, пока данное лицо является гражданином Российского государства, так же как лицо, принадлежащее к какой-нибудь расе, не может отрицать этой своей принадлежности именно к этой расе.

Россизм допускает существование политических партий в государстве, но в рамках строгой законности.

Россизм преследует полное уничтожение коммунизма.

Вышеизложенные принципы россизма исчерпывают его идею в схеме. Что касается деталей будущего государственного устройства страны, особенно в области аграрной, экономической и социальной, то таковые подлежат разработке и утверждению полномочными представителями всех народностей России, в соответствии с фактическим положением в освобожденной от большевиков родине нашей.

В заключение я должен еще указать, что для России, с ее разноплеменным населением, исповедывающим самые разнообразные религии, особенно важно поставить на правильный путь вопрос «веры». Нужно прежде всего воспитывать в обществе уважение ко всякой неизуверской религии, основав его на взаимно-этических началах, заложенных в основание каждой религии. Роль церкви в государстве чрезвычайно велика, поэтому церковь должна пользоваться полным покровительством власти в тех случаях, когда она в этом покровительстве будет нуждаться. Авторитет церкви должен стоять выше всякого земного авторитета. Всякая церковь должна рассматриваться как начало, содействующее процветанию своей страны, путем соответствующего влияния на паству, которую она обязана вести путями, полезными для государства, цементируя ее крепкими основами морали и долга. В своей основе религиозный вопрос должен быть построен на полной религиозной свободе каждого человека, верующего в Бога.

Давно уже, в самом начале своей борьбы, я призывал служителей церкви примкнуть к движению против большевиков, начатому мною, считая, что коммунистическая доктрина, направленная против основных принципов настоящего устройства мира, требует объединения и союза всех сил для борьбы с нею.

В феврале месяце 1926 года, когда обозначились первые признаки организованного гонения на религиозные идеи в СССР, я обратился с призывом к духовенству всех религий мира, обращая внимание его на то, что наступает пора, когда грозная опасность настоятельно требует прекращения междурелигиозной борьбы и объединения фронта против воинствующего коммунистического атеизма. К сожалению, из этого не вышло ничего, кроме обмена письмами и некоторых знаков внимания, полученных мною в ответ на мое обращение. В отношении же некоторых церквей я должен с сожалением констатировать, что они предпочли использовать тяжелое положение православия для того, чтобы вместо дружественной и искренней поддержки ему обратить все свои старания для привлечения в свое лоно наименее устойчивых сынов поруганной и очистившейся небывалыми страданиями православной церкви.

Итак, закончу на том, что до сего времени большевики преуспевали в своем стремлении овладеть миром и установить советскую систему в планетарном масштабе, главным образом, вследствие несогласованности противодействия, оказываемого им. Белое движение погибло в значительной степени из-за интриг союзников; дипломатия всех почти стран создала из Советов какое-то пугало, которого все боятся, и даже в религиозном вопросе большевики не встретили такого сопротивления, какого они сами ожидали.

Все это указывает на то, что правящие классы до сего времени ослеплены жадностью и стараются использовать несчастье России в свою пользу. Но Россия уже изживает испытание, посланное ей судьбою; великий народ воскреснет и оправится от пережитых страданий. Мы верим в скорое возрождение нашей родины, и в этой вере наша сила и наше оправдание.

ПРИЛОЖЕНИЯ

Приложение I

ВЫДЕРЖКИ ИЗ «ПЛАНА МИРОВОЙ БОРЬБЫ С БОЛЬШЕВИЗМОМ»,
выработанного генерал-лейтенантом
атаманом Г.М. Семеновым в 1921 г.

Большевики, наконец, после трехлетней борьбы, овладели всей Россией. Оставшийся, по-видимому, и внешне не занятый ими клочок русской территории — Приморская область — находится под фактическим их влиянием. Вся мощь многомиллионного русского народа и все богатства России находятся в их распоряжении и будут употреблены ими для достижения единственной цели, вызвавшей их к жизни, — мировой пролетарской революции и диктатуры пролетариата во всех странах мира.

Чтобы представить себе только всю силу советской власти и колоссальную мировую опасность большевизма, крайне необходимо рассмотреть все условия, в которых она существует к настоящему моменту в России, причем рассматривать их будем хотя бы только с целью осветить состояние созданного большевиками в России аппарата, при помощи которого они надеются достигнуть вышеуказанной своей цели.

Несомненно теперь, что всю Россию они рассматривают лишь как базу для существования и питания этого аппарата, а вся трехлетняя борьба с русскими националистами и помогавшими им иностранными державами, стеснявшими до сих пор свободу действий большевиков, была лишь борьбой за сохранение этого аппарата и его почвы — народа и территории России.

Этот аппарат состоит из двух элементов: 1) министерства пропаганды идей большевизма по всему миру (называется «Народный комиссариат по иностранным делам») и 2) Красной армии как активного средства пропаганды и как защиты базы, откуда эта пропаганда ведется.

Внутри России большевиками выполняется теперь лишь чисто техническая задача: использование наилучшим способом России, т. е. народа, территории и естественных богатств ее, как почвы максимального питания указанного аппарата, и принятие мер к тому, чтобы не создалось условий, при которых самая власть, управляющая аппаратом, могла быть быстро опрокинутой и замененной другой.

Россия как страна имеет все элементы для самостоятельного существования, т. е. хлеб и др. пищевые продукты, вещества для выделки одежды и обуви, топливо и минералы для всех существующих в мире видов промышленности. Запас живой силы в России, т. е. численность русского народа, который в поставленной себе большевиками задаче рассматривается как орудие для ее выполнения, также громаден.

Следовательно, и живая сила, и материальная часть аппарата мировой революции могут из России черпаться в огромных размерах, причем для добывания их не требуется особо усовершенствованных приемов, а и то и другое добывается хищническим путем, как это бывает, например, при разработке особо богатой залежи какого-нибудь минерала. Если при этом то и другое гибнет в громадных размерах, большевики с этим не считаются, запас есть, а выходы покрывают необходимую потребность. Поэтому вся система власти в России построена большевиками не для управления страной и народом, а для обслуживания потребностей армии и правительства, с его органом мировой пропаганды. Сама Россия по своей отсталости давно признана Лениным непригодной для насаждения социализма, и в ней социалистические опыты оставлены, как ослабляющие мощь аппарата. С этой точки зрения становится совершенно понятной конструкция власти в России и приемы, употребляемые этой властью при управлении.

Во главе правительства находится группа лиц, принадлежащих к Красному интернационалу и составляющих главных его лидеров. Это — Ленин, Троцкий, Зиновьев, Бухарин, Каменев, Чичерин и др. Эта, небольшая сравнительно, группа спаяна неразрывно, имеет одну цель, одинаковое прошлое и одинаковое будущее — позорную гибель на пути к достижению своей необъятной, по размерам злодейства, цели. На почве такой тесной круговой поруки и совместной работы они представляют собою ядро с одним лицом и единой железной волей. Под ними находится правительство в виде нормального бюрократического аппарата, в котором дисциплина тем сильнее, чем опаснее положение ядра, возглавляющего правительство.

Имеется парламент в виде съезда Советов «рабочих и крестьянских» депутатов и его постоянного органа — Центрального Исполнительного Комитета. Парламент созывается исключительно из членов своей партии, т. е. фактически агентов власти, и созыв его служит внутри государства для целей взаимной информации и связи между агентами на местах и центром, а вне государства — как средство пропаганды, т. к. голос этого парламента рабов власти выдается за голос всех крестьян России, ложно называемых «пролетариатом». Власти правительства никакого стеснения в ее исполнительных и законодательных функциях этот парламент не составляет.

За парламентом находится коммунистическая партия, которая по своим привилегиям в современной России должна быть приравнена к древним аристократическим кастам, а по внутренней дисциплине своей, поддерживаемой жесточайшими мерами, представляет собой послушное орудие в руках верховной власти.

Красная армия есть обычным порядком построенная вооруженная сила, причем массу ее составляют насильственно мобилизованные красноармейцы, а остов — карательную и устрашающую силу — коммунистические части, большею частью наемные иностранного происхождения — мадьяры, китайцы, латыши и т. д., коммунистические ячейки и институт политических комиссаров во всех частях войск. Воздействие на красноармейскую массу в виде мер жесточайшего порядка всегда в руках власти, и дисциплина поддерживается образцовая.

Для удержания в повиновении самой страны приняты меры упрощенного порядка и более сложного. К первым относятся:

обеспечение государства от неспокойного элемента, способного к организации и управлению народными восстаниями, что достигнуто почти полным уничтожением интеллигенции и офицерства. Ко вторым — создание: а) «чрезвычаек», политического шпионажа в учреждениях, войсках, населении и даже в семье, б) «внутренней охраны», заменяющей собой жандармерию и институт стражников прежнего времени, а также полное подавление печати, за исключением инструктируемой из коммунистического центра.

Забота о продовольствии и иных земных благах простирается только на правительство и Красную армию, население же рассматривается как почва, откуда эти блага добываются, и в отношении своих жизненных потребностей предоставлено самому себе.

Организация труда населения производится правительством исключительно принудительным порядком и преследует ту же цель — питание аппарата, — т. к. все, что у кого бы то ни было оказывается налицо, всегда может составить предмет реквизиции, а по мере надобности и составляет.

Голодное, истощенное до крайности, развращенное, загипнотизированное пропагандой, уничтожаемое массами всякими болезнями, раздробленное, благодаря шпионажу, запуганное террором, лишенное образованного класса, погибшего в борьбе, оставившего отечество или поступившего в правительство, и потому неспособное к организации и сопротивлению, население, религия которого, единственное утешение несчастных, затоптана и заплевана, и рядом сравнительно обеспеченная, управляемая единой волей и дисциплинированная правящая каста, беспринципная, не выбирающая средств, безответственная, и Красная армия — составляют стройную систему, на которой, математически рассчитанная, покоится советская власть Красного интернационала.

Все это создано не зря, не случайно, не в порядке стихийного движения народа, как проходящее явление, которое сама сила народа в поступательном стремлении революции переменит, вольет в другие формы. Нет. С самого начала революции одна и та же рука, одна и та же воля, с сатанинским умением, с непреклонным упорством направляла и использовала движение народа, стремясь к достижению цели, ничего ни с русским народом, ни с его историческими задачами, ни с заданиями революции не имеющая. Теперешнее достижение советской власти не есть достижение внутри России, а есть этап на пути творения мировой революции, с этим путем не расстанется Красный интернационал, пока существует его власть, а существование его власти возможно только при сохранении РОССИИ в состоянии полного порабощения.

Какой же эволюции ждать от советской власти с распространением ее на всю Россию?

Национальная революционная власть, добившись господства в заботах об устроении родной страны, естественно, начнет эволюционировать, переходя к нормальным формам жизни, диктуемым исторической последовательностью жизни нации. Но власть чуждая, захватившая народ и поработившая его, как орудие, к какой эволюции способна, пока ее конечная цель еще не достигнута. Лишь к усовершенствованию аппарата порабощения этого орудия для большей уверенности в исправном его действии.

Многих соблазняет мысль, что там, на стороне красных, русский народ сражается с интервентами, чужестранцами и как бы невольно защищает Россию от иностранцев, но ведь если здесь была интервенция разрозненных союзников в различных частях России, то там оккупация чужой властью всей страны на неопределенно долгий срок для совершенно диких и не нужных русским целей.

Русский националист, с надеждой и упованием взирающий на собирание Руси воедино под большевиками и на успехи Красной армии русских солдат, может быть сравнен с любителем духовного пения, который после смерти любимого человека сказал бы: «Ничего, что он умер, зато я послушаю панихиду».

Большевистская власть еще потому неспособна к эволюции, к превращению ее в национальную власть, что **в большинстве своих агентов состоит из преступного элемента, преступления коих в прошлом и безумные зверства в настоящем создали между ними и народом неодолимую стену ненависти и презрения, и потому всякая**

свобода, всякое послабление, данные народу, грозят, прежде всего, выходом на волю чувства народной мести и, следовательно, никогда не будут даны.

Пора, наконец, русским понять, что там, где большевики, — нет России, пора понять и иностранцам, что до сих пор влияние новоявленного мирового варвара — большевизма сказывалось мало в соседних странах, потому что русский народ в трехлетней кровавой борьбе стеснял его свободное движение, но что теперь Россия измучена в борьбе, что вся она утратила свое национальное лицо и представляет собой послушное орудие в руках варвара-большевика, и это орудие направляется против вековой культуры мира и против буржуазии в первую голову, как создательницы и хранительницы этой культуры.

Заслуги русского народа велики. Что, если бы большевизм со всей теперешней силой вышел на арену мировой борьбы в 1918 году, когда все великие державы были потрясены до основания только что окончившейся войной?

Такова сила и внутреннее строение аппарата мировой революции, созданного из России правительством Красного интернационала.

Каково же его внешнее положение?

Мир в отношении борьбы с большевиками представляет комнату, где сидят люди с повязками на глазах, а между ними один зрячий, и этот зрячий — вор, который с величайшей наглостью обворовывает слепцов, отнимая у них драгоценности и подсовывая им дешевые побрякушки, и убеждает, что это много интереснее.

Так Англия и Франция собираются давать большевикам товары и получать взамен обещания сырья и золота, которое служило обеспечением их же займам, данным России.

Так Китай, поощряемый аннулированием большевиками русских прав и привилегий, мечтает с помощью большевизма изгнать всех иностранцев из Китая.

Так Америка, гонимая алчностью своих коммерсантов и ненавистью к Японии, тянется в Сибирь за концессиями, которые с откровенной наглостью предоставляет американцам Ленин, указывая, что столкновение Америки с Японией отдаст во власть его комбинаций весь Восток.

Большевики находятся в исключительно благоприятной позиции, лавируя к своей цели в сплетениях мировой политики. Они не имеют собственной страны, которая связывала бы их ответственностью за ее будущее. В самом деле, никакое национальное правительство не решилось бы растрачивать до конца государственный золотой запас, аннулировать разом по собственному почину 50 договоров, обуславливающих привилегии ее подданных в соседнем государстве, или отдать в концессию на 60 лет область в 4 000 000 кв. километров. Не неся никакой ответственности, но уже имея влияние, как сила, пока, правда, пассивная, они уже начали путать карты мировой политики, используя для того противоречивые интересы наций. Но кто помешает им при благоприятной обстановке применить и силу активную, свою Красную армию, доходящую до миллиона бойцов?!

Итак, обстановка на фронте мировой борьбы с большевизмом рисуется, в кратких словах, следующим образом:

1. Борьба в России закончена пока поражением русских националистов и полным порабощением России большевиками, причем самостоятельное изживание большевизма русским народом признается бесполезным, т. к. это не изменит формы существующей в России власти и ее целей.

2. Правительство Красного интернационала, владея Россией как орудием, выступило на арену мировой политики и действует с целью создания новых войн и потрясений, дабы использовать мировые несчастья для расширения сферы своего влияния.

3. В мире не существует никакой международной организации, которая могла бы парализовать политические интриги большевиков и противопоставить материальную и физическую силу силам, применяемым большевиками.

Итак, дальнейшая борьба с большевизмом неизбежна, ибо война, объявленная культурному миру три года тому назад, ведется и сейчас с прежним упорством, и конец наступит только в двух случаях:

а) если большевики будут вырваны с почвы их питающей, т. е. из России, и б) если власть Красного интернационала распространится на все государства мира и не будет ни одного правительства, ни одной организации, способных оказать им сопротивление.

Для русских победа над большевиками означает свободу и самостоятельность России, победа большевиков означает гибель, ибо не будет ни одного места на земном шаре, ни одного государства, которое укрыло бы их от мстительной руки Красного интернационала, как нет сейчас ни одного клочка русской земли, на котором мог бы свободно дышать русский человек.

Но методы борьбы, наблюдающиеся до сих пор, надо признать совершенно негодными.

Со стороны большевиков мы видим железную спайку, единую армию, действующую в России, единую международную организацию, ведущую пропаганду во всех странах мира, объединенный источник материальных средств и единую волю, управляющую на всех фронтах борьбы и во всех пунктах пропаганды.

Что же мы видим со стороны русских и их союзников?

1. Во время наступления армий адмирала Колчака, когда Западная армия потерпела в районе Уфы поражение, Сибирская армия, действовавшая в районе Перми, мечтала о самостоятельном взятии Петрограда по пути Вятка—Вологда и, не слушаясь никаких приказов из центра, шла вперед, несмотря на гибельное положение ее левого фланга.

2. Армии генерала Деникина вместо того, чтобы фланговым ударом вдоль Волги поддержать фронт адмирала Колчака, предприняли самостоятельный поход для завоевания Москвы по пути Харьков—Курск, распространившись зачем-то на Крым и Одессу и бессмысленно столкнувшись у Киева с Петлюрой.

3. Английский флот вместо того, чтобы поддержать Юденича у Петрограда, занимался разгромом Риги у него в тылу.

4. Во время победы большевиков на восточном фронте и трудного их положения на южном англичане вместо того, чтобы усилить свое наступление на северном фронте, предприняли эвакуацию Архангельска и обрекли на гибель сражавшуюся там русскую армию.

5. Поляки в момент полного разгрома ими красных и начавшихся успехов генерала Врангеля заключили с большевиками мир и обрекли дело Врангеля на катастрофу.

Это лишь наиболее крупные примеры, мелких такое количество, что привести их нет никакой возможности. Общая характеристика — каждый русский генерал действовал совершенно самостоятельно, руководствуясь личными усмотрениями и провинциальными интересами. Каждая армия действовала в выбранном ею районе за свой собственный страх и риск и прекращала войну, когда находила нужным, не считаясь с общими требованиями момента.

В результате сотни миллионов затраченных денег, бесчисленное военное снабжение, попавшее в руки большевиков, море русской крови, всеобщее недоверие к возможности дальнейшей борьбы и — советская власть — мировая держава, владеющая одной седьмой суши земного шара и многомиллионным запасом рабски покорной ей живой силы. Такой метод борьбы должен быть признан по меньшей мере негодным на будущее время. Если нельзя изобрести ничего другого, лучше не делать ничего и покорно ждать своей участи, как ждали в древности русские удельные князья, когда двигавшаяся из Азии орда Чингисхана после Рязани брала Киев, после Киева — Суздаль и Тверь, пока вся страна не была захвачена ею.

Но мы берем на себя смелость утверждать, что есть более действительный метод борьбы, чем до сих пор, что красные в России держатся только, пока, разрозненностью и нерешительностью их противников, что, по собственному признанию Ленина, в самой России 95% населения против советской власти, и потому один сильный нажим на эту власть, дружный и организованный, в кратчайший срок сметет с лица земли и уберет его туда, откуда он вышел, — в подполье общественной жизни.

Этот метод есть: **образование единой международной организации для борьбы с большевизмом — Белого интернационала — в противовес Красному**, вовлечение в эту организацию виднейших политических представителей финансового и коммерческого мира, создание единого распорядительного органа этого интернационала и его особого денежного фонда. Создание единого военного плана и командования, выделение международной вооруженной силы для помощи тем русским областям и армиям, которые будут подняты на борьбу с очагом мировой революции.

Русские круги во всех центрах за границей должны быть организованы в одно национальное целое, управляемое единым центральным органом, которому должно быть поручено непосредственное распоряжение русской ветвью организации и ее военной силой.

Все международные вопросы на время борьбы с большевиками должны рассматриваться и разрешаться под углом зрения пользы и вреда для этой борьбы.

В прессе должны быть исключены по отношению к большевикам слова — «Русское правительство», «Русская армия», раз и навсегда, и заменены словами — «Правительство Красного Интернационала», «Армия Красного Интернационала» и т. д.

В противовес пропаганде красных, должна быть развита в грандиозных размерах пропаганда несчастий России и мировой красной опасности.

Должны привлекаться добровольцы всех стран на вооруженную борьбу с красными варварами. Русские армии, спасенные от гибели, должны быть устроены за границей, вооружены, подготовлены к новой борьбе под единым русским командованием.

О ПЛАНЕ

Вышеописанная международная противобольшевистская организация вряд ли возникнет иначе как в результате упорной и дружной работы русских людей за границей, которые для возможности успеха предварительно должны объединиться между собой, составить как бы политическую партию, имеющую свой центральный управляющий орган.

Объединение на почве расплывчатой идеи или программы, заключающей в себе желательное конечное достижение, не вызвало бы такую партию к жизни в настоящий момент всеобщего раздробления и инертности. Поэтому мы предлагаем сначала выработать реальный план действий будущей организации, затем путем привлечения к работе лиц, разделяющих такой план, создать влиятельную инициативную группу, в результате деятельности которой, попутно с выполнением плана, должны возникнуть и русская и иностранная антибольшевистские организации.

По вопросу о выработке оснований для составления плана борьбы с большевизмом в мировом масштабе нам представляется, что должны быть приняты во внимание следующие соображения. В условиях современного положения вещей работа по борьбе с Красным интернационалом распадается на четыре главных отрасли:

I. Политическая работа — а) в русских заграничных кругах, б) в бывших областях России, образовавших самостоятельные государства, и в) в самой России с целью сгруппировки реальной силы, направленной против советской власти.

II. Политическая работа за границей с целью создания сильной антибольшевистской иностранной группировки.

III. Объединение, пополнение и боевая подготовка русской вооруженной силы, находящейся за границей, и поддержка таковой в районах, охваченных восстаниями против советской власти.

IV. Агентурно-разведочная работа в России и за границей.

Из комбинаций результатов, достигнутых по всем четырем отраслям, должны быть созданы: а) план военно-политической противобольшевистской операции и б) орган, который приведет этот план в исполнение.

Каким же путем идти к созданию международной группировки, которая решилась бы на огромные жертвы для поддержания русских в их стремлениях воссоздать родину?

Одними воплями о большевистской опасности и несчастиях России можно лишь создать сочувствие к себе и отрицательное отношение к красным, но нельзя создать положительного творчества. Можно получить ответ: «Мы бы рады вас поддержать, но как, в каком направлении, чего же вы сами хотите, во что верите и кто верит вместе с вами».

Другое дело — Русский центр, представляющий собой новую сильную политическую партию, имеющий план будущего устройства России и договаривающийся, исходя из оснований этого плана, о будущих международных отношениях.

Красные имеют перед нами то преимущество, что они фактически владеют территорией, но и тот недостаток, что они глубоко ненавидимы всеми, кто с ними поневоле разговаривает.

Русское общество, в значительной степени разочарованное целым рядом неудач на чисто военном поприще борьбы с большевиками, последнее время склонно прийти к выводу, что нет такой силы в мире, которая могла бы победить Красную армию. И, установив «невозможность», совершенно нелогично переходят к другому понятию — «ненужности» применения военной силы. Однако сущность вопроса совершенно ясна: большевики удерживают свою власть силой, и силой же держат в повиновении Красную армию, стало быть, только силой может быть положен предел их существованию. Ведь не может быть надежды распропагандировать партию коммунистов и наемные коммунистические войска так, чтобы они перестали слушаться своих вожаков. Многие говорят, что сила должна быть применена изнутри, но мы полагаем, что и изнутри и извне. Только наличием борьбы полного напряжения на внешнем фронте можно объяснить ошеломляющий успех переворота в марте 1917 года. Вопрос сводится лишь к тому, что эта новая внешняя война должна быть неудачной для советской власти, т. е. окончиться потерей территории, полным разгромом Красной армии и уничтожением ее как таковой.

Для того чтобы сделать войну удачной для нас, нужны соответствующие противнику силы и хороший план операции, которую надо сделать не только военной, но и военно-политической. Ни то ни другое даже в общих чертах не может быть учтено в настоящей записке. Можно только установить, что некоторые силы, на которых может базироваться план, имеются. Это различные армии — разоруженные, интернированные и эвакуированные. Все это по большей части непримиримые противники большевиков, только временно упавшие духом под влиянием долгого периода неудач. Необходимо сделать все возможное для поддержания духа этих войск, их вооружения и переформирования для приведения в порядок и объединения командования ими.

Даже для пополнения могут быть приняты меры. Мы уже не говорим о всеобщей мобилизации всех русских призывного возраста, проживающих за границей. Такая мера подлежит в будущем обсуждению и, по нашему мнению, непременно должна быть принята, раз решено будет двинуть хотя бы одну часть войск, находящихся ныне за границей. К сожалению, эта мера должна дать мало, ибо находится в зависимости от успешности внешней политики Русского центра, и элемент, который будет получен таким способом, крайне ненадежен. Все же моральное значение для войск это будет иметь большое. Кроме того, пополнение наших войск может производиться путем вербовки беженцев из советской России, для чего должны быть использованы внутренние антибольшевистские организации, раз только для этого будут средства. Ввиду большого ныне протяжения границ и отчаянных условий жизни в России, поток бегущих от советской власти возможен. В дальнейшем размеры нашей вооруженной силы будут зависеть от успешности нашей политики и от силы заграничной группировки, а самый успех операций, кроме того, и от обстановки, которая будет ей предшествовать.

По существу своему советская власть должна постоянно находиться в состоянии войны с кем-либо из соседей, и обстановка в этих войнах не всегда бывала и, очевидно, не всегда будет благоприятна ей. От нас должно зависеть удачно выбрать момент.

Политическая часть операции должна быть разработана до начала ее, а не после завоевания территории, как это практиковалось до сих пор.

Орган пропаганды и осведомления с огромным запасом литературных материалов должен быть развернут немедленно по вступлении на родную территорию. Выборы представительного органа от населения должны быть проведены в момент расцвета операции немедленно по освобождении от большевиков, в момент, так сказать, восторга народного, а не тогда, как это практиковалось до сих пор, когда власть рушится и к органической связи с населением прибегали как к последнему средству спасения. Так же должно быть поступлено с опубликованием законов, кои, по мнению власти, должны закрепить за ней симпатии населения. Власть должна быть революционной и должна идти впереди, угадывая справедливые потребности масс, а не откладывая все больные вопросы «до Учредительного собрания».

По вопросу о разведке и агентуре можно только сказать, что она нужна. Ее задачи и организация в этом случае ничем не должны отличаться от всяких подобных.

Резюмируя все вышеописанное, мы в этом плане предлагаем один из способов, кажущийся нам наиболее подходящим, — отгадать здоровое стремление нации, населявшей некогда великие пределы Российской империи, пропагандировать это стремление, развить, урегулировать его, возглавить русским почином и, сочетав с здоровыми интересами соседних народов, создать силу, в поступательном движении которой задушить большевизм, как чуждое явление, препятствующее развитию творчества этой силы.

Январь, 1921 г.

Приложение II

ПРОТОКОЛ ЗАСЕДАНИЯ
Президиума Чрезвычайной Сессии
Съезда представителей националистического
населения Д. Востока,
состоявшегося 24 июня 1921 года
в помещении Совета Съезда, Светланская, 42.

ОБСУЖДАЛИ:
Переданный Президиуму делегатом Виктором Всеволодовичем Власовым разговор по прямому проводу генералов Смолина и Вержбицкого с большевиками, чтобы ликвидировать атамана Семенова, — для оглашения его на общем собрании.

Заявление Амурской фракции о примирении Правительства с атаманом Семеновым и об оказании денежной помощи восставшим против большевиков отрядам.

ПОСТАНОВИЛИ:

Переданный материал, как никем не подписанный и не проверенный на Общем Собрании, не оглашать. Копию сообщить Временному Правительству для сведения.

В первой своей части о примирении Правительства с атаманом Семеновым, как заявление, аналогичное с заявлением делегата Терехова, снятого с обсуждения на Общем шестом пленарном закрытом заседании, — не рассматривать в отношении оказания денежной помощи восставшим отрядам Амурской области — копию заявления сообщить Вр. Приамурскому Правительству.

Заявление группы делегатов о внесении на ближайшее заседание Съезда вопроса о соглашении с атаманом Семеновым.

Аналогичное заявление дел. Терехова на седьмом закрытом заседании Съезда было собранием снято с обсуждения, в силу изложенного, настоящее заявление оставить без рассмотрения.

Председатель — подпись неразборчива.
Тов. Председателя: *Кн. Кропоткин.*
П. Ходаков.
Н. Миролюбов.
Секретарь: *М. Баранов.*

ПЕРЕХВАЧЕННЫЙ РАЗГОВОР ПО ПРЯМОМУ ПРОВОДУ НИКОЛЬСК-УССУРИЙСК—ВЛАДИВОСТОК
19 июня 1921 года

У аппарата дежурный офицер Штарма. Что угодно?

У аппарата генерал Смолин. Я просил командарма, скоро ли будет!

Я Штарм — дежурный офицер. Генерал Вержбицкий болен, не может.

Начштаб поручил мне принять информацию. Прошу передавать, ваше превосходительство. Я слушаю.

Дело в следующем: телеграмма и разговоры прямым проводом Гродековских групп все представляются мне. Общий вывод из этого таков, что атаман Семенов решил активно выступить против нас и правительства. Со своей стороны мною приняты строжайшие меры недопущению каких бы то ни было выступлений.

С другой стороны, мне известно, войска Д. В. Р. предлагают занять Никольск под видом присоединения к нам для совместной работы.

Местное японское командование по этому вопросу заявило свое невмешательство в наши дела.

Сегодня у меня была делегация из Анучино. Передала мне постановление командного состава следующего содержания:

обсудив вопрос всесторонне, письменное предложение генерала Смолина о мирном слиянии войск Д. В. Р. с войсками каппелевской армии и принимая во внимание русско-японское соглашение: войска Д. В. Р. в районе, занятом японцами, не имеют права входить в города, железнодорожные станции и др. пункты без предварительного соглашения, постановило: предложение генерала Смолина приветствовать, настоятельно просить Вр. правительство дополнительно через генерала Смолина:

1) В полной ликвидации атамана Семенова и его войск.

2) Требовать скорейшей эвакуации японо-войск из Приморья.

3) Предоставить войскам Д. В. Р. вполне оборудованные казармы в Никольск-Уссурийском, Раздольном, Спасске, Владивостоке, Второй и Первой Речки.

4) Предоставить независимую телеграфную связь для сношения со всеми войсками Д. В. Р. до Читы включительно.

5) Просить для однообразия снять погоны и знаки военного отличия.

6) Восстановить флаг Д. В. Р.

7) Не допустить работы несоциалистических организаций.

8) Восстановить Народное Собрание.

Подписали: председатель Кокушкин, секретарь Григорьев.

Кроме того, лично делегацией заявлено мне, что ликвидация Семеновских войск желательна совместно с ними.

У аппарата генерал Вержбицкий. Здравия желаю, ваше превосходительство.

Извиняюсь, очень нездоровится. Предупреждаю вас, что такие могут быть известны только нам, просил бы другим лицам в следующий раз не доверять, прошу продолжать дальше, я у аппарата.

Я генерал Смолин, такое последнее слово, повторите.

Я Штарм... совместно с ними.

Я Штарм... совместно с ними, полагая при этом пропуск войск Семенова через мост Уссури в сторону Иман, где одновременно предполагают отрезать путь отступления, тем временем воспользуется гарнизон Иманского района и поведет решительное наступление во фланг и тыловые части Семенова. Под давлением наших частей они должны будут сдаться, после чего можно ожидать с уверенностью присоединения к нам войск Д. В. Р. ... вот вкратце все.

Я генерал Вержбицкий. На эту махинацию решиться нельзя без согласия правительства. Нужно воздержаться, имея в виду японские войска, всецело стоящие на стороне Семенова. Моя просьба такова, послать еще делегацию в Анучино из трех вполне развитых, заслуживающих особого внимания офицеров, с тем чтобы им была представлена гарантия неприкосновенности на время посещения Анучина. Кроме того, желательно было бы поручить этой делегации проехать инкогнито вместе с ними в Хабаровск для выяснения положения дел, стараясь при этом установить телеграфную связь с Хабаровском, причем необходимо быть готовым ко всяким случайностям. Ближайшие дни ожидается выступление Семенова. Вопрос этот дебатируется правительством вот уже целую неделю.

Есть много разногласий в связи с действиями японцев. Правительством неофициально делалось сношение о необходимости эвакуации японских войск, но все безрезультатно. Вот так обстоит дело.

Возможно предполагать с уверенностью, что японское командование поддержит Семенова. Вот и все. Не скажете ли еще что-либо? Я слушаю.

Я генерал Смолин. Я бы хотел вам передать относительно нерешительности Иркутского полка. Генерал Осипов старается восстановить против меня, распространяет общественное мнение противное моим действиям. Я считаю для меня это недопустимым.

Прошу ваше превосходительство убрать из Никольска помощника уполномоченного Куржанского, который открыто подрывает мой авторитет среди населения, следствием чего образовалось довольно влиятельное течение в пользу атамана Семенова. Я лично надеюсь предотвратить, безусловно с вашим содействием.

ОГЛАВЛЕНИЕ

Семенов Григорий Михайлович

О СЕБЕ

Воспоминания, мысли и выводы
1904—1921

Ответственный редактор *Л.И. Глебовская*

Художественный редактор *И.А. Озеров*

Технический редактор *Н.В. Травкина*

Ответственный корректор *М.Г. Смирнова*

Подписано в печать с готовых диапозитивов 14.12.2006.
Формат 84×108 $^1/_{32}$. Бумага пухлая. Гарнитура «Лазурского».
Печать офсетная. Усл.печ. л. 15,96. Уч.-изд. л. 14,34.
Тираж 3000 экз. Заказ № 968.

ЗАО «Центрполиграф»
111024, Москва, 1-я ул. Энтузиастов, 15
E-MAIL:CNPOL@DOL.RU

WWW.CENTRPOLIGRAF.RU

Отпечатано в полном соответствии
с качеством предоставленных диапозитивов
в ОАО «ИПП «Уральский рабочий»
620219, Екатеринбург, ул. Тургенева, 13
http://www.uralprint.ru   e-mail: book@uralprint.ru